Pasje i uspokojenia

STANISŁAWA
FLESZAROWA-MUSKAT

Pasje i uspokojenia

Wydawnictwo
EDIPRESSE POLSKA SA,
ul. WIEJSKA 19, 00-480 WARSZAWA

Dyrektor wydawniczy
MAŁGORZATA FRANKE

Brand manager
MONIKA BOGUSZ

Redaktor serii
ZBIGNIEW ŻBIKOWSKI

Projekt okładki
BEATA KULESZA-DAMAZIAK, Studio KARANDASZ

Łamanie
JOANNA KOZŁOWSKA

BIURO OBSŁUGI KLIENTA
czynne: pn.-pt. w godz. 8.00-17.30
e-mail: bok@edipresse.pl
tel.: (22) 584 22 22
faks: (22) 584 22 32

Druk
DRUKARNIA TINTA, DZIAŁDOWO

ISBN 978-83-7769-165-6 (kolekcja)
ISBN 978-83-7769-181-6 (tom 20)

I

Nie miała już pieniędzy, do pierwszego pozostało jeszcze kilka dni, a honorarium za film dawno się rozeszło, dzień był brudny jak ścierka od podłogi, Sebastian nie chciał jeść kaszki, jego wyprane wczoraj rajtuzy nie wyschły jeszcze i trzeba by je dosuszyć żelazkiem, życie trzymało się tylko na obowiązkach, pusta torba zawieszona na gwoździu, Anno – mówi do siebie – nie rozklejaj się, masz dom, męża, dziecko, powinnaś być szczęśliwa jak miliony kobiet zagonionych od świtu do nocy niczym zdyszane psy, szczęście wymaga od kobiety wysiłku, o tym powinnaś wiedzieć nie tylko z ról, które grałaś, z życia powinnaś o tym wiedzieć, z życia, wystarczy rozejrzeć się wokoło, żeby... żeby co? Żeby nic, dlaczego ten Paragraf tak długo siedzi w łazience, niechby przynajmniej podał jej przez drzwi te nie dosuszone rajtuzy Sebastiana, ale sam na to nie wpadnie, on nigdy sam na nic nie wpada, doskonałość, jaką wmówił w siebie, czyni go uodpornionym na drobiazgi życia, kiedy właściwie przestała go kochać, między dwudziestym a trzydziestym któregoś miesiąca, teraz wiele małżeństw przechodzi kryzys o tej kalendarzowej porze, dawniej otworzyłaby drzwi od łazienki i przytuliła twarz do jego mokrych pleców, ściągając równocześnie rajtuzy ze sznurka nad wanną, on powiedziałby: wariatka, i śmialiby się cicho i szczęśliwie; ale ona nie otworzy drzwi od łazienki i nie przytuli twarzy do jego pleców, ma za to ochotę trzepnąć w kark Sebastiana, który gmera łyżką w wystygłej kaszce, rozpryskując ją wokół talerza.

– Zabiję cię – mówi, a głos ten chowała w sobie od chwili, kiedy zamarzyło jej się, że zagra kiedyś Lady Makbet – zabiję cię, jeśli zaraz nie zjesz kaszki.

– Zabij! – śmieje się Sebastian, nareszcie czymś rozbawiony tego ponurego ranka. Ma trochę wdzięku to dziecko świetnie zapowiadającej się aktorki i równie świetnie, co beznadziejnie, jeśli chodzi o finansowe perspektywy, zapowiadającego się prawnika, ale Anna nie pozwala sobie na wzruszenie, na wzruszenie trzeba mieć czas, a te trzy godziny, które dzielą ją od chwili, kiedy zjawi się w teatrze z zawodowo rozpromienioną twarzą, te trzy godziny mają sto osiemdziesiąt wściekle przyspieszonych minut, rozkradzionych przez zakupy w najbliższych sklepach, najkonieczniejsze zajęcia domowe, jazdę tramwajem do przedszkola i jazdę autobusem do teatru, nie ma więc mowy o żadnych wzruszeniach, zamiast pocałować Sebastiana, Anna wali pięścią w drzwi łazienki.

– Śpisz tam?

Szymon (Paragrafem zaczęła go nazywać w myślach chyba także między dwudziestym a trzydziestym któregoś miesiąca) z ręcznikiem na szyi staje na progu.

– Przecież musiałem się ogolić!

– Mógłbyś chociaż raz odwieźć Sebastiana do przedszkola.

– Wiesz, jak chodzą tramwaje. Nie mogę spóźnić się do sądu.

A ja do teatru mogę? – chce krzyknąć Anna, ale powstrzymuje się. Tak, Paragraf do sądu spóźnić się nie może, zawaliłoby się coś i pękło, Paragraf mógłby się spóźnić do sądu tylko w wypadku końca świata... W Annie wzbiera wściekłość za lekceważenie jej zawodu, za lekceważenie tego wszystkiego, co dotąd uważała za najważniejsze, zanim pozwoliła sobie tak bardzo zakłócić życie. Ale nie powie nic, bo kłótnie co najwyżej zabierają czas, i niczego nie mogą zmienić, trzeba milczeć i przywoływać na pomoc pamięć tych dni, kiedy wysoki, młody człowiek (nie wiadomo dlaczego wydał jej się całkiem nadzwyczajny), kiedy ten wysoki, młody człowiek czekał na nią przed teatrem i milcząco wręczał jej mały bukiecik, żeby potem zaraz odejść, uciec, wtopić się w tłum... i to nie on, ale ona przemówiła pierwsza, więc właściwie sama ponosi odpowiedzialność za cały dalszy ciąg, za kilka kaw w zamykanych już o tej późnej porze kawiarenkach, za kilka pocałunków w windzie i za tę pierwszą noc, po której – jak myślała – miał zostać u niej i czekać na jej powrót po próbie w teatrze. Ale zerwał się od razu, kiedy mu to tylko zaproponowała.

– Od samego rana mam rozprawę.

– Co... masz? – wyjąkała.

– Rozprawę.

– Jak... mam to rozumieć?

– Zwyczajnie. Mam rozprawę w sądzie.

– Musisz przyznać – zaczęła ostrożnie – że wykazałam dużo taktu, nie pytając cię dotąd, kim jesteś.

– Jestem sędzią.

Przypatrywała mu się długo, jakby dopiero teraz nadarzyła jej się ku temu okazja.

– Nie... – roześmiała się.

– Co w tym śmiesznego?

– Właściwie nie wiem, przepraszam. Nigdy w życiu nie widziałam żywego sędziego. Mąż ciotki mojej matki był przed wojną sędzią sądu okręgowego w Czortkowie. Kłaniało mu się całe miasto.

– Ja jestem sędzią sądu wojewódzkiego, ale w tym mieście nikt mi się z tego powodu nie kłania.

– Dlaczego?

– Takie czasy.

Wiedziała więc, na co się decyduje, zostając drugą sędziną w rodzinie, co prawda rzeczywiście w zupełnie innych czasach. Początkowo ją to bawiło, a także dostarczało pewnej satysfakcji, że nie wyszła za któregoś z lekkoduchów czy taniutkich cwaniaczków, którzy wciąż kręcili się koło niej, ale że oceniła, że zdobyła się na ocenę tych wartości, które – tak nieefektownie, niestety – reprezentował Szymon. Później życie gromadziło refleksje... Och, do diabła, z refleksjami!

– Nie grzeszmy – powiedziała na głos.

– A grzeszymy? – Szymon wrzucił ręcznik do łazienki, nalał sobie herbaty, myślał już zapewne o stosach zakurzonych sądowych akt i nie uczestniczył pełnią uwagi w rozmowie.

– Powiedzmy, że ja – ucięła. Chwyciła siatkę i portmonetkę. – Przypilnuj, żeby Sebastian zjadł do końca kaszkę, skoczę do sklepu.

Zawsze, gdy pojawiała się na ulicy, doświadczała uczucia wywoływanej swoją osobą sensacji. Sprawiało jej to nawet trochę przyjemności, sława – choćby tylko nadwiślańska – dodaje nieco pewności siebie, mało jednak, niestety, z niej wynika. Kolejka w sklepie zaszemrała wprawdzie na jej widok, nikt jednak nie rzucił się ku niej, nie po autograf oczywiście, co by było żałośnie śmieszne w tych okolicznościach, ale żeby jej zaproponować swoje miejsce bliżej lady. Tylko jakiś chwiejny pijaczek zawołał na cały sklep:

– Przepuście panią artystkę! – A gdy nikt się nie ruszył w kolejce, a Anna nie wiedziała, gdzie podziać oczy – zapiał łzawo: – Po rękach powinni panią całować, a nie pchać się przed panią ze swoimi tyłkami.

– Jeśli nikt się nie sprzeciwi – ekspedientka za ladą uniosła się na palcach – obsłużę panią poza kolejnością.

– Nie, nie! – zaprotestowała Anna. – Dziękuję. Mam dużo czasu.

– Co się stało? – spytał Szymon, gdy wróciła do domu. Stał już w płaszczu przy drzwiach, ale jednak dostrzegł wypieki na jej twarzy.

– Nic. Tylko jutro ty pójdziesz po zakupy. Nikt cię nie zna, co najwyżej spotkasz jakiegoś byłego klienta, który zwymyśla kolejkę, że nie chce cię przepuścić do przodu.

– Haniu... – zaczął Szymon nie wiadomo dlaczego przepraszająco. (Za co? Za siebie? Za świat, w którym żyli?)

– Spóźnisz się do sądu! – krzyknęła.

Wyszedł cicho i dopiero, gdy usłyszała trzaśnięcie drzwi od windy, zrobiło się jej go żal.

– Zjadłem kaszkę! – obwieszcza triumfalnie Sebastian i Anna obdarza go mocnym całusem, nie zdając sobie sprawy, że przeznaczony jest on dla Szymona, któremu oto właśnie zepsuła dzień i który nigdy się nie dowie, że pod swoją nieobecność został za to przeproszony.

Ubieranie Sebastiana jest jedną z nielicznych okazji rozmowy z synem. Kiedy Anna przychodzi wieczorem z teatru, Sebastian już śpi, a popołudniowy powrót z przedszkola odbywa się zawsze w nerwowym pośpiechu – żeby zdążyć odstawić go do domu i na czas zjawić się przed przedstawieniem w garderobie. Sebastian bardzo sobie ceni te poranne chwile, niekiedy Anna odnosi wrażenie, jakby pragnął wyrazić jej za nie wdzięczność, i gdyby tylko miała czas na wzruszenia...

– Pomyliły ci się guziki – mówi jednak miękko, zamiast trzepnąć go po łapach niezdarnie zapinających bluzkę.

– Pani w przedszkolu sama zapina mi guziki! – Sebastian lubi chwalić się względami, jakimi darzą go w przedszkolu skokietowane przez niego panie. Anna zdaje sobie sprawę, że to nie jej, pożal się Boże, sława – ale urok Sebastiana sprawia, że wszystkie lgną do niego.

– Pani cię rozpieszcza – mówi prawie groźnie.

– Ty nie możesz? – pyta cichutko Sebastian.

– Czego ja nie mogę...?

– Rozpieszczać mnie! – Sebastian unosi swoje długie rzęsy i patrzy na nią fiołkowym spojrzeniem Liz Taylor. Najbardziej zdumiewające jest to, że te oczy to po Paragrafie; trzeba dopiero wpatrzeć się w szkła okularów Szymona, żeby to stwierdzić.

– Nie mogę cię rozpieszczać – mówi Anna tym samym prawie groźnym tonem, choć znów walczy ze wzruszeniem, na które wciąż nie ma, naprawdę nie ma czasu – nie mogę cię rozpieszczać, bo ktoś wreszcie musi cię nauczyć zapinania guzików. Wiesz, co by się stało z ludźmi, gdyby się nawzajem rozpieszczali?

– Co? – pyta natychmiast Sebastian.

– No... niedobrze by było...

– Fajnie by było! – wykrzykuje Sebastian, usiłując wciągnąć prawy bucik na lewą nogę. – Bardzo fajnie by było!

– Nie wiem, czy tak fajnie. – Anna rezygnuje z dydaktyki, pośpiesznie kończy ubierać Sebastiana, szczotkuje mu włosy, kręci nim w koło, żeby obejrzeć go z każdej strony, a kiedy maszerują już oboje do tramwaju, wie, że z żadnym mężczyzną nie jest jej tak do twarzy, jak z tym właśnie, sięgającym jej do łokcia, bardzo poważnie kroczącym przy jej boku w granatowej dżokejce na złotych puklach, kraciastej kurtce i przykrótkich już nieco bryczesach.

– Gdzie ja znajdę dla ciebie spodnie? – mruczy.

– Spodnie się kupuje – poprawia Sebastian.

– No właśnie. Ale przedtem trzeba je znaleźć.

– Będziemy chodzić po sklepach?

– Tak, w poniedziałek.

– I pójdziemy na lody do Texu?

– Do Hortexu. Pójdziemy, jeśli będzie pogoda i nie będziesz miał chrypki.

– Na pewno nie będę miał chrypki – żarliwie przyrzeka Sebastian.

Uwielbia poniedziałki, kiedy Anna ma wolny dzień w teatrze, wcześniej odbiera go z przedszkola i chodzą razem po mieście. Czasem Szymon dopuszczony jest do tego rodzinnego święta i Anna doświadcza uczucia, tak podnoszącego na duchu wszystkie kobiety świata, że oto jest jak inne, ma męża i dziecko, zaraz wrócą do domu pod lampę nad okrągłym stołem, otworzy się telewizor, nastawi wodę na herbatę... Ale przecież tyle lat nauki włożyła w to, żeby właśnie nie być jak inne! Żeby się czymś wyróżniać, wybijać, wystawać ponad przeciętność. Czy teraz nie czekała na cud, który miał się przydarzyć tylko jej, a nie tym wszystkim paniom, które ciągnęły swoje pociechy do przedszkola? Bardzo trudno było pogodzić owe przeciwstawne pragnienia. Anna od dawna o tym wie i w bezustannej panice pozwala tym dwóm kobietom, z których się składa, okradać się wzajemnie.

Myśl o cudzie, na który czekała, przypomina jej o lekcji francuskiego zaraz po próbie u czarującej, ale mieszkającej daleko od teatru, przedszkola i domu, madame Valentine. Tę godzinę, z trudem wciśniętą w przepełniony program dnia, uskrzydla jednak tyle nadziei, że Anna z radością godzi się na wysiłek podróżowania komunikacją miejską w popołudniowej godzinie szczytu.

Teraz na szczęście, gdy we wszystkich fabrykach i biurach zaczęła się już praca, w tramwaju jest zupełnie luźno i Sebastian od razu znajduje miejsce siedzące dla siebie i dla niej.

– Kiedy będzie poniedziałek? – pyta.

– Już niedługo. Za trzy dni.

– Nie można w czymś pokręcić, żeby było prędzej?

– W czym pokręcić?

– W zegarku można nastawić jedną godzinę naprzód – przypomina się Sebastianowi zapowiadana w telewizji zmiana czasu na letni.

– Nie można w niczym pokręcić – uśmiecha się Anna – żeby prędzej był poniedziałek.

– Szkoda! – Sebastian smutnieje. Ale zaraz zajmuje go zawartość siatki kobiety w czerwonym berecie, siedzącej naprzeciwko. Wśród obfitej zieleni porów dostrzega pęczek rzodkiewek. Przytula się do matki i szepcze cichutko, żeby tamta pani nie słyszała:

– Kupisz mi?

– Kupię. Dostaniesz na kolację.

– Jakie urocze dziecko! – kobieta, która oczywiście wszystko słyszy, stara się tym komplementem zastąpić poczęstowanie Sebastiana rzodkiewką, na co w pierwszym odruchu może miała ochotę. – Urocze dziecko! – powtarza. – A pani przypomina mi Annę Turoń. Nikt pani tego nie mówił?

– Nie – zaprzecza Anna.

– Byłam na tym filmie... zaraz... jaki to tytuł...?

Anna milczy, patrząc przez okno na poranne ulice.

– Aha... „Zdobywanie świata". Co to za tytuły teraz wymyślają. „Zdobywanie świata"! Człowiek zadowolony, jak zdobędzie kawałek mięsa albo kilo marchwi... Ale film mi się podobał. Ona taka śliczna i smutna, a on...

– Nie chodzę do kina.

– Nie? Powinna pani pójść. Spłakałam się jak bóbr, kiedy oni się rozstawali. Człowiek taki głupi, wie, że to na niby, a jednak płacze. Ale to przyjemnie popłakać sobie w kinie albo w teatrze.

– Nie chodzę do kina ani do teatru.

Anna chwyta Sebastiana za rękę i ciągnie go do wyjścia z tramwaju.

– Przecież ty chodzisz do teatru – woła Sebastian, który ma straszne przyzwyczajenie prostowania wszystkich kłamstewek starszych.

– Pracuję w teatrze, a więc dlatego n i e c h o d z ę do teatru – wyjaśnia Anna, choć wie, że Sebastian nie może tego zrozumieć.

Od przystanku do przedszkola jest już niedaleko. Niestety, po drodze jest kilka sklepów, o których Sebastian wie, że sprzedają w nich cukierki.

– Nie mamy już kartek? – pyta z nikłą intonacją nadziei.

– Wiesz dobrze, że nie.

– A kiedy będą nowe?

– Zaraz po poniedziałku. A może już w ogóle nie będzie kartek.

Sebastiana ogarnia przerażenie.

– To już nie będą dawać cukierków?

– Przeciwnie – śmieje się Anna. – Każdy będzie mógł sobie kupić, ile zechce.

Sebastian milknie; nie bardzo może sobie coś takiego wyobrazić. Od kiedy zaczął jeść cukierki, zawsze były na kartki.

– Może już w ogóle nie będzie kartek – powtarza Anna, a sklep z nabiałem, który mijają, załadowany masłem, serami, mlekiem i śmietaną, sklep bez żadnej kolejki – jest najprzyjemniejszym widokiem tego ranka. Może to się jakoś ułoży, myśli Anna, poprawi i naprawi, może ludzie zwrócą się ku sprawom możliwym do rozwiązania, może wreszcie zaczną ułatwiać sobie życie. We wszystkich zawiłościach świata jest jednak miejsce na dobrą wolę, szkoda, że nie istnieją komputery, które by mogły obliczać płynące z niej pożytki...

– Przyjdziesz po mnie punktualnie? – pyta Sebastian, gdy zbliżają się do drzwi przedszkola.

– Oczywiście. Może nawet trochę wcześniej.

– Trochę wcześniej? – powtarza Sebastian z zachwytem. Wciąż trzyma ją za rękę, choć mógłby już pobiec ku wejściu, nawet młodsze dzieci wykazują tę cieszącą je samodzielność. Ale Sebastian kilka dni temu przeżył boleśnie prawie godzinne spóźnienie matki i odtąd co dnia odbiera od niej przyrzeczenie, że to się więcej nie powtórzy.

– Na pewno trochę wcześniej – powtarza Anna. Czeka jeszcze, aż za Sebastianem zamkną się drzwi, powinna wejść za nim do środka, ale panie przedszkolanki zwykły zatrzymywać ją rozmową, a nie ma na to czasu, pozwala sobie na ten luksus tylko w poniedziałek, teraz musi jej wystarczyć pewność, że Sebastian po drugiej stronie drzwi jest już bezpieczny i pod dobrą opieką. Aniołami wydają jej się kobiety, które na kilka godzin dziennie zdejmują z niej ten ciężar, i jak koszmar wspomina okres, kiedy Sebastian był jeszcze za mały, żeby go oddać do przedszkola; opiekowały się nim różne panie z ogłoszenia, co do których nigdy nie można było mieć pewności, czy im się ten obowiązek nagle nie sprzykrzy. Może powinna w tamtych latach wziąć trzyletni urlop wychowawczy, ale miała akurat dobre role w teatrze, wiele propozycji w telewizji, no i wreszcie zagrała w filmie, dzięki któremu czekała teraz na ów cud, jaki miał się zdarzyć właśnie tej wiosny.

Anna oddala od siebie poczucie winy wobec Sebastiana, przecież kiedyś mu to wszystko wynagrodzi, na pewno mu to wynagrodzi, nie należy trapić się tym akurat dziś, kiedy słońce zaczyna wreszcie pokazywać się zza chmur, a nieśmiała zieleń drzew nabiera soczystej barwy. Anna poprawia włosy, wydłuża krok, lekko wskakuje do autobusu i bez przykrości przyjmuje fakt, że wszyscy na nią patrzą. Jakiś szarmancki starszy pan ustępuje jej miejsca, dziękuje mu najpiękniejszym uśmiechem (będzie miał staruszek o czym opowiadać w Kole Emerytów). Wewnętrznie rozpogodzona wysiada na przystanku w pobliżu teatru, wpadając od razu w ramiona Marka Sarpowicza, który najwidoczniej tu na nią czekał.

W Annie zamiera serce. Marek był jej partnerem w „Zdobywaniu świata". Kręcił właśnie następny film z tym samym reżyserem, cudownym i w ich przekonaniu najznakomitszym Wojtaszkiem Tarłą, który miał być głównym adresatem cudu, na jaki wraz z całą ekipą czekali. Jeśli więc Marek zjawił się teraz, żeby złapać ją przed próbą, to chyba miał już jakieś wiadomości...

Anna wpatruje się w jego twarz roziskrzonymi oczyma.

– Wiesz już coś?

Zdumiony Marek cofa się o krok.

– Co...? Co mam wiedzieć?

– A na co czekamy?

– Ach, o to ci chodzi – uśmiecha się Marek z zakłopotaniem. – Nic jeszcze nie wiem.

Anna czuje się nakłutym szpilką balonikiem, z którego uchodzi cała napełniająca go radość. Opanowuje się z trudem.

– Przecież Wojtaszek miał być w ministerstwie.

– I był. Ale niczego się nie dowiedział. Nie ma decyzji.

– Nie ma decyzji... – szepcze Anna i gotowa jest uderzyć Marka w ten kudłaty łeb, który tak podoba się paniom. – Dlaczego wobec tego... Dlaczego na mnie tu czekałeś?

Marek milczy skubiąc brodę; tyle razy kłuła Annę podczas pocałunków na planie, ale nie pozostawiło to w niej żadnych podniecających wspomnień.

– Dlaczego? – krzyczy.

– Elżbieta mnie przysłała, żebym złapał cię przed próbą.

– Elżbieta?

– Tak. Sądziła, że pamiętasz jeszcze, jak to było z Sebastianem. Mamy kłopoty z Magdusią. Od wczoraj rana... wiesz, ani razu... Czy półrocznym dzieciom się to zdarza...?

– Co... czy zdarza się półrocznym dzieciom...?
– Takie zahamowania. Od wczoraj rana... od wczoraj rana...
– ...nie zrobiła kupki, tak?
– Właśnie, o to chodzi.
– Mój biedaku! – Anna wsuwa dłoń pod ramię Marka i zabiera go z przystanku, gdzie już zaczynał się wokół nich gromadzić zaciekawiony tłumek. Strapiona twarz Marka nie powinna budzić w niej wesołości, ale jednak nie może powstrzymać się od śmiechu, wciąga Marka w najbliższą bramę i usiłuje go także rozbawić. – O czym my mówimy, Marek? Gdyby ci ludzie to słyszeli...
– Co w tym śmiesznego?
– Co najmniej pół Polski uważa nas za kochanków także i poza filmem. A ty czekasz na przystanku, żeby mi powiedzieć, że Magdusia od wczoraj nie zrobiła kupki.
– Elżbieta sądziła, że może coś poradzisz. Czy Sebastian...
– Sebastian oddawał się tej czynności z prawdziwym entuzjazmem! – Anna wciąż nie może pohamować wesołości, tarmosi Marka za poły wymiętej kurtki – i nagle robi jej się go żal. Skapcaniał jakoś w tym małżeństwie, gdzież to błyszczące dawniej oko, ta postawa zdobywcy? Nie przespane noce przytępiły jego twarz ociężałą sennością, upodobniając go do innych młodych ojców, snujących się półprzytomnie po kraju, który zawsze w trudnych latach fundował sobie wyż demograficzny, zadziwiający świat. – Słuchaj! – mówi cicho – czy nie masz wątpliwości...?
– O czym myślisz? – przytomnieje na chwilę Marek.
– O tym trudzie, który kobiety i mężczyźni w naszym wieku wkładają w utrzymywanie swoich rodzin. Dla jakiego świata spłodziliśmy nasze dzieci?
– Nie dążyłem świadomie do ojcostwa.
– Wypadek przy pracy, tak?

– Coś w tym rodzaju. – Marka nie rozśmiesza popularne powiedzenie. – Wojny zawsze groziły światu, a mimo to ludzie się rodzili.

– Masz na myśli te poczciwe wojny, o których uczyliśmy się podczas lekcji historii?

– Najpoczciwsza będzie ta, która wcale nie wybuchnie, nastraszona samą sobą.

– Daj Boże! – szepcze Anna z żarliwie zgodliwą chęcią uwierzenia w słowa Marka. – A Elżbiecie powiedz, żeby zaparzyła rumianku. Jeśli nie pomoże, niech się zgłosi z Magdusią w przychodni.

– A nie mogłabyś jednak wpaść po próbie?

– Mam akurat francuski z madame Valentine.

– Ty jednak jesteś wariatka! – mruczy Marek.

– Dlaczego? – Anna wyprowadza go z bramy i wyciąga rękę na pożegnanie.

– Naprawdę wierzysz, że coś takiego mogłoby się wydarzyć?

– Jestem tego pewna.

– Wariatka! – mruczy wciąż Marek. – Wariatka!

– Tylko podkręcaj Wojtaszka, żeby energiczniej chodził koło sprawy.

– Nie wszyscy artyści mają siłę przebicia.

– Niestety I wciąż na takich trafiam.

Rozstawszy się z Markiem, Anna musi popracować nad sobą, nad wyrazem oczu i ust, żeby nikt w teatrze nie mógł domyśleć się rozczarowania, jakie spotkało ją przed chwilą. Wkracza do małej salki, gdzie odbywają się czytane próby, swobodna i promienna, sama radość i sukces; aktor musi grać także poza sceną.

Młody reżyser, pracujący gościnnie w teatrze, rozwodzi się nad rozlicznymi wartościami zagranicznej sztuki, którą przedstawia aktorom. Jak większość Polaków pokorny wobec obcych świetności, podchodzi do jej tekstu z żarliwie nabożną dobrą wolą. Ale nie udaje mu się zarazić nią słuchaczy, próba wlecze się sennie, ożywiana jedynie nie związanymi z nią szeptami, które młody reżyser karci kokietująco zgorszonym spojrzeniem. Bardzo pragnie pozyskać zespół, stać się „swoim chłopem" w tym gronie, ale równocześnie pragnie od początku kariery roztaczać wokół siebie aurę Leona Schillera, nie wie, jak pogodzić z sobą te dwa pragnienia; albo będą mnie lubić, albo podziwiać i szanować, myśli, czy istnieje trzecia możliwość w tym środowisku?

– Autor najwidoczniej nie znosi pań, nie napracował się nad damskimi rolami – mruczy siedząca obok Anny Ewa Zabiełło. Nie uwikłana tak jak Anna w obowiązki rodzinne, młoda i piekielnie zdrowa, a w dodatku nigdy nie syta demonstrowania swojej płci na scenie – pragnie grać, grać za wszelką cenę.

Niedobrze ze mną – myśli Anna – mnie się już nie chce, a przynajmniej nie tak jak dawniej. Starzeję się? Boże drogi! W dwudziestym ósmym roku życia? Trzeba mi czegoś, co by mnie wyrwało z otępiającego rytmu codzienności, ruszyło z miejsca, podbiło w górę, jeśliby nawet trzeba było potem spaść i połamać sobie gnaty. To podłe z mojej strony – myśli, wciąż nie mogąc skupić się nad analizowanym tekstem, bardzo podłe wobec Sebastiana i wobec Paragrafa także, powinna żyć dla nich i zapomnieć o głupstwach, które chodzą jej po głowie. Wojtaszek Tarło chyba naprawdę nie ma siły przebicia i nie potrafi sprzedać filmu, który rzeczywiście mu się udał, a tym samym ten cud, choć mógłby się wydarzyć, nie wydarzy się nigdy i można by już od dziś nie dręczyć się tym szlifowaniem francuskiego u madame Valentine, ale nadzieja jest jedynym miłym uczuciem, które ożywia serce Anny, i nie pozwoli jej sobie odebrać.

Aby ją umocnić, kupuje po wyjściu z teatru pięć bukiecików fiołków dla madame Valentine, po czym uformowawszy z nich w autobusie zgrabną wiązankę, wręcza ją już na progu starszej pani.

– Są jakieś wiadomości? – wykrzykuje madame; wciąga ją do pokoju i sadowi w fotelu, spodziewając się długiej i radosnej opowieści.

– Ach, nie – musi sprawić jej zawód Anna, ale stara się nadać mu jak najładniejszą formę – gdyby były jakieś wiadomości, dostałaby pani róże. A te fiołki to dlatego, że dzień niespodziewanie zrobił się taki piękny i że jestem w wyjątkowo dobrym nastroju.

– Zaraz wstawię je do wody – madame Valentine staje przed serwantką, gdzie trzyma swoją cenną porcelanę, i zastanawia się nad doborem odpowiedniego dla fiołków naczynia, po czym szurając nieco po podłodze futrzanymi bamboszkami na chudziutkich nóżkach udaje się do kuchni.

Ale powstrzymuje ją okrzyk Anny:

– Cikuś!

– Cikuś zamknięty jest w łazience – uspokaja ją madame.

– Dziękuję.

Jakoż z łazienki wzdłuż szpary między drzwiami a podłogą rozlega się posapywanie Czikusia, oburzonego metodami, jakie się wobec niego stosuje tylko dlatego, że panie drżą o swoje rajstopy. Czikuś jest pięknym przedstawicielem niemodnej już – jak wszystko wokół madame Valentine – rasy pekińczyków. Uwielbia swoją panią i nie znosi jej uczennic, choć – myśli Anna – powinien je lubić, choćby za to, że dla jakichś tam swoich nadziei uczą się języka, który przestał już obowiązywać w świecie.

– Co dziś czytamy? – pyta, gdy madame, postawiwszy naczyńko z fiołkami na stoliczku, sadowi się naprzeciwko niej w fotelu.

– Dzisiaj – madame Valentine poprawia białe loczki nad czołem – mam dla pani prawdziwy rarytas.

– Rarytas?

– Coś z branży filmowej. Pożyczyłam z empiku „Paris Match”. Są recenzje filmowe, a nawet mała wzmianka o przygotowaniach do tegorocznego festiwalu w Cannes...

– Mój Boże! – wzdycha cichutko Anna.

Madame przechyla się nad stolikiem i lekkim muśnięciem palców dotyka jej głowy. Milczą obie przez chwilę, a potem madame z wzmożoną energią dla pokrycia wzruszenia rozkłada francuski tygodnik.

– Od czego zaczniemy?

– Od przygotowań do festiwalu w Cannes oczywiście.

Po wyjściu od madame Valentine Anna już się nie śpieszy. Ma połowę dnia za sobą, a w tej drugiej połowie jest kilkadziesiąt minut dla niej samej, wchodzi więc do jakiegoś baru, zjada coś bardzo niesmacznego, żałując przy płaceniu rachunku, że nie zdecydowała się na zupę i pierogi w barze mlecznym; w różnicy cen zmieściłyby się co najmniej trzy pęczki rzodkiewek dla Sebastiana. Przypomniawszy sobie o rzodkiewkach, kupuje je w najbliższym kiosku warzywnym, i nie może się oprzeć pokusie, żeby jednej z nich – bez mycia – nie schrupać.

Krótka myśl o Szymonie, że chyba ostatnio zmizerniał, ale może i ona zmizerniała, a jemu nie przychodzi na myśl zwrócić na to uwagi... Jeśli tam pojadę, myśli Anna, a jest to myśl skierowana w te najwyższe rejony nad światem, gdzie zapadają wszystkie decyzje, myśl-modlitwa, myśl-przyrzeczenie, jeśli tam pojadę, może jakoś lepiej się to wszystko ułoży; wróci stamtąd przychylniejsza swemu życiu, bardziej z nim pogodzona. Może jednak jest coś warte, skoro nie zmarnowało jej do cna w swoim kieracie, skoro kura domowa nie zadziobała jeszcze aktorki...

Jest nią przez dwie godziny wieczorem w teatrze. Ale nie podnosi jej to na duchu tak, jak tego oczekiwała.

Przedstawienie straciło jakby tempo, słowa – swój pełny sens. Na nie wypełnionej publicznością sali puste krzesła w rzędach zieją czernią żałoby po dawnych stuprocentowych frekwencjach. „Gracie tak samo dla pięciu widzów, jak dla pełnej sali” – mawiał profesor w szkole, i Anna wierzyła w to zawsze. Ale tego wieczoru przestała wierzyć. Dzieje się ze mną coś niedobrego, myśli w popłochu między słowami wyuczonego tekstu sztuki. Niechże prędzej ogłoszą tę decyzję i niech już będzie wiadomo, czy cud się ziścił, czy nie, zwariuję, jeśli to dłużej potrwa. Och, spać! – myśli. Jak najprędzej znaleźć się w łóżku i spać!

– Weźmiemy taksówkę? – pyta Ewka Zabiełło w garderobie po przedstawieniu. Zmywają z twarzy sceniczny makijaż, spod którego zaczyna – kawałek po kawałku – wyzierać bladość ich twarzy, jakby nienaturalna i chorobliwa.

– Weźmiemy – godzi się Anna. Mieszkają niedaleko siebie, i jeśli tylko na Ewkę nikt nie czeka, razem wracają do domu.

– Kiedy zreperują waszego malucha?

– Nie wiem. Brakuje jakiejś ważnej części. Paragraf oddawał go do warsztatu, a on w życiowych sprawach...

Ewka odwraca się ku niej, lewe oko zdobi jeszcze sztuczna rzęsa i fioletowe cienie, prawe pozbawione tej oprawy wydaje się nagie i przeraźliwie smutne.

– Dlaczego mówisz wciąż o Szymonie – „Paragraf”?

Anna wzrusza ramionami.

– Sama nie wiem.

Prawe oko Ewki smutnieje jeszcze bardziej.

– Nie rób tego. Gdybym miała takiego męża, nie nazywałabym go Paragrafem.

Ale jak go tak nie nazywać, skoro – gdy tylko Anna zjawia się w drzwiach – nie pyta jej o przedstawienie czy o samopoczucie, ale od razu woła:

– Minister zarządził rewizję nadzwyczajną! Rewizję nadzwyczajną wyroku w procesie zabójców taksówkarza z Otwocka.

Anna zrzuca przy progu obuwie i w rajstopach wchodzi do pokoju, sprawdza, czy Sebastian śpi. Nic jej nie obchodzi to, o czym mówi Szymon, ale pyta:

– Mówili w dzienniku?

– Tak.

– Czym się przejmujesz? To nie twój wyrok.

– Mój, czy nie mój, to bez znaczenia. Sprawa dotyczy wszystkich sędziów. Kara śmierci...

Anna idzie do kuchni, nalewa sobie zimnej herbaty.

– Znam dokładnie twój pogląd na karę śmierci. Czy Sebastian wypił swój soczek?

– Tak... Oczywiście... – Szymon przytomnieje i jest przez chwilę wśród domowych spraw. – Pytasz, jakbym kiedykolwiek zapomniał mu go dać.

– Ale dziś jesteś taki zaaferowany...

– Bo jest czym. Rewizja została spowodowana protestem publiczności na sali po ogłoszeniu wyroku nie orzekającego kary śmierci.

– Sama bym protestowała, gdybym tam była. Dwóch bezwartościowych dla społeczeństwa oprychów morduje człowieka...

– Ale zachowanie publiczności na sali ani listy protestacyjne nie powinny podważać wyroku.

Anna tłumi ziewanie.

– Toteż Sąd Najwyższy rozpatrzy jeszcze raz sprawę. Wyszkoliłeś mnie już w tej procedurze sądowej. – Usiłuje się uśmiechnąć, ale nie bardzo jej się to udaje. Och, Boże! – myśli. Spać. Skończyć tę rozmowę, wskoczyć do łazienki, a potem pod kołdrę i spać, spać! Ale równocześnie przypomina jej się to, co powiedziała Ewka... „Gdybym miała takiego męża...". Nie powiedziałaby tego, gdyby to z nią wiódł podobne rozmowy. Mógłby się zapytać, jak się udało przedstawienie, czy były długie oklaski, czy też publiczność od razu rzuciła się do szatni... Jego spektakle kończą się inaczej, nie oczekuje oklasków i nie przypuszcza, że komuś może na nich zależeć. – Odrywa ci się guzik od piżamy – mówi. – Jutro rano ci przyszyję. Teraz za bardzo chce mi się spać.

– Wyobrażam sobie, co się jutro będzie działo w sądzie – ciągnie nie zrażony Szymon. Upija herbaty z jej szklanki; zdjął okulary i wpatruje się z bliska w jej twarz fiołkowymi oczyma Sebastiana, czekając na jej uczestnictwo w tym wyobrażeniu.

Ale Anna wstaje, rozbiera się po drodze i zamyka za sobą drzwi łazienki. Czuje się znużona i wyprana z wszelkich emocji, myśl o tysiącu oprychów, których czeka kara śmierci, nie jest w stanie jej ożywić, wchodzi do wanny i osłoniwszy włosy nylonowym kapturkiem puszcza prysznic, unosząc twarz ku kojącym uderzeniom kropel.

Kiedy opuszcza łazienkę, Szymon już leży na swoim miejscu pod ścianą. W nadziei, że zasnął, ostrożnie układa się na samym brzegu tapczanu i doznaje niemiłego zdumienia, gdy Szymon przyciąga ją ku sobie.

Zwykle odbywa się to rano, kiedy Sebastian śpi jeszcze, a oni budzą się wcześniej, wypogodzeni snem i życzliwsi dla siebie niż u schyłku dnia. To, że Szymon zdecydował się naruszyć ten zwyczaj, przydając spontaniczności ich małżeńskim zbliżeniom, powinna przyjąć z entuzjazmem, zaleciłyby to zapewne wszystkie podręczniki seksuologiczne świata. Ale ona, zamiast przytulić się i oddawać pocałunki, mówi złym, ostrym szeptem:

– Nie wiedziałam, że podnieca cię myśl o karze śmierci.

Szymon nieruchomieje. Poczuła najpierw ciężar jego ręki na piersi, twardnienie ust na policzku, dopiero po długiej chwili odsunął się i jednym podrzuceniem ciała ułożył na wznak na przeciwległym brzegu tapczanu. Czekała, że krzyknie, że coś powie, że wreszcie usłyszy od niego, jaka jest niemożliwa i okropna, i jak trudno jest żyć z taką kobietą. Ale on milczał, i sama musiała powiedzieć sobie prawdę o tym niezrozumiałym stworzeniu, jakim była dla siebie, musiała na siebie nakrzyczeć i użyć epitetów, na które on zapewne nigdy by się nie odważył.

W tej bolesnej rozgrywce między nimi, wciąż milczący Szymon okazałby się niewątpliwym zwycięzcą, ale popełnił jeden błąd – zasnął. Jeszcze raz zdumiewając ją tej nocy, zaczyna wydawać cichutkie pomruki i posapywania, które najpierw wydają jej się złudzeniem, potem – tragicznym faktem. Śpi, kiedy ona nienawidzi siebie za wyrządzoną mu krzywdę, i w dodatku śni mu się zapewne minister sprawiedliwości albo co najmniej prezes Sądu Najwyższego, nie ona, ale minister albo prezes. I jest to wystarczającym powodem, żeby w tej małżeńskiej „story" skrzywdzeni i żałowani stali się krzywdzicielami, a prawdziwym krzywdzicielom została w zupełności odjęta ich wina.

II

Anna nie wierzy własnym uszom. Cud, na który czekała, spełnia się naprawdę! Przysiadła na brzegu krzesła, rajtuzy Sebastiana wypadają jej z rąk. To nie z telefonu od Wojtaszka Tarły, jak sobie wyobrażała, i nie ze zdyszanej radości Marka czekającego na nią przed teatrem, lecz z krótkiego komunikatu radiowego dowiadywała się, że na tegorocznym festiwalu w Cannes Polskę będzie reprezentować film „Zdobywanie świata" w reżyserii Wojciecha Tarły, z Anną Turoń i Markiem Sarpowiczem w rolach głównych.

– To niemożliwe – szepcze do siebie Anna. – To mi się śni. Albo zwariowałam! Tak długo wmawiałam to sobie, aż opętała mnie ta myśl: Na tegorocznym festiwalu w Cannes Polskę będzie reprezentować film „Zdobywanie świata"...

Sebastian niecierpliwie majta bosymi nogami.

– Mama! Prędzej!

Anna rzuca mu rajtuzy.

– Ubierz się sam!

– Nie chcę! Spóźnimy się do przedszkola.

– I tak przychodzisz później niż inne dzieci.

– Dlaczego? – pyta od razu Sebastian.

– Bo ja chodzę do teatru później niż inni ludzie do fabryk i biur.

– Dlaczego? – Sebastian jest niestrudzony w zadawaniu pytań.

– Daj mi spokój!

– Zawsze mówisz: daj mi spokój.

Anna chwyta Sebastiana i unosi wysoko.

– Ale dzisiaj mam do tego prawdziwy powód, nie dąsaj się na mamę. Ciesz się razem z nią. Spełniło się coś, na co czekała.

– Co to takiego? Kupisz mi coś?

– Oczywiście, że ci kupię. – Anna całuje syna, sadza go znów na fotelu, postanawia być czarująco miła i dobra dla wszystkich, sytuacja nie tylko na to zasługuje, ale wręcz tego wymaga.

Najpierw więc telefon do Szymona! Anna sadowi się w fotelu, bierze aparat na kolana, choć nie znosi, gdy robią to w filmach aktorzy całego świata. Telefon do Szymona! – Kochanie! – powie mu. – Przepraszam, że ostatnio byłam niezbyt miła. Ale to z nerwowego napięcia. Czekałam, aż ogłoszą wreszcie, który film pojedzie do Cannes. No i właśnie ogłosili. Słyszałam przed chwilą w radiu. Jedzie „Zdobywanie świata". Pogratuluj mi!

Ale zamiast głosu Szymona odzywa się w słuchawce głos pani Wisi, prowadzącej sekretariat wydziału karnego, którą Szymon nazywa starszą panią ze względu na przedemerytalny wiek.

– Pan sędzia jest na rozprawie.

– O mój Boże!

– Czy stało się coś?

– Nie! To jest... tak! A nie można by męża poprosić na chwilę do telefonu?

– Cóż znowu! – oburza się pani Wisia, z trudem zachowując uprzejmość. – Mogę przekazać coś podczas przerwy.

– A więc proszę powiedzieć, że jadę do Cannes!

– Dokąd, proszę pani?

– Do Cannes! Na festiwal! Nie słyszała pani...?

– Ależ tak. Tylko... początkowo nie skojarzyłam sobie...

– Niech więc pani sobie skojarzy. Do Cannes na festiwal. Przekaże pani?

– Oczywiście – prawie oschle przyrzeka długoletnia pracownica sądowej kancelarii.

Kocha się w Szymonie – myśli Anna. – Wszystkie sekretarki kochają się w swoich szefach, więc dlaczego – mimo swego wieku – miałaby być wyjątkiem?

– Niech mu pani powie – woła bojąc się, że tamta jakby słysząc jej myśli, odwiesi słuchawkę – niech mu pani powie, żeby zadzwonił do teatru. Chociaż nie... Może nie być mnie w teatrze, pewnie zwolnię się z próby... Będę miała tyle spraw do załatwienia...

– Gdzie więc ma pan sędzia zadzwonić?

– Niech w ogóle nie dzwoni. Sama spróbuję jeszcze raz zadzwonić albo wpadnę do sądu, a jeśli nie, to zobaczymy się dopiero po południu... Zobaczymy się po południu w domu. A... może... mąż wstąpiłby po Sebastiana do przedszkola...? Nie wiem, czy zdążę go odebrać.

– Rozprawa może się przeciągnąć – zauważa z godnością pani Wisia.

– Dobrze – Anna miałaby ochotę ją trzepnąć, gdyby była w zasięgu jej ręki. – Postaram się odebrać go sama.

– Oczywiście, rozprawa jest najważniejsza – mruczy odłożywszy słuchawkę. Kontakt z sądem zepsuł jej humor, ale przed rozmową z Wojtaszkiem Tarłą wypogadza się znów promiennie – niestety, telefon w mieszkaniu najsłynniejszego tego dnia reżysera jest wciąż zajęty. Anna kilkakrotnie nakręca numer, ale bezskutecznie. Dzwoni więc do Marka Sarpowicza, ale i tym razem w słuchawce odzywa się sygnał zajętego numeru. Gratulacje! – myśli Anna i natychmiast odkłada słuchawkę na widełki, bo pewnie i do niej ktoś pragnie się dodzwonić niecierpliwiąc się, że ona wciąż rozmawia. Ciekawe, kto też pierwszy zadzwoni? – zastanawiała się, i trochę jej żal, że to nie Szymon, na pewno nie Szymon, odgrodzony od jej światowych spraw całą ponurością swego zawodu.

Telefon jednak milczy, jakby się zawziął. Anna zdejmuje go więc z kolan i odstawia na stolik. Teraz dopiero zauważa Sebastiana, kompletnie ubranego, w starannie pozapinanej kurteczce, bryczesach i granatowej dżokejce na gładko uczesanych włosach.

– Nie! – woła – Mój syn się sam ubrał!

– Bądź zadowolona ze mnie – mówi Sebastian. – Chociaż raz!

– Co to znaczy? Skąd się nauczyłeś takich słów?

– Pani tak do nas mówi, jak coś dobrze zrobimy.

– No więc jestem z ciebie zadowolona! Ale „chociaż raz" opuszczę, bo przecież częściej mi się to zdarza.

– Idziemy? – pyta Sebastian.

Anna spogląda na telefon.

– Muszę się przebrać.

– Przecież jesteś ubrana.

– Włożę kostium. Dzień jest za piękny na kurtkę i spodnie.

– Dlaczego ja zawsze muszę nosić spodnie? – pyta Sebastian.

Anna nie odpowiada. Telefon wciąż milczy. Czyżby nikt nie słuchał rannych komunikatów? To dlaczego do Wojtaszka i Marka dodzwonić się nie można? Jeszcze raz nakręca numer reżysera, potem kolegi: obydwa są zajęte. Zajęty jest również numer na Puławskiej, zespół filmowy chyba także ogarnął szał. Na wszystkich piętrach starego i ciasnego budynku nie mówiono zapewne o niczym innym. Anna wyszarpuje z szafy kostium, szuka bluzki, potem nowych rajstop, do spodni nosi stare o spuszczonych oczkach...

Wreszcie jakby jakiś brzdęk w telefonie, nie dzwonek, ale właśnie brzdęk – Anna nasłuchuje przez długą chwilę, nie mając odwagi podnieść słuchawki, żeby nie przerwać połączenia. Ale po tym brzdęku następuje znów cisza. Chyba się nagle nie zepsuł, złośliwe bydlę! – myśli Anna o telefonie i podnosi wreszcie słuchawkę, w której brzmi długi, spokojny sygnał.

Ale kto właściwie miałby do niej zadzwonić? Matka była już w aptece, ojciec w swoim biurze, matka Szymona mieszkała w miejscowości, która nie miała automatycznego połączenia telefonicznego z Warszawą. Koleżanki i koledzy byli właśnie w drodze do teatru, a poza tym, czy to dla nich taka radość, że ona jedzie do Cannes...?

Sebastian przysiadł na brzegu fotela i nie spuszczając z niej oczu usiłuje porozpinać kurtkę.

– Kiedy wyjdziemy?

– Jak się ubiorę. I umaluję.

– Zawsze się tak nie malujesz. Tylko trochę.

– Bo dziś jest święto.

– To dlaczego ja idę do przedszkola?

– Bo to jest inne święto. Tylko moje i jeszcze paru osób. Wieczorem ci to wytłumaczę.

Wreszcie telefon! Anna jednym skokiem jest przy aparacie.

– Tu Anna Turoń! – woła.

Odpowiada jej chwila jakby zdyszanej ciszy, potem rozlega się zakłopotane chrząknięcie i wreszcie zachrypnięty głos:

– Tu Fjałkowski. Gospodarz domu... Dozorca.

– Tak, słucham pana – Anna nie umie ukryć rozczarowania, jej głos brzmi cierpko.

– Chciałem pani pogratulować. Właśnie słyszałem przez radio i mówimy z żoną, że to pewnie pani... Bo wszystko się zgadza, nazwisko i imię i to, że pani aktorka...

– Zgadza się, panie Fjałkowski – Annie staje coś w gardle, ledwie może wykrztusić tych kilka słów.

– Żona więc mówi – zadzwoń, powiedz, że się cieszymy. Zawsze to człowiekowi miło, jak się inni cieszą, kiedy go co dobrego spotyka.

– Dziękuję panu – szepcze Anna. – Oczywiście, że bardzo mi miło...

– Teraz to jakby cały nasz blok był więcej wart. Dziękuję pani!

– Pan mnie? Panie Fjałkowski! To ja panu dziękuję.

– Nie, nie – upiera się zachrypnięty głos w słuchawce. – Ja pani!

Kiedy milknie, Anna długo stoi w bezruchu i dopiero po chwili sprawdza palcem, czy łzy, które nagle poczuła, nie zwilżyły jej rzęs dopiero co powleczonych tuszem.

– Idziemy? – dopytuje się Sebastian. Znowu się pozapinał, ta opanowana wreszcie czynność zaczyna mu sprawiać widoczną satysfakcję.

– Tak, idziemy.

Kiedy są już w drzwiach – Anna tego dnia bez żadnych toreb i siatek – jeszcze raz rozlega się telefon. Długo dzwoni, zanim Anna decyduje się zawrócić od progu. Przed telefonem Fjałkowskiego podbiegłaby do aparatu natychmiast, teraz zbliża się powoli prawie niezadowolona, że musiała cofnąć się od drzwi, co podobno wróży pecha w ciągu całego dnia.

– Anna – mówi bezbarwnie.

– Gratuluję! – woła Wojtaszek Tarło. – I całuję cię, czego – pamiętaj – nie omieszkam uczynić osobiście.

– Gratulacje należą się przede wszystkim tobie! Usiłowałam się do ciebie dodzwonić zaraz po komunikacie, ale telefon był wciąż zajęty.

– Miałem kilka rozmów.

– Czy także dowiedziałeś się dopiero z radia?

– Właściwie wiedziałem już wczoraj, ale bałem się, że wiadomość nie jest całkiem pewna. Wolałem poczekać.

– Dobrze zrobiłeś. Nie przeżyłabym rozczarowania.

– Wolałem poczekać. Mogły zajść różne okoliczności.

– Czy są już jakieś szczegóły dotyczące wyjazdu?

– Jeszcze nie. Ale szykuj suknię!

– O, Boże! Jeszcze wcale o tym nie myślałam.

– No to myśl! Masz mało czasu. Całuję cię, Hanka! Pamiętaj, że musisz wyglądać antykryzysowo.

– Łatwo ci to powiedzieć. Nic nie mam.

– Masz siebie. Tak wyposażonym zagranicznym dziewczynom to wystarcza. Pokazują siebie po kawałku...

– Nie poznaję cię, Wojtaszku! Tak mnie okrywałeś w swoim filmie...

– Bo film jest ascetyczny. Liczę na to, że to zaszokuje. Za biedni jesteśmy, żeby podrabiać lub naśladować. Możemy tylko zaskakiwać przeciwstawieniem.

– Tylko nie mów tego na konferencji prasowej.

– Dlaczego? Właśnie zamierzam coś podobnego powiedzieć – Wojtaszek urywa, milczy przez chwilę. – Prawdopodobnie zostaniemy przed wyjazdem poproszeni do ministerstwa, zawiadomię cię o tym. A w ogóle, jesteśmy w kontakcie. Do widzenia, Hanka!

– Do widzenia! Dziękuję za telefon.

Po odłożeniu słuchawki Anna nie od razu kieruje się ku drzwiom. Widzi siebie, Wojtaszka i Marka w międzynarodowym festiwalowym tłumie. Wojtaszek, niski i niepozorny, zginąłby zapewne nawet w foyer kina w Wołominie, kto przeczuje w nim tę czułą duszę słowiańską, kto dostrzeże na niej guzy, ponabijane w toczonych walkach? Boże! Żeby wziął chociaż smoking i odpowiedni do niego krawat! Nigdy nie widziała jeszcze Wojtaszka w krawacie, nosił zawsze jakieś trykotowe koszulki i nieprawdopodobne, za małe albo za duże na niego kurtki – to nie on jej, ale ona jemu powinna przypomnieć o odpowiedniej garderobie do Cannes, gdzie przed dwoma laty brylował ktoś taki jak Wajda. – Najmniej można się było obawiać o wygląd Marka. Wystarczy, że ponad tłum będzie wystawała jego kudłata głowa, reszta mogła być niewidoczna w ścisku. No, a ona... Skąd miała wziąć suknię, w której mogłaby, w której musiała p o k a z a ć się w Cannes? Sprawa z babskiej i błahej stawała się prawie patriotyczna, to nie ona miała tam stać w świetle fleszów i reflektorów, ale polska aktorka, którą jej kraj wysłał na festiwal...

– Idziemy? – Sebastian, pozostawiony przy progu, zdążył się już znowu porozpinać i zastanawia się nawet, czy nie ściągnąć kurtki.

– Teraz już naprawdę idziemy. – Anna wyciąga klucze, zamyka drzwi, i gdy słyszy, że telefon znowu zaczyna dzwonić, już nie wraca do mieszkania.

W przedszkolu czeka ją niespodzianka. Wszystkie panie zebrały się przed wejściem, pani kierowniczka wręcza jej śliczną wiązankę stokrotek.

– Nasze najserdeczniejsze gratulacje! Cieszymy się razem z panią. Niech pani je wszystkie zakasuje, te zagraniczne piękności.

– To będzie trudne! – śmieje się Anna i pozwala obcałowywać się przedszkolankom, choć na ogół tego nie lubi, niczego się tak nie boi jak wirusów, aktorka nie ma prawa chorować, aktorka musi być co dnia na scenie.

– Czy mama ma imieniny? – pyta Sebastian, niemile dotknięty tym, że żadna z pań nie zwraca na niego uwagi.

– Więcej niż imieniny! – woła pani kierowniczka i obcałowuje teraz Sebastiana. – Mama jest sławna! Będzie jeszcze sławniejsza, bo jedzie do miasta, gdzie będą same najsławniejsze osoby!

Sebastian nic z tego nie rozumie, dość stanowczo wydostaje się z ramion pani kierowniczki i w przekrzywionej czapeczce patrzy pytająco na matkę.

Anna nie wie dlaczego, i jest to jedyny dysonans tego ranka, ale w tym spojrzeniu syna odczytuje przede wszystkim przyczajony strach. Zebrane wokół kobiety śmieją się hałaśliwie, a dziecko patrzy czujnie i z niepokojem. Tak, co będzie z Sebastianem? O tym jeszcze nie pomyślała. Z kim go zostawi? Kto go zaprowadzi i przyprowadzi z przedszkola, bo oczywiście Szymon będzie miał w tym czasie same trwające w nieskończoność rozprawy... Pan Feliks! – myśli w popłochu. Pan Feliks z czwartego piętra, u którego już nieraz zostawiała Sebastiana, gdy nie mogła się nim zająć.

– Nie martw się! – poprawia czapeczkę na głowie Sebastiana. – Mama wyjedzie na całkiem krótko.

– I zobaczysz, co ci przywiezie! – dodają panie, dla których myśl o zagranicznym wojażu nieodmiennie łączy się z atrakcyjniejszymi niż w kraju zakupami.

Ale Sebastian nie zdaje się być pocieszony.

W drodze do teatru Anna kupuje jeszcze kilka bukiecików konwalii i trzymając je oburącz przed sobą, wkracza na salę prób.

– Jaka ukwiecona! – wołają wszyscy. – Czyżby wielbiciele czekali przed teatrem?

– Trzeba było wyjrzeć, to byście widzieli. Głuptasy! – woła Anna. – Sama kupiłam sobie kwiaty w słusznym przeczuciu, że nie da mi ich nikt z was.

– Przeczucie niesłuszne! – do sali wkracza (z wiązanką storczyków!) dyrektor, wprawdzie administracyjny, bo artystyczny nie zwykł przychodzić punktualnie, jeśli sam nie miał prób, jest to jednak chwila wystarczająco uroczysta, żeby wszyscy skupili się wokół Anny.

– Ale skąd wiecie? – dopytuje się Anna. – Przecież radio dopiero co...

– Był telefon z ministerstwa – wyjaśnia dyrektor. – Musimy udzielić pani urlopu w związku z wyjazdem. Nasze najserdeczniejsze gratulacje! I niech pani wraca z nagrodą!

Wszyscy ją całują, wylewnie, z obfitą serdecznością i tylko – jak zawsze skwaszony Bobrowski zdobywa się na szczerość.

– Ja będę gratulował po przyjeździe. Jeśli będzie czego. Sam wyjazd jeszcze nic nie znaczy. Jakąś polską chałę musieli w końcu wysłać.

– Dziękuję, Romeczku! – mówi Anna.

– Przestań! – Ewka Zabiełło odpycha Bobrowskiego od Anny. – Z nagrodą czy bez nagrody, będzie mogła do końca życia wspominać, że była w Cannes.

– W ostateczności można to sobie wyobrazić.

– Zwłaszcza przy twoim bogatym życiu wewnętrznym – gasi Bobrowskiego Ewa.

Do Anny zbliża się reżyser.

– Droga pani Anno! – całuje ją w obie ręce. – Serdeczne gratulacje! Wprawdzie pani wyjazd skomplikuje nam niewątpliwie pracę...

– Właśnie... – Anna uważa, że chwila jest najbardziej stosowna – chciałam pana prosić o zwolnienie z próby. Mam tyle rzeczy do załatwienia...

– Ależ to oczywiste – młody reżyser wciąż zachowuje uprzejmość, choć nie bawi go perspektywa czytania roli Anny przez całą próbę – to oczywiste, że dni przed wyjazdem...

– Dziękuję, panie reżyserze.

Ewka odprowadza Annę do wyjścia.

– Wiesz już, w co się ubierzesz?

– Pojęcia nie mam.

– Właściwie suknię powinno ci zafundować ministerstwo albo zespół filmowy. Tarło nie powiedział ci nic na ten temat?

– Nie.

– Mogłaś zapytać.

– Nie przyszło mi to na myśl. Byłam tak zaszokowana...

– W największym szoku trzeba myśleć praktycznie.

– W ostateczności... mogą mi zwrócić koszty.

– Weź rachunek z Mody Polskiej.

– Myślisz, że powinnam pójść do Mody Polskiej?

– A dokąd? Muszą ci coś uszyć. Hanka! Masz w tej chwili pozycję, możesz pewnych rzeczy wymagać, nie zachowuj się teraz jak gęś! – Ewka mówi to z manifestowaną serdecznością, ale jest jasne, iż uważa, że Anna w ogóle nie nadaje się na festiwal i że gdyby to ona jechała do Cannes...

– Dobrze – mówi Anna prawie pokornie – pojadę zaraz do Mody Polskiej. Tylko...

– Tylko co?

– Będziesz mi mogła pożyczyć kilka tysięcy?

– No... – energia Ewy słabnie. – Konkretnie ile?

– Nie mam pojęcia, ile taka suknia może kosztować...

– Zbierze się skądś forsę, zanim będzie gotowa.

– Mogę więc liczyć na ciebie?

– Jasne.

Na ulicy Anna odzyskuje pewność siebie. Tupet Ewy, jeszcze za czasów szkoły teatralnej, sprawiał, że stawała się przy niej zupełnie bezradna. Oczywiście, że zwróci się do Mody Polskiej, oczywiście, że muszą coś dla niej specjalnie uszyć. I niech to kosztuje, co chce, zadłuży się, ale nie będzie wyglądała w Cannes jak uboga krewna z prowincji.

Choć nastawiona tak wojowniczo, najpierw pragnie zadzwonić do... sądu.

Ale telefon przyjmuje znów pani Wisia.

– Tu Anna Turoń. Może jest akurat przerwa w rozprawie?

– Nie, proszę pani. Właśnie się skończyła.

– Właśnie się skończyła... A przekazała pani mężowi...?

– Tak.

– I co powiedział?

– Nic nie powiedział, proszę pani.

– Powiedziała mu pani, że jadę do Cannes?

– Oczywiście.

– I nic nie powiedział?

– Nic.

– Przepraszam.

Właściwie dlaczego powiedziałam jej: przepraszam? – myśli Anna po odłożeniu słuchawki. Stoi w budce telefonicznej i rozważa tę kwestię, jakby to jedno słowo wyrażało całą nicość jej mało poważnych spraw wobec obwarowanej zakurzonymi aktami powagi sądownictwa. Na szczęście przed budką telefoniczną zatrzymuje się jakaś młodociana para, więc Anna wychodzi w pośpiechu; przymknąwszy na chwilę oczy unosi twarz ku słońcu i stara się powrócić do radosnego nastroju tego tak szczęśliwego dla niej poranka i do tupetu, którym starała się ją zarazić Ewa Zabiełło.

W Modzie Polskiej kieruje się od razu do biura dyrektora, i nie musi przedstawiać się sekretarce, bo ta wybiega ku niej zza biurka. Tu przynajmniej jest kawałek wielkiego świata, którego prawie nie można sobie wyobrazić w zbiedniałej ojczyźnie. Już za chwilę Anna siedzi przy filiżance kawy naprzeciw nader uprzejmego pana, który nie przerywając z nią rozmowy szkicuje coś w pośpiechu na arkuszach brystolu. Obok panienka rozpromieniona zaszczytem, który przypadł jej w udziale, rozrzuca na stoliku sterty wieczorowych materiałów.

– Myślę – mężczyzna odkłada ostatni arkusz brystolu i jeszcze przygląda mu się przez chwilę – że mógłbym pani zaproponować coś awangardowego, a równocześnie bardzo spokojnego w tonie. Przepraszam – zerka ku nogom Anny, okrytym dość długą spódnicą zeszłorocznego kostiumu – czy może pani pozwolić sobie na mini...?

– Sądzę, że... tak – szepcze Anna.

– A więc spodenki mini, ale szerokie i marszczone w pasie, z brązowego aksamitu. Do tego bluzeczka z beżowego atłasu – z przodu dekolt w kształcie łódki, z tyłu w kształcie trójkąta do pasa. Przepraszam, muszę jeszcze zapytać, czy może się pani obejść bez biustonosza?

– Sądzę, że tak – powtarza Anna.

– Na ten beż z brązem narzucimy przezroczysty płaszczyk z tego wzorzystego, przetykanego złotą nitką materiału, który pani tu widzi. Jego bursztynowa barwa nada właściwy ton całości. Przepraszam, czy utrzyma pani ten kolor włosów?

– Sądzę, że tak – po raz trzeci powtarza zupełnie oszołomiona Anna. – Kolor jest naturalny.

– Ja bym tę rudość pani włosów nieco podjaskrawił. Tego wymaga kompozycja całości, ale oczywiście decyzja należy do pani.

– Dziękuję – mówi Anna z zaskakującą ją wdzięcznością w głosie. Drugi raz tego ranka zdumiewają ją wypowiedziane przez nią słowa. Przepraszam – do pani Wisi, a teraz to – dziękuję, są chyba dowodem, że może rzeczywiście – jak myśli o niej Ewka – nie nadaje się na ten festiwal.

– Czy odpowiada pani moja propozycja? – pyta szef firmy.

– Sądzę, że... – po raz czwarty zaczyna Anna, ale w porę urywa i zdobywa się na entuzjazm, którego się tu po niej oczekuje. – Och, całość wydaje mi się cudowna!

– Podkreśla pani naturalne walory, to najważniejsze. Oczywiście niskie obcasy! – obwieszcza pan dotąd tak miły.

– O, nie! – Anna aż unosi się na fotelu, opadło z niej całe zaszokowanie sytuacją, o wysokie obcasy będzie walczyć jak lwica.

– Dlaczego nie? – pyta chłodno pan. – Tej kompozycji nie widzę z obuwiem na wysokim obcasie. A poza tym tego roku na całym świecie nosi się niskie.

– Ale ja się przyzwyczaiłam do wysokich, dobrze się na nich czuję i... dobrze wyglądam. Każda dziewczyna...

– Ale pani nie jest każdą dziewczyną. Panią pewne rzeczy o b o w i ą z u j ą.

– Pragnę jednak zachować wysokie obcasy – bardzo stanowczo obstaje przy swoim Anna.

– W takim razie ja musiałbym zrezygnować... – zaczyna dyrektor oschle.

– Och, nie! – Anna chwyta go za rękę. – Tego pan nie zrobi

– Nie mogę zepsuć kreacji, którą firmuję, tak ważnym uzupełnieniem jak obuwie.

– Dobrze – godzi się Anna, pocieszając się w myśli, że tak stanowczy pan nigdy się nie dowie, jakie obuwie ona w końcu założy w Cannes. – Dobrze, zrobię to tylko dla pana.

– Dziękuję. Najodpowiedniejsze byłyby brązowe lakierki. Może znajdzie pani coś odpowiedniego w komisach.

– Postaram się. – Człowieku! – myśli Anna – nie mam czasu ani pieniędzy na komisy. I tak muszę zapożyczyć się na kieckę.

– Pozostaje nam więc tylko wziąć miarę. Pani Zofio! – woła maestro w głąb baśniowych pokoi, a Anna nie wie, jak zapytać o cenę. – Na kiedy przewidziany jest wyjazd do Cannes? – To ostatnie słowo pan, dla którego zagraniczne wojaże nie są znów czymś aż tak nadzwyczajnym, wymawia jednak z nutką pewnej nobilitującej przyjemności.

Annę podnosi to na duchu. W końcu nie pieniądze są ważne, i nie to, że ich nie ma; nie zapyta wcale o cenę, niech się dzieje co chce, raz w życiu zachowa się tak, jakby była kimś, kim bardzo pragnęłaby być.

– Jeszcze nie wiem dokładnie, ale suknia powinna być gotowa jak najprędzej.

– Będzie gotowa na jutro wieczór. Tak, pani Zofio?

Pani Zofia przerywa na chwilę branie miary.

– Oczywiście. Przymiarka o siedemnastej.

– O osiemnastej muszę być już w teatrze.

– O szesnastej trzydzieści – dostosowuje się natychmiast pani Zofia.

Coś takiego przeżywam pierwszy i ostatni raz – myśli Anna opuszczając progi Mody Polskiej – chyba że ten cud, który dziś się zdarzył, miałby dalszy ciąg, ale o tym nie wolno myśleć, nie, nie, za taką bezczelność los daje często po łapach.

Na ulicy przypomina sobie, że musi natychmiast starać się o pieniądze. Ewka Zabiełło obiecała wprawdzie... ale ile ona może pożyczyć...? Cztery, pięć tysięcy, chyba że zwróciłaby się do tego swego malarza, o ile już z nim nie zerwała. Nie, Ewka nie będzie w stanie pożyczyć jej całej sumy... jakiej sumy...? Do tej pory bała się pomyśleć o jej wysokości. Dwadzieścia tysięcy! – odważa się wreszcie to ustalić i równocześnie myśli: ojciec!

Ale najpierw jedzie do apteki, w której pracuje matka. Na szczęście zastaje ją nie za ladą przy ekspedycji lekarstw, ale na zapleczu przy ich sporządzaniu. Matka od razu wyciąga do niej ramiona.

– Już wiesz? – zdumiewa się Anna.

– Oczywiście! – śmieje się całkiem jeszcze młoda pani magister. – Zaprzyjaźniona klientka naszej apteki wpadła z tą wiadomością zaraz po radiowym komunikacie. – Moje drogie dziecko! Tak się cieszę! Aż się popłakałam ze wzruszenia.

– No, no – całuje matkę Anna, sama także bliska łez. – Tylko nie to...

– Bo przyznam ci się, że nie miałam nadziei.

– Nie miałaś nadziei?

– W przeciwieństwie do ciebie myślałam, że to chyba niemożliwe... Tyle szczęścia!

Anna zdejmuje żakiet, obciąga bluzkę, spogląda w lustro, które panie farmaceutki zawiesiły w swojej pracowni.

– A dlaczego nie miałoby mi się przydarzyć tyle szczęścia?

– Los nas nigdy nie rozpieszczał. Dochodziliśmy do wszystkiego ciężką pracą.

Gdyby to powiedział ktoś obcy, Anna na pewno by się obraziła, na matkę nie może – zwłaszcza że za chwilę ma ją poprosić o pieniądze. Pozwala więc sobie na leciutką wymówkę:

– A ja do mego Cannes nie doszłam ciężką pracą? Najpierw musiałam zdać do szkoły teatralnej, potem wkuwać nieraz po nocach, żeby ją ukończyć. W teatrze każda rola to także egzamin, to samo w telewizji, no i w końcu cztery filmy, ostatni u Wojtaszka Tarły, który jest bardzo wymagającym reżyserem.

– Ależ wiem, moje dziecko – mama czuje się nieco speszona i prawie z radością podnosi słuchawkę telefonu, który właśnie się odezwał. – Nie, alaxu nie ma – mówi do słuchawki. – Na razie się nie spodziewamy. Haneczko! – zwraca się znów do córki – wiem, że nie przyszło ci to łatwo...

– Koniec z tym, mamusiu. Na pewno tak ci się to tylko powiedziało. Nie wyobrażam sobie, żebyś myślała, jak wielu ludzi, że aktorki tylko się malują i przyjmują kwiaty. – Anna znowu całuje matkę i zaczerpnąwszy tchu obwieszcza: – Potrzebuję pieniędzy! Takie teraz czasy, że nawet radość kosztuje, i to drogo! Już mi w Modzie Polskiej szyją suknię.

– Za ile?

– Nie wiem.

– Jak to, nie wiesz?

– Nie zapytałam. – I kiedy matka milczy zdumiona, Anna wybucha: Nie mogłam! Nie rozumiesz tego? Nie mogłam! Skaczą wszyscy koło mnie, dyrektor sam projektuje dla mnie model, dziś przymiarka, a na jutro suknia ma być gotowa – i w takiej sytuacji ja pytam o cenę!

– Nie, alaxu nie ma – odpowiada znów pani magister jakiemuś głosowi, dramatycznie brzmiącemu w słuchawce telefonu. – Na razie się nie spodziewamy. – Zapewniam cię – odwraca twarz do córki – że Sofia Loren by zapytała.

– Co ma do tego Sofia Loren?

– Tylko tyle, że pytanie o cenę nikomu nie przynosi ujmy.

– No więc nie zapytałam! Niech ci się wydaje, że zachowałam się jak odurzona zaszczytem pensjonarka, trudno.

– Ile potrzebujesz? Nie, alaxu nie ma! – tym razem słuchawka gwałtownym ruchem zostaje odłożona na aparat. – Powiedz wreszcie, ile?

– Dwadzieścia tysięcy – bąka pod nosem Anna.

– Aż dwadzieścia?

– Nie mogę być przecież zaskoczona...

– Mam akurat przy sobie siedem, miałam zamiar pochodzić trochę po sklepach po zakończeniu dyżuru. Trzeba mieć zawsze pieniądze przy sobie, bo jak się coś trafi... Ale co się może trafić za siedem tysięcy złotych? Weź te pieniądze, a o resztę zwrócimy się do ojca. Trzyma na książeczce wszystkie swoje zaskórniaki, premie, nagrody...

– Nie ruszy ich!

– Jak się dowie, że córka jedzie prezentować swój film w Cannes? – matka Anny sama nakręca numer telefonu męża. Ale i w tym wypadku, tak samo jak w sądzie, odzywa się cerber w spódnicy.

– Pan dyrektor bardzo zajęty.

– Proszę powiedzieć, że mówi żona.

– No, nie wiem... – z wahaniem i odrazą podejmuje decyzję sekretarka. – Spróbuję... Pan dyrektor prosił, żeby nikogo nie łączyć.

– Ale są nagłe okoliczności...

– Tu Zakrzewski! – warczy w słuchawce głos ojca i Anna – choć stoi daleko od aparatu – już wie, że ojciec jest wściekły.

– Tu Barbara. Jest właśnie u mnie Hanka i dzwonimy do ciebie...

– Co mi głowę zawracacie? Mam korektę planu.

– Nic nie wiesz? Hanka jedzie na festiwal do Cannes!

– Nie mogłyście mi tego powiedzieć wieczorem?

– Józek! Na litość boską! Twoja córka jedzie do Cannes!

– Gratuluję! – ojciec dopiero teraz pojmuje, o co chodzi, stara się naprawić rodzinną gafę. – Ucałuj ją ode mnie!

– Już to robię. Ale ona... poza wszystkim innym potrzebuje... pieniędzy.

– Pieniędzy? Ile? Mów szybciej, bo naprawdę jestem bardzo zajęty.

– Trzynaście, no... powiedzmy, piętnaście tysięcy.

– Piętnaście tysięcy? Na co jej tyle pieniędzy?

– Na suknię. Już jej szyją w Modzie Polskiej. Na jutro ma być gotowa. Nie pojedzie przecież dziewczyna do Cannes jak dziadówka.

– Nie mam przy sobie piętnastu tysięcy. Musiałbym iść do PKO, stać w ogonku, a w ogóle nie wiem, o której wyjdę dziś z biura. I taki sam dzień mam jutro.

– Pożycz od kogoś.

– Nie mam teraz czasu na takie historie, wy gdzieś pożyczcie. Niech Hanka pójdzie do Alfreda, oddam mu te piętnaście tysięcy. Ale w ogóle zastanówcie się, tyle pieniędzy za jakiś łach!

– Są i inne wydatki...

– No już dobrze, dobrze – ale powtarzam: zastanówcie się.

– To samo, co z babcią! – mówi Anna, gdy matka odkłada słuchawkę.

– Z jaką babcią?

– Z naszą. Nie pamiętasz, że ile razy jej coś kupowałyśmy, trzeba było podawać o wiele niższą cenę, a ona i tak krzyczała na nas, że wszystko przepłacamy, że nie umiemy się targować. Tak samo wyszło teraz z ojcem.

Śmieją się obydwie, przysiadłszy na brzegu krzeseł, ale telefon znowu się odzywa i matka, nie czekając na pytanie od razu rzuca w słuchawkę:

– Alaxu... Przepraszam, wibramycyna jest, oczywiście. Proszę przyjść. Od rana – tłumaczy się Annie – same telefony o alax, jakby cała Warszawa cierpiała na zatwardzenie. – Śmieją się znowu, i w tym pogodnym nastroju matka wyprowadza Annę przed aptekę, przygląda jej się przez chwilę, jak wygląda w słońcu, obiecuje wystarać się o masło kakaowe dla niej, żeby się prędzej opaliła, i niespodziewanie mówi, pieszczotliwie dotykając jej ramienia: – Tylko proszę cię, nie zrób cienia wyrzutu Szymonowi, że ze swojej pensji nie może ci dać tych pieniędzy. Że inni mężowie...

– Przysięgam ci, że nigdy jeszcze nie użyłam zwrotu „inni mężowie". Chyba że na scenie.

– Przepraszam... – szepcze matka już z dłonią na klamce, bo na zapleczu telefon na pewno znów dzwoni i rośnie stos recept, które trzeba zamienić w lekarstwa. – Przepraszam. Nie chciałabym, żeby było mu przykro.

– Nie bój się – mówi Anna odchodząc. Wie, że matka lubi bardzo swego zięcia i straciłaby do niej serce, gdyby zrobiła mu krzywdę. Och, nie ma zresztą na to najmniejszej ochoty. Różne sytuacje sceniczne nauczyły ją, jak łatwo można zepsuć najszczęśliwszy dzień, będzie się więc pilnować, żeby nie uczynić żadnej niezręczności, żeby tego szczęścia starczyło aż do wieczora. Aż do... nocy.

Najpierw musi iść do stryja Alfreda, do tego „stryjcia przystojniachy", jak żartem mówiło się o nim w rodzinie, gdyż wciąż nie tracił męskiej urody, co trzymało w stanie bezustannego alarmu stryjenkę, wysyłaną w dodatku dość często z racji jej pracy w zagraniczne delegacje. Stryjcio był pisarzem, więc miała nadzieję zastać go w domu, o tej godzinie przedpołudniowej zwykł bowiem pisać, o ile nie załatwiał jakichś spraw albo nie był umówiony na mieście.

Jeśli rzeczywiście – myśli Anna – ten dzień jest dla mnie taki szczęśliwy, to on będzie w domu i nawet się nie skrzywi, tylko da mi te piętnaście tysięcy, nie mówiąc przy tym, że to za dużo, jak na jedną kieckę do Cannes, że powinna się zastanowić... nie, stryjcio na pewno tego nie powie, lubi być miły dla dziewczyn, podejdzie do biurka, wysunie szufladę i zapyta, czy nie potrzebuję więcej? Na szczęście ma chyba pieniądze, bo wydał ostatnio książkę (grubą! Anna wie, że honorarium liczy się od ilości stron) i robią mu coś w filmie, chyba jeszcze nie przepuścił tych pieniędzy...

Anna dzwoni już po raz drugi do drzwi mieszkania stryja, ale nie słychać za nimi żadnego poruszenia ani kroków zmierzających do przedpokoju, naciska więc dzwonek po raz trzeci i nie zdejmuje z niego palca, dopóki za drzwiami nie odezwie się zniecierpliwiony głos.

– Pali się, do jasnej cholery ?

Ja się palę, żeby stryja ucałować, odpowiedziałaby Anna, gdyby nie to, że stryj stał w progu w nader niedbałym porannym dezabilu, z kilkudniowym zarostem na twarzy, w dodatku siwym, czego nikt chyba nie miał prawa się domyślać.

– Hanka! – szepnął prawie przerażony. – Przepraszam cię. Od kilku dni, korzystając z wyjazdu Zofii, pracuję jak wariat.

– To ja przepraszam – Anna z wahaniem wchodzi do przedpokoju. – Powinnam była zatelefonować.

– Ależ głupstwo! Wchodź, jak już jesteś. Rozgość się, a ja tymczasem się ogolę. – Stryj wpada do łazienki, gwałtownie zamyka drzwi za sobą, a Anna wchodzi do pokoju, w którym żywioł bałaganu pomieszał ze sobą sprzęty, męską garderobę wierzchnią i intymną, papiery w mniejszych i większych arkuszach, zapisane i zupełnie jeszcze czyste.

– Posprzątam tu tymczasem – woła w stronę drzwi do łazienki.

Uchylają się natychmiast i ukazuje się w nich jeszcze bardziej przerażona twarz z brodą okrytą już na szczęście obłokiem obfitej mydlanej piany.

– Broń Boże! Tylko nie to! Mam tam wszystko poukładane...

– Poukładane?!

– No przynajmniej wiem, gdzie co leży. Śnił mi się w nocy Goździkowski – stryj wraca do łazienki, ale nie zamyka drzwi. – Byłem pewny, że będę miał jakąś przykrość. Ale na szczęście – poprawia się od razu – sen się nie sprawdził. Twoja wizyta to miła niespodzianka.

Anna wie, że jak się stryjowi śni kolega szkolny Goździkowski, z którym od najniższych klas łączyła go, a raczej dzieliła, bezustanna rywalizacja – spotyka go zawsze coś paskudnego.

– Powiedz mi, co to jest – ciągnie stryj w łazience – tyle lat nie widziałem człowieka na oczy, a on jako chłopiec w krótkich spodniach, z poobgryzanymi paznokciami, zakodowany jest w mojej pamięci i mózg mój jego wybrał sobie za posłańca, żeby każdorazowo zawiadamiać mnie o czekającej przykrości. Tylko skąd mój mózg o tym wie? W jaki sposób uprzedza fakty? Żeby się było nie wiem jakim realistą, bez odrobiny metafizyki nie da się przeżyć jednego dnia.

– Stryjciu! – Anna zbliża się do drzwi łazienki. – Jadę do Cannes!

– Nie! – Stryj parska w pianę, którą już zgarnia z twarzy ostatnimi pociągnięciami żyletki. – Żartujesz!

– Naprawdę! – Anna puszcza mimo uszu obraźliwe bądź co bądź zdumienie stryja. – Radio podało w rannych wiadomościach.

– No to gratuluję! – Stryj pośpiesznie opłukuje wodą twarz, żeby jak najprędzej móc ucałować Annę. – Gratuluję! A więc zdecydowali się wysłać „Zdobywanie świata"!

– No i Cannes musiało się zdecydować na przyjęcie tego filmu do udziału w konkursie – z nie pozbawionym dumy naciskiem uzupełnia Anna.

– Oczywiście, oczywiście – taka jest festiwalowa procedura. Ale głowę daję, że odbyło się to, jak zawsze, poza wszelkimi terminami, film pojawi się w Cannes bez żadnych dodatkowych materiałów, bez reklamy, na którą nie tylko nie mamy pieniędzy, ale do której także wszyscy nasi opiekunowie czują nieprzezwyciężony wstręt.

Anna przysiada na brzeżku zasypanego przeróżnymi rzeczami fotela.

– Nasz film nie potrzebuje reklamy – szepcze.

– Oto jest pogląd Polaka na sztukę! Że mimo nieudolności tych, którzy przejmują ją od twórcy, przebije się sama. Nic bardziej mylnego. Zwłaszcza jeśli chodzi o film. Bo książka może nagle zostać odkryta po latach – choć i to wątpliwe, nie powinniśmy się łudzić nieszczęściem i szczęściem Norwida, nie uznawanego za życia, hałaśliwie cenionego w wiele dziesiątków lat po nędzarskiej śmierci. Mnie na przykład by to nie urządzało. Zbyt jestem doraźny, żeby pocieszać się sławą u wnuków. A z filmem sprawa ma się jeszcze gorzej. Film w wyjątkowych wypadkach przeżywa swoich twórców i dlatego trzeba umieć go pokazać i sprzedać, kiedy wchodzi na ekrany. Amerykanie...

– Och, Amerykanie! – przerywa stryjowi Anna.

Ale on nie pozwala sobie przerwać.

– Amerykanie opracowując budżet filmu, od razu niemałą kwotę przeznaczają na reklamę w słusznym przewidywaniu, że i w tej dziedzinie spotkają się z potężną konkurencją dystrybutorów francuskich, włoskich, angielskich czy zachodnioniemieckich. Tylko film polski wierzy, że talentom artystów niepotrzebne jest żadne wsparcie.

– Zdaje się, że film polski dojadł stryjowi – odważa się zauważyć Anna.

– Skądże! Mam tam jak najlepsze stosunki. To, o czym mówię, możesz przeczytać w całej naszej filmowej prasie. Od lat się o tym pisze – i bez najmniejszego skutku. Pogarda dla reklamy dotyczy zresztą całej sztuki. Wyobrażasz sobie – stryj Anny, młodszy z braci Zakrzewskich, wciąż najwidoczniej niesyty sławy, w przeciwieństwie do swego brata zażywającego jej jedynie na resortowych konferencjach, gdy jego zakład wypracował jakiś nikły ułamek miliprocentu dochodu narodowego, ten młodszy brat, nie zastanawiając się nigdy nad mało efektownym trudem starszego, wiązał starannie krawat wydobyty spod sterty papieru – wyobrażasz sobie, co znaczy dla artysty dobry impresario?

– Och, jak by mi się teraz przydał! – wzdycha Anna.

– Niestety, musisz go sobie sama zastąpić. Ale skąd brać tyle siły i czasu, żeby być artystą i równocześnie sprzedawać samego siebie? – Stryj podąża do kuchni, gdzie panuje nie mniejszy bałagan. – Zrobię ci kawy. Kupiłem wczoraj w Pewexie.

– Nie, nie! – woła Anna. – Nie rób sobie kłopotu, śpieszę się.

– Naprawdę? – stryj nie namawia zbyt usilnie. Widocznie kawy miał mało, a potrzebował jej, kiedy pracował. Siada przy biurku, kładzie dłoń na rękopisie. Nie uznawał maszyny. „Nie myślało mu się", jak mówił, gdy miał ją przed sobą. – Od kilku dni pracuję jak wariat! – powtarza to, czym powitał ją na progu.

Anna wie, że powinna teraz zapytać: nad czym? – ale nim się na to zdobywa, stryj uprzedza ją swoim wybuchem:

– Jeśli, być może, my właśnie będziemy ostatnimi ludźmi na ziemi, to zdajesz sobie sprawę, jaka ciąży na nas odpowiedzialność? Ostatnie słowo przed zagładą! Jakie powinno być to słowo, żeby zawrzeć w sobie nasz strach, nasze przywiązanie do tego, co tracimy, a co tworzyliśmy od tysięcy lat, nasz żal, że nie umieliśmy powstrzymać zagłady, choć nie była nieunikniona, naszą pogardę wreszcie dla nas samych.

– Stryju – zaczyna Anna ostrożnie – może nie będzie aż tak źle? – Nie wierzy w wojnę, po kobiecemu, z irracjonalnym uporem, z nadzieją w trwające mimo wszystko dobro losu, który czasem nazywa Opatrznością albo Bogiem.

– Nie będzie aż tak źle? Dziewczyno! Czy nie widzisz, że świat oszalał? Pycha zastępuje rozsądek, a ludzkość dzieli się teraz na skazujących i skazywanych na śmierć. Jedyna nadzieja w tym, że ludzkość nie zgodzi się na ten podział.

– Stryju! – zaczyna Anna jeszcze raz. Żal jej radosnego nastroju, w jakim tu przyszła: rozwiewa się już rozbijany i zabijany każdym słowem, które wytacza się tu przeciwko niemu w ten wiosenny, słoneczny dzień. – Nie wierzę, żeby do tego doszło. Nie wierzę! I trzeba tak myśleć. Nie wolno poddawać się...

– Nie! Trzeba się przygotowywać. Jeśli ludzkość ma zginąć, trzeba w pełni wyrazić to, co najbardziej było w niej ludzkie. Ślad, jaki zostawimy po sobie następnym cywilizacjom... to ostatnie słowo przed zagładą...

Anna próbuje żartować:

– Wierzy stryj jednak, że coś po nas zostanie?

Chwila milczenia, które zapada po tym pytaniu, wystarcza, żeby stryj ocenił swój nietakt.

– Mój Boże! – uderza się w czoło, od razu pogodnie uśmiechnięty. – Jedziesz do Cannes, a ja cię tu truję takimi historiami!

Anna przesiada się na oparcie fotela stryja, dotyka dłonią świeżo wygolonego policzka.

– Aksamit? – pyta niezupełnie jeszcze starszy pan z zadowoleniem.

– Aksamit! Ale... – Anna nabiera powietrza w płuca – Goździkowski śnił się stryjowi nie na darmo!

– Co się stało?

– Nic wielkiego. Tylko przyszłam po pieniądze. Ojciec prosi, żeby mu stryj pożyczył piętnaście tysięcy. Nie może wyjść z biura do PKO, bo ma korektę planu. Odda za kilka dni. To dla mnie te pieniądze, na wieczorową suknię do Cannes. Przepraszam, czy stryj ma akurat w domu...?

– Ależ oczywiście! Niepotrzebnie straszyłaś mnie tym Goździkowskim!

Wszystko odbywa się teraz tak, jak przewidziała. Stryj zrywa się z fotela, całuje ją w obydwa policzki, podchodzi do biurka, wysuwa szufladę... (i naprawdę ani słowa o tym, że to za dużo, jak na jedną kieckę do Cannes!)... odlicza pieniądze i podnosi na nią uśmiechnięte oczy:

– Wystarczy ci to?

– Musi.

– Masz jeszcze ode mnie dziesięć tysięcy. Na dodatki.

– Och, stryjciu! Dziękuję!

– Suknia piękna?

– Dopiero się szyje. W Modzie Polskiej. Dziś po południu przymiarka, jutro ma być gotowa!

– Tylko nie puść się tam!

– Gdzie?

– W Cannes!

– Co też stryj! Jadę prezentować film...

– No, no... Tam się to odbywa tak mimochodem, że się tego prawie nie zauważa. Dopiero po powrocie do domu dziewczyna liczy, z iloma panami się przespała. I czy pomoże jej to w karierze.

– Mam nadzieję, że stryj żartuje?

– Ależ ani trochę.

– Jestem poważną osobą... – Anna chowa pieniądze do torebki – mam męża i syna...

– Znałem panie z liczniejszym potomstwem, którym to nie przeszkadzało.

– Tym paniom najwidoczniej ktoś inny wychowywał ich dzieci, skoro miały jeszcze czas...

– Nie sroż się tak! – Stryj całuje Annę w czubek nosa, w ogóle całuje ją często i chętnie. – Szymon nie ma zamiaru przenieść się do adwokatury? – pyta nagle.

– O ile wiem, to nie. I ja mu tego nie zaproponuję. Boby od razu pomyślał, że chodzi mi o wyższe zarobki. Już mi mama dziś powiedziała, żebym nie zrobiła mu cienia wyrzutu...

– O co?

– Że to nie on wyposaża mnie do Cannes. Ale w końcu oddaje mi prawie całą pensję. Nie miałabym w ogóle kłopotów finansowych, gdyby nie ta przerwa w występach w radiu i telewizji.

– No właśnie – stryj pozostawia kwestię bez komentarza. Anna gotowa jest do wyjścia, ale stryj nie towarzyszy jej do przedpokoju. Usiadł znów w fotelu, zamyślił się.

– Muszę przyjść do was któregoś dnia wieczorem. Popatrzeć na Szymona.

– Popatrzeć?

– Tak. Mało wie się o takich ludziach. A przecież są. Egzystują. I my dzięki nim egzystujemy w spokoju.

– Niech mu tylko tego stryj nie mówi. Bardzo proszę.

– I pomyśleć, że i ja kiedyś studiowałem prawo...

– Ale na szczęście nie skończył stryj w sądzie.

Już za drzwiami, zbiegając ze schodów, Anna uprzytamnia sobie, co powiedziała. I że jest to tak bardzo p r z e c i w k o Szymonowi. W każdym razie, pociesza się, nie nazwałam go dzisiaj w myślach ani razu Paragrafem, a to jakby zmazuje tamtą winę. Znów w dobrym humorze kupuje w cukierni Hotelu Europejskiego górę ciastek, odbiera wcześniej Sebastiana z przedszkola, a w domu, wyciągnąwszy z zamrażalnika kawałek schabu, postanawia zrobić prawdziwy obiad. Wszystko z zegarkiem w ręku – o szesnastej trzydzieści musi być w Modzie Polskiej, o osiemnastej w garderobie teatru. Ciekawe, myśli Anna, czy będę się kiedykolwiek nudzić? Może na starość? Na taką prawdziwą, głęboką starość, kiedy nie będę już grała w teatrze ani w filmie, kiedy będę miała wnuki... Och, ale babcie mają teraz najwięcej roboty, i jeśli świat wbrew przewidywaniom stryja Alfreda nie stoczy się w przepaść, na pewno już się to nie zmieni! Anna, pobijając tłuczkiem zmarznięte na kość kotlety, śmieje się cicho, jakby ten brak czasu, zaprogramowany do końca życia, nie był jej w gruncie rzeczy przykry. Koń przyzwyczajony do galopu, nie potrafi już chodzić stępa; Anna szybko obiera kilka ziemniaków, nastawia je w rondelku na największym gazie, wrzuca na patelnię kawałek smalcu z kartkowego przydziału Sebastiana... Szymon jada obiady w sądowej stołówce, ale na pewno zje z ochotą taki popisowy kotlet w bułeczce, a i Sebastianowi należy się od czasu do czasu domowy obiad.

Nie odstępuje matki, krąży za nią po kuchni, olśniony tym, że coś się dzieje w porze, w której zwykle nikt się tu nie krząta.

– Dzisiaj będzie prawdziwy obiad?
– Najprawdziwszy!
– Taki jak w niedzielę i poniedziałek?
– Jeszcze lepszy!
– Dlaczego?
– Już ci mówiłam. Mama jest dzisiaj bardzo szczęśliwa.
– Niech mama będzie zawsze taka szczęśliwa. Żeby był kotlet na obiad! I ciastka!

Smalec na patelni zaczyna już skwierczeć, więc Anna obsypuje kotlety mąką, macza je w rozbitym jajku, panieruje w tartej bułce i wrzuca na rozgrzany tłuszcz. Żeby tylko Paragraf się nie spóźnił... Nie, nie nie! Szymon, Szymon, żeby się nie spóźnił! Anna pragnie zaczarować ten dzień, żeby nic złego się nie wydarzyło, a sposób na to zaczarowanie jest jeden: w niczym nie może być jej winy, najmniejszej winy, nawet takiego nazwania Szymona Paragrafem...

– Tatuś zaraz przyjdzie – mówi do Sebastiana. – I usiądziemy wszyscy troje przy stole!

A że cuda naprawdę zdarzają się tego dnia (komunikat w radio, kwiaty od dyrekcji w teatrze, Moda Polska, pieniądze...), Szymon nie spóźnia się nawet minuty! Staje w drzwiach dokładnie o tej porze, kiedy zjawia się, gdy nie ma rozprawy i udaje mu się złapać tramwaj zaraz po wyjściu z sądu... Staje w drzwiach z ogromnym bukietem czerwonych róż i wyciąga ręce do Anny:

– Haneczko! Tak się cieszę! Gratuluję! Gratuluję z całego serca!

Mój Boże! – myśli Anna. – Do końca miesiąca nie będzie palił papierosów! – Ale tym goręcej oddaje mu pocałunki, aż Sebastian pilnujący patelni, uważa za stosowne krzyknąć:

– Kotlety!

Przymiarka w Modzie Polskiej także udaje się nadzwyczajnie. Uczestniczy w niej sam dyrektor i projektant modelu w jednej osobie, który, gdy Anna stoi przed ogromnym lustrem jeszcze ładniejsza w tych wszystkich beżach, brązach i złoto przetykanych tiulach, pochyla się do niej blisko i szepcze:

– Chyba się pani domyśliła, że skomponowałem tę całość do miodowej barwy pani oczu.

Wieczorem w teatrze wydarza się także coś cudownego. Kiedy Anna wychodzi na scenę, publiczność wita ją oklaskami, jakby była zmartwychwstałym Solskim, a po przedstawieniu dostaje kilka wiązanek kwiatów od zupełnie nieznanych osób, co w teatrze ceni się zawsze najwyżej.

Szymon czeka na nią z butelką szampana (chyba się zadłużył – myśli Anna z coraz większą czułością), Sebastian już śpi w drugim pokoju, więc wypijają go tak, jakby po raz pierwszy przydarzyło się im takie urocze sam na sam, a potem w pośpiechu, szybko, jak najszybciej – wyjmują z tapczanu pościel, rozścielają ją byle jak, i wciąż się całując, gaszą światło.

– Będę miał braciszka czy siostrzyczkę? – pyta z drugiego pokoju zaspany głosik Sebastiana.

Nieruchomieją w jednej chwili, wstrzymując oddech.

– Braciszka czy siostrzyczkę? – dopytuje się Sebastian.

Anna zrywa się z tapczanu, narzuca szlafrok. Szymon wciąga spodnie od piżamy i idzie za nią do pokoju Sebastiana.

– O co ci chodzi? – pyta Anna na poły rozbawiona, na poły wściekła.

– Chcę wiedzieć – szepcze Sebastian, bardzo jednak senny – co będę miał? Bo jak mama idzie z tatą do łóżka, to potem jest braciszek albo siostrzyczka.

– Kto ci to powiedział? – pyta Szymon prawie ostro, nie zdobywając się na poczucie humoru.

– Wszyscy w przedszkolu tak mówią. Klemens chce mieć siostrzyczkę.

– Jaki Klemens?

– Klemens! Chodzi ze mną w parze. Wciąż myśli, że będzie miał siostrzyczkę, kiedy jego mama śpi razem z tatą w łóżku...

– Ale my zawsze śpimy razem – stara się ratować sytuację Anna. – Nie mamy drugiego tapczanu, przecież wiesz.

– No, dobra – mruczy Sebastian. – Ale ja wolę braciszka... – I zasypia zaraz, odwracając oczy od światła lampy, a oni oboje nie mogą ruszyć się z miejsca, Anna szuka dłoni Szymona i zaciska na niej palce, jest cicho, spokojnie i dobrze, Sebastian śpi ze swoim obszarpanym Kotem-Mamrotem w objęciach, świat musiał się zatrzymać w swoich złych zamiarach, kiedy Sebastian śpi, nie trzeba myśleć, że tyle milionów matek utraciło swoje dzieci, Niobe... Dlaczego przypomina jej się teraz Niobe i poemat Gałczyńskiego, który mówiła kiedyś w telewizji... Nie! Nie! Trzeba wierzyć, że nic takiego się nie powtórzy, że nic takiego się nie stanie, kiedy Sebastian śpi. Że można się temu przeciwstawić. Nie dopuścić do tego. Jeśli nie będzie się miało żadnej winy. W niczym żadnej winy. I wobec nikogo...

– Bardzo was obu kocham – mówi cicho. – Bardzo!

III

Następne dni są wypełnione radosną bieganiną.

Paszport! Bilet! Fotosy! Wizyta w ministerstwie, gdzie pobłogosławiono ich na drogę, nie szczędząc rad i sugestii. Sytuacje mogły przydarzyć się różne, byli reprezentacją kraju, w którym dopiero co zawieszono stan wojenny i który oto znów brał udział w festiwalu po rocznej nieobecności. Na konferencjach prasowych mogą paść różne pytania – mówi ktoś, dobierając ostrożnie słowa – pewna elastyczność wypowiedzi...

Człowieku – myśli Anna – pary z ust nie puszczę, choćby mnie nie wiem jak przypierano do muru. – Zerka na twarz

Wojtaszka Tarły, ale nie może nic wywnioskować z jej wyrazu. A Marek Sarpowicz patrzy w okno, na obłoki poruszające się wzdłuż niebieskiego ekranu nieba. Nie będą mieli łatwego zadania, to pewne. Oczywiście, najważniejsze było to, czy film się spodoba, ale i oni powinni spodobać się także, zrobić wrażenie, olśnić czymś, zainteresować. Chyba wszyscy troje zdawali sobie z tego sprawę, że to przerastało ich możliwości. Ile tysięcy osób dążyło co roku do Cannes, żeby się spodobać, zrobić wrażenie, olśnić i zainteresować? Młode aktoreczki rozbierały się i nago wdrapywały na drzewa, ryzykując, że prędzej niż fotoreporterzy zauważy je tam policja. Każdej ekstrawagancji towarzyszyła nadzieja na przyszły sukces albo przynajmniej na melancholijny spokój sumienia, że zrobiło się naprawdę w s z y s t k o, żeby go osiągnąć. I w tym targowisku, w tej plątaninie drapieżnych ambicji i interesów – oni mieli reprezentować swój kraj! Przede wszystkim reprezentować swój kraj!

Annę po raz pierwszy pośród doznawanego szczęścia ogarnia popłoch. I strach, czy temu podoła. Dobrze, że jedzie z Wojtaszkiem i Markiem, na nich – a głównie na Wojtaszku, który był niejako szefem ich małej ekipy – spoczywała cała odpowiedzialność. Ona powinna tylko ładnie wyglądać, włożyła już niemało trudu w to swoje kobiece zadanie, wciąż jeszcze nie przygotowane należycie. Szef Mody Polskiej (całkiem skromną ustalił należność za kreację, którą Ewka Zabiełło, dysponując kasą swego malarza, chciała od razu odkupić od niej za podwójną cenę, po festiwalu oczywiście), otóż szef Mody Polskiej domagał się stanowczo wykończenia modelu brązowymi lakierkami na płaskich obcasach i brązową lub złotą kopertą, która była jedyną możliwą torebką przy tym stroju. Czekało ją więc bieganie po komisach, bo przynajmniej co do torebki przyznawała wymagającemu panu rację... Anna łapie się na tym, że nie słucha tego, o czym się mówi, i z trudem powraca do rzeczywistości. Wymagano od niej tak wiele, składano na jej barki zadania tak poważne, że śmieszne wydały jej się nagle te wszystkie zabiegi wokół najkorzystniejszego wyglądu, zaprzątające ją bez reszty od dwóch dni. W Cannes nikt jej na pewno nawet nie zauważy, ale gafa, gdyby ją popełniła w tej niewymiernej, różnorakiej i nieokreślonej przez własne i cudze o niej wyobrażenia dziedzinie reprezentacji, na pewno zostanie zauważona w kraju – a z tym należało się liczyć przede wszystkim. Zmęczona ostatnimi dniami, a w tej chwili dziwnie jakoś zubożała w przeczuciach i oczekiwaniach festiwalowych rewelacji – pomyślała z cichutkim żalem o utraconym spokoju i błogosławionej monotonii dotychczasowego życia. Musiało się to jakoś odbić na jej twarzy, bo wiceminister, uznając konferencję za zakończoną, podszedł najpierw do niej.

– Nie wiem doprawdy, czego pani życzyć. Festiwalowy sukces dla aktorki to przede wszystkim reżyserskie propozycje, a to by oznaczało utratę pani dla nas. Ale na czasową – wiceminister uśmiecha się z błogosławiącą jej ukryte marzenia uprzejmością – moglibyśmy się zgodzić.

Po co on to powiedział? – myśli Anna, jest jak wszyscy aktorzy bardzo przesądna. – Zapeszył! Na pewno wszystko już zapeszył!

– Dziękuję – mówi bez cienia radości.

– A ja protestuję! – nie zgadza się Wojtaszek Tarło. – Mam już dla Anny następną rolę i jeśli tylko scenariusz... – reżyser spogląda wymownie w oczy szefa kinematografii – jeśli tylko scenariusz zostanie zatwierdzony, zaraz zaczynamy kręcić.

– Na pewno nie będzie z tym żadnych kłopotów! – Wiceminister bardzo pragnie, żeby konferencja zakończyła się jak najpogodniej; jeszcze jakieś komplementy pod adresem reżysera i wykonawcy głównej roli męskiej, uścisk dłoni, ostatni uśmiech, odprowadzenie gości do drzwi – i oto są już w szatni w pałacowym korytarzu ministerstwa, a potem na czworobocznym dziedzińcu, zalanym majowym słońcem.

– I po błogosławieństwie! – mruczy z ulgą Tarło, źle znoszący wszelkie oficjalne okoliczności.

– Było całkiem przyjemnie – zauważa ze zwykłą obojętnością Marek Sarpowicz, przygaszony i wyczerpany swoim szczęściem rodzinnym.

Anna nie podtrzymuje rozmowy, czuje się wciąż zagrożona życzeniami wiceministra, który zapeszył, na pewno zapeszył to, o czym nawet nie śmiała myśleć. No i jak po takich życzeniach wrócić do Warszawy bez zagranicznego kontraktu.

– Co ci jest, Hanka? – pyta Tarło.

– Och, nic! Mam jeszcze tyle do załatwienia.

– Ale suknia już gotowa?

– Gotowa.

– Piękna?

– Bardzo! – Powinna może teraz zapytać o jego festiwalową garderobę, ale – choć łączy ich prawdziwie koleżeńska komitywa – nie ma jakoś na to odwagi. Wojtaszek Tarło znany jest bowiem z szokującej niedbałości stroju. Raz nawet na premierze filmu zjawił się nie dość, że spóźniony – co dodatkowo zwróciło na niego uwagę – to także w rozciągniętym swetrze i obstrzępionych dżinsach.

– No, to do jutra na lotnisku! Tylko się nie spóźnij!

– Wciąż pamiętasz, że dwa razy spóźniłam się na plan?

– Przepraszam.

– Na samolot na pewno się nie spóźnię. Mój Boże! – Anna wreszcie się rozpromienia. – Na samolot do Paryża! Mam nadzieję, że będzie trochę czasu między lotami, żeby wyskoczyć do miasta.

– Nic z tego: I ja o tym myślałem. Ale zaraz po przylocie mamy samolot do Nicei. Obiecuję, że w drodze powrotnej zatrzymamy się w Paryżu. Mam nadzieję, że bierzecie z sobą jakieś dewizy?

– Mam dwieście dolarów – wyznaje Anna. Tak jak ojciec, lubi mieć zaskórniaki. Ale dwieście dolarów w Polsce to nie to samo, co dwieście dolarów w Paryżu, więc głos Anny brzmi słabiutko, gdy powtarza: – Dwieście.

Marek milczy. Anna wie, że kiedy się żenił, przynaglany niespodziewanym ojcostwem, musiał kupić mieszkanie i jest spłukany do ostatniego dolara. Pożyczę mu, myśli z litością; ale co to będzie za Paryż za sto dolarów na osobę?

– Jutro rano wypłacą nam diety – odzywa się wreszcie Marek.

– Człowieku! – wzrusza ramionami Tarło. – Jeśli wyobrażasz sobie, że będziesz za nie szaleć...

– Mam całą listę zakupów – zastrzega się młody ojciec, na wszelki wypadek nie patrząc w oczy reżysera. Wie, że wydaje mu się śmieszny i że pewnie już nigdy nie obsadzi go w głównej roli, zwłaszcza że nie reżyserował nigdy komedii.

– Nie mogli nam tych diet wypłacić dzisiaj? – zmienia szybko temat Anna. – Jeszcze jutro trzeba będzie przed odlotem wlec się z bagażami...

– Kasjerka nie podjęła dewiz w banku.

– No tak – nie powiem, żebym wypoczęta jechała na ten festiwal.

Na takie olśniewające szczęście trzeba mieć przede wszystkim siły, myśli Anna, rozstawszy się z Wojtaszkiem i Markiem. Ma na głowie mnóstwo spraw, które musi załatwić przed wyjazdem. Trzeba zaopatrzyć dom w żywność, wykupić kartkowe przydziały, ubłagać pana Feliksa z czwartego piętra, żeby podczas jej nieobecności opiekował się Sebastianem – zawoził i przywoził go z przedszkola i trzymał u siebie do powrotu Szymona z sądu – trzeba wpaść także do madame Valentine... Obiecała jej przecież róże, gdyby ziściło się to, o czym obydwie marzyły...

Ten obowiązek wydaje się najprzyjemniejszy, więc na niego się najpierw decyduje, zwłaszcza że w domu, w którym mieszka madame Valentine, jest na dole sklep mięsny i będzie mogła zamówić w nim kolejkę przed udaniem się na górę.

Jeśli ktoś z bukietem róż wkracza do rzeźnika, wszyscy myślą, że kwiaty przeznaczone są dla ekspedientki – cały ogonek zwraca się więc ku Annie, która nie wie, czy pochwala się ten jej zamiar, czy też ma się go jej za złe; postanawia jak najprędzej rozczarować ogonkowiczów, i gdy tylko jakaś kobieta staje za nią, zwraca się do niej donośnym szeptem:

– Kochana! Ja tu stoję! Tylko wpadnę na chwilę na górę złożyć życzenia pewnej starszej pani.

– Pani Walentynie? – włącza się w ten dialog ekspedientka, rzucając na ladę kawałek schabu. – Nie wiedziałam, że ma dziś imieniny.

– Urodziny! – wyjaśnia Anna i już zaznajomiona z całym sklepem, już rozpoznana (widziałam panią w telewizji – mówi jakaś kobieta, a ja w kinie – dodaje druga), nie bojąc się o swoje miejsce w kolejce, może popędzić na górę.

Ledwie dotyka dzwonka, w przedpokoju rozlegają się gwałtowne szczekania Czikusia, a potem uciszające perswazje jego pani, której nie od razu udaje się go zamknąć w łazience.

– Madame! – woła Anna, gdy starsza pani wreszcie ostrożnie uchyla drzwi. – Madame! – powtarza zdyszana, zupełnie zapomniawszy, co ją tu przywiodło. – Jest schab! I polędwica! Mam zamówioną kolejkę na dole. Niech mi pani da swoją kartkę!

Madame Valentine wciąga Annę do mieszkania, sadza ją w fotelu, odbiera z jej rąk róże i – nie wiadomo dlaczego – zaczyna płakać.

– Moje dziecko! Przecież ty jedziesz do Cannes!

– Tak! – Anna całuje mokrą twarz starej nauczycielki. – Tak! Obiecałam przecież pani róże... Ale ponieważ wybieram swoje mięso na kartki, to i pani mogę wybrać.

– Jedziesz do Cannes! – krzyczy teraz histerycznie starsza pani, nie mogąc wciąż opanować łez. – Te wszystkie baby, które tam się zjadą, siedzą teraz w gabinetach kosmetycznych, poddają się zabiegom i masażom, a ty stoisz w kolejce po mięso! Dziewczyno, nie daj się tak stłamsić, wszystko ma swoje granice!

Anna podchodzi do lustra, przygląda się swojej twarzy.

– Masaże są mi jeszcze niepotrzebne, a Sebastian z Szymonem lubią zjeść coś solidnego na kolację. Nie mogę zostawić im pustej lodówki.

– Przede wszystkim nie możesz prawie wprost ze sklepu mięsnego udawać się na festiwal do Cannes! Co się z tobą stało! Co się z wami wszystkimi stało! Co...

Anna czeka, że madame Valentine, tkwiąca wciąż połową swojej duszy w innym świecie, wypowie teraz swój ulubiony zwrot: Co oni z was zrobili! – ale starsza pani inaczej kończy rozpoczęte zdanie:

– ...co by na to powiedzieli twoi wielbiciele, gdyby zobaczyli cię w tym ogonku po mięso?

– Ależ madame! – Anna jest szczerze ubawiona. – Widzą mnie dosyć często. I takie teraz czasy, że budzi to raczej sympatię niż zgorszenie. Nawet ministrowie chwalą się tym, że stoją w ogonkach, a co dopiero aktorzy.

– Nie, nie, nie! – nie może się z tym pogodzić starsza pani. – Przynajmniej ja mam obowiązek doprowadzić do tego, żebyś pojechała do Cannes jako artystka, a nie baba wykłócająca się o miejsce w ogonku u rzeźnika.

– Tam są wszyscy dla mnie bardzo mili – śmieje się wciąż Anna.

– Poczekaj! – Madame podchodzi do biblioteczki i wyjmuje spośród książek pięknie oprawny tom. – Poczytamy sobie „Cyda" Corneille'a, rolę Infantki.

Anna składa błagalnie ręce.

– Ale ja mam jeszcze tyle przygotowań przed wyjazdem. Wpadłam tylko na chwilę.

– Na to musisz mieć czas! Słyszysz? Musisz! Nie wypuszczę cię od siebie bez zanurzenia choćby na krótko w atmosferze wielkiej sztuki. Artysta nie ma prawa żyć tylko codziennością. Społeczeństwo powinno ochronić go przed nią, a także wymagać, ażeby dobrowolnie nie pozwalał się jej niszczyć.

Starsza pani przerzuca pośpiesznie kartki książki i znalazłszy odpowiedni fragment, podaje ją Annie.

– Ty czytasz Infantkę, a ja Eleonorę.

– Przecież umiem rolę Infantki na pamięć. – Kolejka mi przejdzie, myśli Anna, ale trudno! Może madame ma rację? Nie powinnam się godzić, żeby życie oskubywało mnie z wszelkich wzniosłości.

Gdy kończy się scena między Infantką a Eleonorą, madame Valentine odkłada książkę na jej miejsce na półce i wyciąga szufladę małego sekretarzyka.

– Mam tu coś dla ciebie – mówi tajemniczo.

– Co takiego? – pyta Anna bez zainteresowania, chwyciła już torebkę i jest gotowa do lotu ku wszystkim swoim nie załatwionym sprawom.

– Popatrz tylko! – Madame Valentine odwraca się ku niej. Trzyma w ręce piękną kameę. – To dla ciebie! Od dawna ci to chciałam dać.

– Ależ to... to bardzo cenne! Nie mogę tego przyjąć...

– Nie mów mi takich rzeczy. Nie znam nikogo godniejszego, kto mógłby ją nosić.

– Jest bardzo piękna. Dziękuję! Ale to za drogi prezent...

– Cicho! I tak to komuś wszystko zostawię. *Für die lachenden Erben* – znasz to niemieckie powiedzenie? Dla śmiejących się spadkobierców. Tylko czekają, kiedy umrę, a oni to wszystko zagarną. Coraz częściej myślę, żeby im zrobić paskudny kawał! – Starsza pani śmieje się cichutko. – I właśnie dziś zaczynam!

Anna wciąż jeszcze się wzbrania od przyjęcia tak kosztownego prezentu, ale schyla głowę, gdy madame zakłada jej kameę, i olśniona patrzy w lustro.

– Skąd pani wiedziała, że tak bardzo będzie pasować do sukni? Nawet ta brązowa aksamitka!

– Przeczucie! I życzliwe myśli! – Madame Valentine całuje Annę w czoło. – Noś szczęśliwie! I długo!

– Och, dziękuję! Dziękuję pani!

– A teraz zmykaj, jeśli tak bardzo się śpieszysz. Dziękuję ci, że przyszłaś!

Anna przystaje na schodach, żeby ochłonąć z doznanych wrażeń. Ale na dole przed sklepem rzeźniczym nie może się opanować – i wchodzi jednak do środka. Co za szczęście! Kobieta, za którą zamówiła miejsce w kolejce, jest akurat przy ladzie i „zaświadcza" przed później przybyłymi, że „ta pani tu stała". Dzień jest więc naprawdę piękny, Anna wykupuje cały przydział na kartki i powtarzając słowa Infantki, wybiega ze sklepu, łapie taksówkę i przez chwilę waha się, czy nie pojechać po Sebastiana i wcześniej nie zabrać go z przedszkola, ale inna myśl wydaje jej się bardziej od tej urocza, więc każe się najpierw wieźć do domu, a w windzie decyduje się wstąpić na czwarte piętro, do pana Feliksa.

Po drodze myśli, że świat, dzisiejszy świat nie mógłby funkcjonować należycie bez tych wszystkich starszych ludzi, którzy przyjmowali na siebie obowiązki wybawców w nieprzewidzianych okolicznościach.

– Kochany panie Feliksie! – zaczyna od progu. – Mam do pana wielką prośbę!

– Wiem, wiem – uśmiecha się żywiutki jeszcze, choć już bardzo przygarbiony pan Feliks. – Kocham Sebcia jak rodzonego wnuka i przypilnuję go, jak długo będzie pani w Cannes.

– Słyszał pan w radiu! Czytał pan w prasie?

– Nie, to nasz pan Fjałkowski po wszystkich lokatorach rozniósł tę nowinę. Bardzo z pani dumny!

– Mój Boże! – szepcze Anna. Przysiadła na krześle, złożyła na kolanach wyładowane sprawunkami siatki.

– Ja też jestem dumny! – dodaje pan Feliks. – To wielkie wyróżnienie brać udział w takim festiwalu. Bo chyba najważniejszy na świecie?

– Najważniejszy! – z satysfakcją przyznaje Anna.

– I będzie tam wiele osobistości, które liczą się w świecie filmu?

– Przypuszczam.

– Dobrze być młodym i pięknym! – mruczy pan Feliks.

– Och! – Anna odstawia siatki, żeby go uścisnąć. – Pan miał także okres swojej świetności.

– Tak – po długiej chwili wyznaje emeryt. – Cztery lata w Lasach Lipskich, kiedy nie dałem się Niemcom ani złapać, ani zabić.

Milczą teraz oboje, on – bo wspomina ten straszny, ale heroiczny, ale w i e l k i czas, ona – bo po prostu nie znajduje słów, które mogłaby w tej chwili powiedzieć. Chwyta więc swoje siatki i już przy drzwiach uśmiecha się jeszcze raz do pana Feliksa:

– Nie wiem, jak się panu odwdzięczę. Sebastian nawet u mojej mamy nie lubi tak być, jak u pana.

– Cieszę się, bardzo się z tego cieszę.

– Wiem, że nie stanie mu się żadna krzywda i mogę być o niego spokojna.

– Najzupełniej. I dla mnie to przyjemność, niech mi pani

wierzy. Zawsze sam w tych czterech ścianach. Nieraz myślę: niechby ktoś przyszedł! Niechby tu ktoś ze mną pobył...

– Przywiozę panu coś z Cannes. Albo z Paryża. Ma pan jakieś ulubione zagraniczne papierosy?

Starszy pan z żalem potrząsa głową.

– Nie palę.

– Od kiedy? Co się stało?

– Doktor zabronił. Już i tego musiałem się wyrzec. Na starość opadają z człowieka przyjemności jak listki z drzewa. A kiedy zostanie już goły pień, najwyższy czas, żeby przyszedł ktoś i go ściął.

– A fe! Panie Feliksie! Co za myśli okropne w taki piękny dzień!

– Kiedy Sebastian będzie ze mną, ani razu mnie te myśli nie nawiedzą.

– Dziękuję panu!

W swoim mieszkaniu Anna wyjmuje z siatek zakupy; mięso i masło wkłada do lodówki. Myje się, jeszcze raz robi makijaż, staranniejszy niż rano, i przez chwilę siedzi przed lustrem, co jej się w domu raczej rzadko zdarza, dość ma patrzenia w lustro w garderobie. – A więc jakaż to myśl wydała jej się bardziej urocza od tej, żeby wstąpić po Sebastiana i zabrać go wcześniej z przedszkola? Ta właśnie, że odbiorą Sebastiana oboje – ona i Szymon, po którego pojedzie do sądu i jeśli tylko nie ma dziś rozprawy i będzie mógł wyjść o zwykłej godzinie... Szybko nakręca numer sekretariatu wydziału karnego i ponieważ świat jest taki piękny od kilku dni, stara się być bardzo miła dla pani Wisi:

– Dzień dobry pani! Tu Turoniowa. Czy mogę mówić z mężem?

– Nie – odpowiada absolutnie jednoznacznie pani Wisia.

– Ma rozprawę? – głos Anny traci dużo z poprzedniej jasności.

– Tak. Ma rozprawę.

– Czy... Przepraszam... Czy pani sądzi, że rozprawa skończy się do trzeciej?

– Na pewno nie.

– Dlaczego?

– Bo na pewno się nie skończy. Prokurator żąda kary śmierci.

Anna odkłada słuchawkę i przez chwilę stoi przy telefonie jak sparaliżowana. Na ławie oskarżonych siedzi na pewno jakiś morderca, zabił kogoś, więc sam na siebie wydał wyrok śmierci – to twierdzenie Kanta, pamięta je z długich dyskusji z Szymonem na ten temat. Przyznaje rację Kantowi, ale dziś, w ten dzień dla niej tak cudowny, niechby się nie stało zadość tej zasadzie, niechby Szymon... Myśl jest niedorzeczna, zupełnie niedorzeczna. Anna chwyta torebkę i wybiega z domu.

Odebrany z przedszkola Sebastian natychmiast wyczuwa, że coś się stało. Nic nie można przed nim ukryć – myśli Anna, nie miała dotąd co ukrywać, ale gdyby coś takiego się zdarzyło... Nic takiego nigdy się nie zdarzy – myśli, mocniej ściskając w dłoni małą rączkę.

– Mama jest bardzo zmęczona – wyjaśnia, gdy Sebastian wciąż się dopytuje, dlaczego nic nie mówi.

– Czym? – chce od razu wiedzieć.

– Och, nabiegałam się tyle po mieście. Byłam w ministerstwie, u madame Valentine, u rzeźnika, w innych jeszcze sklepach...

– Czy musiałaś tyle biegać?

– Musiałam. Bo jutro wyjeżdżam i miałam wiele spraw do załatwienia.

Sebastian przystaje. Milczy przez dłuższą chwilę, wysunąwszy dolną wargę, wreszcie szepcze przez łzy:

– Ja nie chcę.

– Czego nie chcesz?

– Żebyś wyjeżdżała. Nie chcę!

Anna ciągnie go za rękę, wiedziała, że ta rozmowa się odbędzie i że jej także trudno będzie powstrzymać się od łez. Ale tym bardziej stanowczo mówi:

– Muszę. Muszę wyjechać na kilka dni.

– Dlaczego musisz?

– Wiesz, że mamusia pracuje. Zarabia na chlebek, na mleczko, na... cukierki. I dlatego musi też teraz wyjechać. To należy do jej pracy, rozumiesz?

– Nie! – wrzeszczy Sebastian na całą ulicę, choć Anna wie, że wszystko dokładnie rozumie, pogodził się przecież z jej wieczorną nieobecnością i wie także, że kiedy ogląda mamę w telewizji, to jest to jej praca, za którą dostaje pieniążki.

– Na pewno rozumiesz, tylko chcesz mnie zmartwić. A mnie i tak nie jest łatwo cię zostawić. Pan Feliks będzie cię odbierał z przedszkola...

Sebastian milczy, ponuro zamyślony.

– I będziesz u niego, aż tatuś przyjdzie po ciebie. A mamusia ci coś przywiezie. Coś ładnego i dobrego...

– Nie chcę! – wybucha znów Sebastian, nie przejednany obietnicą prezentów. – Nie chcę! Nic nie chcę!

I zaczyna płakać, tak jak płaczą dzieci, nie wstydząc się swojej rozpaczy, z odsłoniętą, nie zakrytą dłońmi ani chusteczką twarzą – ryczy, aż oglądają się przechodnie, więc Anna chwyta go w objęcia, unosi na brzeg chodnika i dramatycznymi gestami zatrzymuje taksówkę.

W domu z trudem udaje się go udobruchać, zasypia wreszcie, może bardziej zmęczony swoją rozpaczą niż pogodzony z wyjazdem matki, i Anna wreszcie może zająć się pakowaniem, ułożeniem w walizce rzeczy tak, żeby jak najwięcej miejsca zostało na suknię, rozpostartą starannie na wierzchu, bez niepotrzebnych załamań materiału. Inaczej wyobrażała sobie nastrój tej chwili... Może Ewka miała rację? Może ona naprawdę nie nadawała się na festiwal?

Szymon wraca, na szczęście, tuż przed jej wyjściem do teatru. Kładzie na stole teczkę wypchaną aktami, a oznacza to, że długo w noc będzie pisał uzasadnienie wyroku, który już zapadł, a który trzeba obronić przed ewentualnością rewizji. Anna patrzy ze zgrozą na teczkę, na palce Szymona, które wyjmują z niej akta, układając je w wysoki stos. Nigdy chyba jeszcze nie widziała czegoś tak ostro i wyraźnie.

– Muszę, niestety, już iść – mówi cicho. Tak, zupełnie niedorzeczne są jej myśli sprzed kilku godzin. Świat składa się z dobra i zła, piękna i plugastwa i muszą być na nim ludzie, którzy uprzątają cały ten brud i świństwo, gromadzące się na ziemi każdego dnia. Czy tym ludziom nie należało się więcej szacunku niż pięknoduchom? Ale Anna jednak nie może, naprawdę nie może zbliżyć się do Szymona i tylko powtarza, jak przeproszenie: – Niestety, muszę już iść. Muszę już iść...

IV

A następnego dnia rano okazuje się, że Anna do Cannes nie jedzie.

Nie ma jej na liście dewizowych diet, a Bogu ducha winna urzędniczka, jąkając się i nie śmiąc spojrzeć jej w oczy, informuje, że pani Turoń została wyłączona z delegacji do Cannes.

Wojtaszek Tarło, który już podjął swoje diety, rzuca się do telefonu. Ale wiceministra nie ma, wyjechał do Poznania, nikt o niczym nie wie, i nie można się dowiedzieć, kto właściwie podjął decyzję oszczędności dewizowych właśnie przy okazji wyjazdu delegacji na festiwal. Wojtaszek odkłada słuchawkę i siada jak rażony gromem na krześle przy biurku speszonej coraz bardziej urzędniczki, która jednak zamknęła już na klucz podręczną kasę z dewizami i ma zamiar właśnie umieścić ją z powrotem w ogniotrwałej szafie.

– Ja także nie pojadę – mówi Tarło.

Marek Sarpowicz rozważa w nie opuszczającym go sennym otępieniu – czy powinien powiedzieć to także. Ale ma w portfelu obok diet listę zakupów, którą wręczyła mu żona, walczące w nim powinności nierówną mają siłę, więc milczy i postanawia milczeć, żeby nie umocnić decyzji reżysera.

– To niemożliwe – mówi Anna cicho. – Nie możesz tego zrobić. Nie możesz – powtarza, choć odczułaby pewną satysfakcję i doznałaby pociechy, gdyby i on, i Marek także, nie pojechali do Cannes.

– Dlaczego nie mogę? – upiera się Wojtaszek, ale brzmi to prawie dziecinnie; Sebastian zacietrzewia się nieraz w podobny sposób, choć wie, że to na nic się zda.

– Po prostu nie możesz. Musisz być obecny na pokazie filmu. Wybuchłby skandal, aktorki może zabraknąć, ale reżysera... – Głos Anny się łamie. Chyba się tu nie rozpłaczę – myśli wściekła na siebie – tego by jeszcze brakowało. Najgorsze w tym wszystkim jest to, że czuje się śmieszna, tak bardzo już gotowa do wyjazdu z torbą podróżną w ręce, z walizką u nogi, w której na samym wierzchu leży jej piękna festiwalowa suknia. Urzędniczka zaniosła już kasę do szafy, odebrała od Anny paszport i bilet, który zaraz trzeba zwrócić w LOT-cie i choć wciąż usiłuje wyglądać na zmartwioną, nie może mieć przecież pojęcia, co Anna przeżyje tego dnia, odwołując swój wyjazd do Cannes tam wszędzie, gdzie przed trzema dniami obwieszczała go z taką radością i triumfem. Rodzice, stryj, teatr, madame Valentine, pan Feliks, panie w przedszkolu, och, i dozorca Fjałkowski, który pierwszy złożył jej gratulacje, i Szymon wreszcie – oni wszyscy mieli od niej usłyszeć, że do Cannes nie jedzie, że oszczędności dewizowe, zastosowane akurat w jej wypadku...

– Hanka, nie becz – prosi Wojtaszek, sam bliski łez z bezsilnej wściekłości. – Pójdę do ministra! – zrywa się z krzesła, ale urzędniczka od razu sprawia, że pada na nie z powrotem:

– Pan minister także wyjechał. A poza tym w sprawach kinematografii...

– Cóż za paskudna historia! – jęczy Tarło, ale już słabiej i pokorniej, i Anna wie, że pojedzie na festiwal, że buntuje się tylko ze zwykłej koleżeńskiej przyzwoitości, która nie może tu mieć żadnego znaczenia. Powinna czuć o to żal do niego, ale go nie ma, zna mechanizmy rządzące ich śmiesznie małym światkiem, w którym o bohaterów trudniej niż na polach bitew, bo przelana krew nie wsiąka w papiery tak łatwo jak w ziemię. – Cóż za historia! – jęczy wciąż Wojtaszek. – Chyba zapeszyła nam cały udział w festiwalu.

– Nie bądź przesądny jak stara baba – Anna usiłuje się uśmiechnąć, choć to rażąco bezsensowne w jej sytuacji. Jest także przesądna i już wtedy, kiedy wiceminister życzył jej zagranicznego engagement, ścierpła cała w złym przekonaniu, że zapeszył to, o czym najskryciej marzyła. No i ten wyrok, ten straszny wyrok, który akurat teraz musiał wydać Szymon... Udawała wczoraj, że śpi, kiedy on długo w noc ślęczał nad aktami, podpierając uzasadnienie wyliczaniem argumentów, które – choć starała się o tym nie myśleć – wciąż tłukły się jej po głowie. Nagminność przestępstwa! Symptomy bezwzględnej nieprzydatności sprawcy do życia w społeczeństwie! Jego niepoprawialność, czyli ujemna prognoza kryminologiczna! Brak wyższej uczuciowości! Sposób popełnienia przestępstwa z wielokrotnością skutku! Zachowanie po przestępstwie! Pasożytniczy tryb życia!!! Tyle razy słyszała te określenia i nigdy tak bardzo nie przerażała jej ich treść. Widziała nieomal, jak Szymon swoim starannym, wyraźnym pismem wypisuje je kolejno na arkuszach papieru, aby jutro dać je do przepisania w sądzie – piękne, nie do podważenia sformułowane uzasadnienie wyroku, któremu Sąd Najwyższy na pewno nie będzie miał nic do zarzucenia...

– Hanka! – Wojtaszek Tarło objął ją i pocałował w obydwa policzki. – Tak bardzo mi przykro.

– I mnie – odzywa się w końcu Sarpowicz, z trudem pokonując nagłą chrypkę. – I mnie!

– Tak. Musicie się śpieszyć. – Anna także chwyta swoją walizkę i skinąwszy głową żegnającej ją z ulgą urzędniczce, wychodzi na korytarz, żeby tu szybko i już bez żadnych uścisków pożegnać się ze szczęśliwcami, których nie objęły dewizowe oszczędności. Na pewno czułaby się lepiej, gdyby obydwaj zrobili komuś wściekłą awanturę, gdyby w końcu ona sama – do licha, chyba najbardziej do tego uprawniona – zrobiła awanturę w kilku gabinetach, ale nie było już na nic czasu, a może także chęci do walki z postanowieniem, chyba bardziej żenującym dla tych, w których godziło, niż dla tych, którzy je powzięli.

Nie ona śpieszy się na lotnisko, nie ona musi szukać taksówki, której kierowca miałby ochotę jechać na Okęcie, a jednak pierwsza dopada drzwi i wydostaje się na urągliwie radosne tego dnia słońce. Jest dopiero wpół do dziesiątej, więc postanawia pojechać do teatru i jakby nigdy nic zjawić się na próbie.

W salce, w której wciąż odbywa się czytanie sztuki przy stole, zebrał się już prawie cały zespół i wejście Anny powitane jest gromkimi oklaskami.

– Och, jakie to miłe z twojej strony! – Ewka Zabiełło ostrożnie, żeby nie zostawić śladów szminki, całuje ją w policzek. – Znalazłaś czas, żeby pożegnać się z nami przed wyjazdem.

Anna stawia walizkę na podłodze, torbę podróżną rzuca na stół.

– Nigdzie nie jadę.

Żadną reżyserią nie dałoby się osiągnąć tak nagłego i doskonałego milczenia, jak to, które teraz zapadło.

– Nigdzie nie jadę – powtarza Anna głośniej.

Teraz dopiero powstaje wrzawa, wszyscy skupiają się wokół niej.

– Co się stało? Dlaczego? Co ty opowiadasz?

– Oszczędności dewizowe – ze zbyt sztucznie beztroską swobodą obwieszcza Anna.

– Zastosowane akurat wobec ciebie?

– I w dniu odlotu?

– To złośliwość – mówi Bobrowski. – Wyraźna złośliwość!

– Ale dlaczego? Wobec Hanki?

– Wobec nas wszystkich. Wobec całego środowiska.

– Nie opowiadaj. Od razu we wszystkim doszukujesz się podtekstu. Nawyk aktorski.

– Może – wzrusza ramionami Bobrowski, nie przekonany.

– To okropnie nietaktowne – dochodzi wreszcie do głosu reżyser. Nie kryjąc się ze swoją egoistyczną radością dodaje: – Ale dla mnie fakt, że bierze pani znów udział w próbach...

– Od zaraz – przerywa mu Anna. – Od zaraz!

– Dziękuję pani. Postaramy się wszyscy, żeby jak najprędzej zapomniała pani o tej przykrości.

– Och! – Anna potrząsa głową. – Już o niej nie pamiętam.

– Zachowujesz się bardzo dzielnie – Ewka Zabiełło znowu całuje ją w policzek, nie dbając już o to, że zostawi na nim ślad swoich warg – ale nie da się ukryć, że zrobili ci paskudne świństwo. Na twoim miejscu pojechałabym zaraz do którejś redakcji. Właśnie tak, jak stoisz, przygotowana do podróży – z walizką, z tą suknią z Mody Polskiej, którą specjalnie musiałaś dać sobie uszyć na festiwal...

– À propos... – Anna podprowadza Ewkę do okna, żeby nikt nie słyszał ich rozmowy – mówiłaś, że ci się podoba?

– Co?

– Suknia. Chciałaś ją odkupić po festiwalu.

– Och, tak!

– Możesz ją kupić zaraz.

– Żartujesz!

– Ani trochę. I wcale nie za podwójną cenę.

– Nie cofam słowa. Powiedziałam, że za podwójną, to za podwójną. Mój malarz ma pieniądze. Wystawia obrazy w tej nowej galerii w Intraco i wciąż coś sprzedaje. Chwali się, że prywaciarze lokują pieniądze w jego obrazach.

– No, dobra. – Anna nie jest ciekawa tego wszystkiego. – Zadzwoń do niego!

Ewka biegnie do sekretariatu i wraca po chwili rozpromieniona.

– Zjawi się tu podczas przerwy w próbie – obwieszczą. – I z pieniędzmi. Powiedziałam mu dwadzieścia pięć tysięcy, pięć dla mnie! – Ewka znowu całuje Annę. – Kiedy dziewczyna dużo kosztuje, powiedział, staje się naprawdę droga. Czy to nie cudowne?

– Cudowne – potwierdza Anna.

Gdy zaczyna się próba, stara się skupić nad czytanym tekstem i nawet jej się to udaje; w oczach reżysera zabłysło światełko aprobaty przy kilku jej kwestiach, zaczyna więc odczuwać coś w rodzaju podziwu dla samej siebie – potrzebna by jej była teraz rola, w której mogłaby miotać najordynarniejsze przekleństwa, a jednak potrafiła nie skazić swoim nastrojem tej jakiejś cholernie subtelnej postaci, którą grała w sztuce.

Malarz zjawia się punktualnie, nie ogolony, w przybrudzonej, pomiętej koszuli, ale tak jawnie zakochany w Ewce, że można mu to wybaczyć.

Co on widzi w tej idiotce? – myśli Anna z obudzoną nagle niesprawiedliwą zazdrością. Bo przecież Ewka jest jej jedyną przyjaciółką od pierwszego roku szkoły teatralnej i ma naprawdę mnóstwo zalet. Ale na Annę od dawna już nikt nie patrzył tak, jak teraz na Ewkę patrzy jej malarz, z tą pożądliwą, roziskrzoną radością, jaka towarzyszy tylko początkom miłości. Każdy następny dzień, następny krok w powszedniość i przyzwyczajenie odbiera jej blask i żar, i nawet jeśli się wciąż kocha, radości jest w tym coraz mniej. Coraz mniej – myśli Anna – coraz mniej... Ściska w dłoni dwadzieścia pięć tysięcy (pięć dla Ewki) i czuje się tak, jakby sprzedała wielką życiową szansę, może i na tę radość także; a jeśli i na nią miała ochotę, jeśli i jej się spodziewała, wstrząsa nią nagły dreszcz przerażenia, to dobrze, że los jej ją odebrał.

A Ewka przymierza teraz suknię przed największym lustrem w garderobie. Nie krępując się tym, że przygląda się temu nie tylko cały zespół próbowanej sztuki, panie z sekretariatu, inspicjent i woźny, ale i jej malarz, zrzuciła spodnie i bluzkę, i w figach tylko – wspaniała, naprawdę wspaniała dziewczyna – nakłada na siebie to miodowo-bursztynowe cudo z Mody Polskiej.

– Sam bym lepiej nie skomponował tych barw – szepcze malarz.

Ewka obraca się przed lustrem, ukazując się patrzącym z każdej strony. Ma tak samo jak Anna długie nogi i doskonale wygląda w króciutkich, marszczonych spodenkach z brązowego aksamitu, musiała się już opalać na balkonie (kiedy? kiedy? – myśli Anna – chyba rano przed próbą albo po południu między próbą a przedstawieniem?), bo plecy jej mają już ten złotawy odcień, nieodzowny dla wykończenia całości.

– Słuchaj, Ewka – mówi malarz, wciąż patrząc na nią roziskrzonym wzrokiem, który ma się tylko w pierwszych dniach miłości – czy nie uważasz, że do takiej sukni pasuje tylko ślub?

– Nie rozumiem – mówi Ewka, nieruchomiejąc przed lustrem.

– W lot powinnaś zrozumieć. Innej dziewczynie nie musiałbym tego powtarzać dwa razy.

– Mnie musisz.

– A więc powtarzam. I przy takim tłumie świadków! Bierzesz ze mną ślub w tej sukni. Urząd Stanu Cywilnego, jak długo istnieje, jeszcze czegoś takiego nie widział. Co ty na to? Zaprosimy pół Warszawy. Mam przyjaciela w Kronice Filmowej. Będzie ślub na cztery fajerki! Powiedzże coś! Odezwij się, dziewczyno!

– Właściwie... – Ewka pozwala się całować malarzowi i wszystkim po kolei – można by spróbować. Jeszcze nigdy nie byłam mężatką.

– Zobaczysz, jak szybko się rozwiodą – szepcze Annie do ucha Bobrowski. On jeden jest przy niej, zawsze zgryźliwy, chorujący na wrzód żołądka i nigdy nie obsadzany w głównych rolach, co mogłoby być zarówno powodem, jak i skutkiem choroby, teraz jest przy niej, jakby zażenowany tym, że wszyscy o niej zapomnieli, że nikt już nie zwraca na nią najmniejszej uwagi.

– Może mnie nawet pocieszyłeś, Sewerciu – szepcze Anna w blade ucho kolegi. – Bo jakby naprawdę dopiero teraz wiem, że nie jadę do Cannes.

Po próbie Anna zgłasza kierownikowi artystycznemu teatru swój udział w granej wieczorem sztuce i zostawiwszy w garderobie walizkę i torbę podróżną, zastanawia się, od kogo zacząć odwoływanie swego wyjazdu. Paragraf? – Nie, do Paragrafa nie zadzwoni. I nawet nie dlatego, że pewnie jest na sali rozpraw i musiałaby się narazić na rozmowę z panią Wisią, jej komunikując, że nie jedzie do Cannes. Czyby to zrozumiała, czyby pojęła, co znaczy dla niej n i e j e c h a ć do Cannes? Najpierw więc trzeba zawiadomić osoby, które to pojmą i zmartwią się tym serdecznie. I nie pocieszy ich to, że dostaną z powrotem swoje pieniądze. I kameę, kameę także...

Matka się spłakała. Wszystkie panie, prócz tej, która musiała wydawać lekarstwa, zbiegły się na zaplecze, otoczyły Annę, tak szczerze zmartwione, jakby i one musiały się rozstać z jakimiś swoimi marzeniami. Żal staje się jeszcze większy, gdy Anna wyznaje, że sprzedała suknię.

– Ależ dlaczego? – matka patrzy z przerażeniem na siedem tysięcy, które Anna położyła na stole. – Dlaczego? Było ci w niej tak ładnie!

– No i koniec. Nie chcę jej już. Nawet nie miałabym okazji, żeby ją gdzieś pokazać. Zwracam pieniądze i dziękuję za pożyczkę. Jadę zaraz do stryja Alfreda. Ojciec nie zwrócił mu pewnie jeszcze tych piętnastu tysięcy?

– O ile wiem, to nie. Był bardzo zajęty.

– To się dobrze składa, zaraz zrobię to sama.

– Może przyszłabyś wieczorem do domu? – Matce nie podoba się ten spokój Anny, jej rzeczowa oschłość, wie, co się pod tym kryje, zna swą córkę lepiej niż ona sama siebie. – Do domu! – powtarza, a dom to są te cztery ściany, gdzie jest matka i ojciec, gdzie zawsze było miejsce wszelkich pocieszeń.

Ale Anna tym razem nie chce o tym pamiętać.

– Nie mogę – mówi wciąż tym samym twardym, oschłym tonem. – Gram wieczorem.

– Grasz? Przecież przygotowano zastępstwo?

– Już je odwołałam. Jestem, więc gram.

– Anusiu! – Matka usiłuje ją przytulić.

– Ależ naprawdę nic mi nie jest. Nie wyobrażasz sobie chyba, że będę rozpaczać...

– Wiem, że jesteś na to za rozsądna – teraz pani magister stara się opanować, zrozumiała wreszcie, że pocieszanie Anny jest najgorszą terapią na jej smutki.

– No właśnie – Anna poprawia na ramieniu pasek od torebki. – Jadę do stryja Alfreda, potem jeszcze w jedno miejsce i... będę miała to wszystko z głowy.

– Czy Szymon już wie?

– Nie. Ma rozprawę. A jak Szymon ma rozprawę – wybucha Anna – wszystko wokół może się zawalić, byleby tylko nie zawaliła się sala sądowa.

– Haneczko! – panią magister ponownie ogarnia przerażenie.

– No, nic. Lecę.

– Zadzwoń po przedstawieniu.

– Nie będę mogła. Nie rozmawiam przez telefon, kiedy Sebastian śpi.

– Nic mu się nie stanie, jeśli się obudzi. Ten jeden raz.

– Dobrze, mamusiu. – Anna zdobywa się na uśmiech. – Zadzwonię.

Stryja Alfreda zastaje tym razem kompletnie gotowego do wyjścia – i dosłownie – w drzwiach.

– Czy coś się stało? – pyta od razu. – Chyba o tej porze powinnaś być już na lotnisku?

– Nie jadę do Cannes – po raz trzeci tego dnia obwieszcza Anna. I widząc, że stryj się dokądś śpieszy, w największym skrócie opowiada o swoich rannych przeżyciach. – Sprzedałam suknię – kończy – więc mogę stryjowi od razu oddać to, co stryj pożyczył ojcu, i te dziesięć tysięcy, które...

– Ależ dałem ci je i nie ma powodu, żebyś mi je zwracała. – Stryj wciąga jednak Annę do środka, wyjmuje butelkę koniaku, nalewa go do dwóch kieliszków. – Napijmy się! – mówi. – Odrobina rauszu dobrze ci zrobi.

– Och, nic mi nie jest – Anna pociąga skromniutki łyczek, żeby potwierdzić tym swój bezwzględny spokój i opanowanie. – Po prostu los spłatał mi figla.

– Dość paskudnego, trzeba przyznać. Ale dlaczego zrządzeniem losu nazywać to, co spreparowali ludzie? Gdybyśmy i przy innych okazjach tak oszczędzali dewizy, być może nie mielibyśmy aż takich długów.

– Stryj dokądś się śpieszy? – Anna pragnie uniknąć wałkowania przykrego dla niej tematu.

– Tak. Przepraszam cię, jestem umówiony. Chciałbym z tobą posiedzieć, ale nie mogę już odwołać spotkania. Schowaj mi zaraz te dziesięć tysięcy i nie denerwuj mnie. Kup sobie za nie na pocieszenie coś ładnego. Nic tak nie poprawia samopoczucia jak odrobina lekkomyślności.

– A więc powinniśmy jako naród mieć jak najlepsze samopoczucie na świecie.

– Brawo, Hanka! Marnujesz się na scenie, gdzie wciąż musisz mówić cudzym tekstem. Może w niedzielę rano wpadłabyś ze swoimi panami, żeby pogadać?

– Mogłabym przyjść tylko z Sebastianem. Szymon najprawdopodobniej znów będzie pisał uzasadnienie jakiegoś wyroku.

– Wielki Boże! Nie robi chyba tego w domu?

– Wyłącznie! Podobno w sądzie nie może się skupić. Taszczy do domu kilogramy akt i ślęczy nad nimi po nocy.

– Biedna dziewczynko! – Stryj Alfred zerka nieznacznie na zegarek. – Mogę cię podrzucić do domu.

– Za nic! – Anna dopija swego koniaku. – Sebastiana z przedszkola odbiera pan Feliks, nasz sąsiad z czwartego piętra, mam więc dzisiaj wolne całe popołudnie, aż do przedstawienia wieczorem. Ale jeśli stryj miałby ochotę mnie podwieźć, to pod inny adres, mianowicie na Mokotowską.

– O, ho, ho! Cóż to za tajemnicza historia!

– Wcale nie tajemnicza. Od pół roku, od premiery filmu i pierwszych dobrych recenzji, jakie zebrał, zaczęłam pobierać lekcje francuskiego u cudownie niedzisiejszej madame Valentine. Domyśla się stryj, na co był mi potrzebny ten podszlifowany francuski?

– Moje biedne dziecko!

– Nie, nie, stryjciu – żadnych rozczulań! Jestem twarda jak granit. To, że mi się trochę chce beczeć, jeszcze nic nie znaczy. Otóż madame dała mi w związku z wyjazdem do Cannes piękny prezent, kameę, bardzo pasującą do sukni. Muszę ją zwrócić, bo skoro nie jadę...

– Obrazisz staruszkę. – Stryj po raz drugi, już nieco nerwowo, zerknął na zegarek, klucze zadźwięczały w jego dłoni. – Radzę ci się zastanowić.

Madame Valentine rzeczywiście prawie że się obraziła.

– Co ty mówisz? – woła. – Zwracasz mi ją, bo nie jedziesz? Co za głupstwo! Chcę, żebyś ją miała! Zrobili ci świństwo, o jakim świat nie słyszał, więc miej przy sobie coś, co ofiarowano ci z całego serca. Powiedziałam ci już – komu to wszystko zostawię? Für die lachenden Erben? – Starsza pani wyciera chusteczką mokre od płaczu oczy, wydmuchuje w nią wezbrany tkliwością nos. I nagle zrywa się z fotela. – Zrobię ci kogel-mogel! I mocną, gorącą czekoladę. Dostałam właśnie w paczce.

– Ależ dziękuję – niezbyt stanowczo broni się Anna.

– A może ty obiadu nie jadłaś? Przyznaj się!

– Zjem coś przed przedstawieniem.

– Kiedy to będzie? Ja ci coś powiem – madame zatrzymuje się w drzwiach. – Mam zupę pomidorową z kładzionymi kluseczkami. Marchewkę z groszkiem i ziemniaczki. Nie pogardzisz?

– Uwielbiam zupę pomidorową i groszek z marchewką!

– No, widzisz. A na deser kogel-mogel z gorącą czekoladą.

Anna czuje ucisk w gardle, wiele wytrzymała tego dnia, przykrości i serdeczności, ale kogel-mogel, który dla niej ma zrobić madame Valentine, tak jak ona nieraz robi dla Sebastiana na pocieszenie w jakichś jego zmartwionkach, rozkleja ją zupełnie. Głęboko wciśnięta w fotel, przymyka oczy i stara się o niczym nie myśleć. Czikuś zamknięty w łazience posapuje wzdłuż szpary w drzwiach, z kuchni dochodzą odgłosy krzątania się madame, przez otwarte okno napływa podwórkowy gwar, śmiechy i pokrzykiwania dzieci, nawoływania ich matek – wszystko działa dziwnie kojąco. Chciałaby zasnąć tutaj i spać tak długo, ażby się cudowną jakąś mocą przeterminowały jej smutki i powróciła dawna spokojna zwyczajność.

– Jedz zupę! – Madame Valentine stawia przed nią dymiący talerz. – Od razu poczujesz się lepiej, jak napełnisz żołądek czymś ciepłym. A do Cannes masz szansę jeszcze pojechać. Długie życie przed tobą i wiele filmów, zobaczysz... Wypuszczę Czikusia z łazienki, bo rozchoruje się nerwowo. Nie bój się, nic ci nie zrobi.

– Ależ wcale się nie boję. – Anna zwykle siada na podkurczonych nogach, gdy Czikuś wpada do pokoju, teraz prawie pragnie, żeby pekińczyk poszarpał jej nowiutkie, założone po raz pierwszy na podróż rajstopy – ale piesek biegnie najpierw do kuchni, żeby sprawdzić, czy gość nie wyjadł jedzenia z jego miski, a potem wskakuje na drugi fotel i dysząc po tym wysiłku, z wywieszonym języczkiem, nie zdejmuje z Anny błyszczących oczu.

– Widzisz – mówi madame Valentine. – Jaki grzeczny!

Po obiedzie i po czekoladzie, zagęszczonej ubitym z cukrem żółtkiem, Anna zasypia na kanapie, przykryta przez madame kraciastym pledem. A gdy się budzi, Czikuś leży zwinięty na jej nogach, miłe ciepło, promieniujące z tego futrzanego kłębuszka, rozchodzi się po całym jej ciele – rozkoszując się nim przez długi czas trwa nieruchomo i żadna myśl nie przywołuje jej do rzeczywistości, użyczona jej przez Czikusia zwierzęca ufność jest całym jej istnieniem. I nagle, jak sztylet w sam środek mózgu: N i e p o j e c h a ł a m d o C a n n e s! Zlekceważono mnie! Odebrano szansę, na którą czeka się całe życie! Poniżono i zdeptano! Jak wyjdzie dziś na scenę? Jak zdoła wydusić z siebie chociaż słowo? Wybuchnie skandal! Ale niech wybuchnie skandal! Wyniosą ją ze sceny i wszyscy będą wiedzieli, dlaczego tak się stało...

Anna odrzuca pled, strąca z nóg przerażonego pekińczyka i siada gwałtownie na kanapce.

– Madame! – woła. – Chyba nie pojadę do teatru.

Madame Valentine staje w drzwiach pokoju zaniepokojona.

– Jak to nie pojedziesz? Właśnie miałam cię budzić...

– Nie pojadę! Nie mogę... Zabraknie mi siły, żeby wyjść na scenę. Och, po co odwołałam zastępstwo...? Po co tak bardzo... tak bardzo chciałam pojechać do Cannes? – Anna podnosi ręce do oczu (nie potrafi tak jak Sebastian płakać z odsłoniętą twarzą), ale w tej samej chwili ostry dzwonek rozlega się w przedpokoju, niespodziewany kontrapunkt jej rozpaczy.

Cikuś zaczyna ujadać, rzucając się ku drzwiom i nie ma już mowy o płaczu, o wybuchu, który groził jej przed chwilą, Anna poprawia włosy, sprawdza palcem, czy na rzęsach nie ma łez, ktoś tu zaraz wejdzie i trzeba się rozpogodzić, jest przecież aktorką, nieraz miewało się role, w których zdarzały się katastrofy, a po nich zaraz trzeba się było śmiać, więc i teraz, choć nie jest to rola, ale życie, jej życie, potrafi chyba...

– Kto to może być? – Madame Valentine, szurając futrzanymi, mimo ciepłego maja, bamboszami, rusza do przedpokoju. – Lekcji dziś nie mam.

I nagle wśród jazgotliwego szczekania psa, dźwięku opuszczonego przy drzwiach łańcucha i szczęku kluczy w dwóch zamkach – odzywa się zdyszany głos Szymona:

– Czy Anna tu jeszcze jest?

– Jest, jest – odpowiada nie wiadomo dlaczego uradowana od razu madame. Nie zaczekała nawet, żeby się przedstawił ten zupełnie jej nieznany młody człowiek, wystarczy jej, że Anna już przy nim jest, już go obejmuje, ściska, tuli, całuje bez tchu.

– Skąd... Skąd wiedziałeś...?

– Stryj Alfred do mnie zadzwonił... – Szymon trzyma ją w objęciach, wgarniętą w jego ramiona, wciśniętą w nie, oplecioną nimi ciasno, nie istniejącą prawie osobno – ...stryj Alfred powiedział mi, że nie pojechałaś do Cannes, że podwiózł cię tutaj i że grasz wieczorem, więc pomyślałem sobie, że dobrze... że dobrze będzie, jeśli przyjadę tu i będę razem z tobą...

V

Poranek, który otwiera na nowo całą zwykłość, całą szarą codzienność życia, o dziwo, dzięki wczorajszemu wieczorowi nie jest zły.

Smutki naprawdę jakby uległy przeterminowaniu, Anna podśpiewuje ubierając Sebastiana, jak mogłam być tak głupia, myśli, żeby poddawać się rozpaczy z tak błahego powodu? No więc cóż z tego, że nie pojechałam do Cannes? Mam męża i dziecko, nie istnieje nic ważniejszego dla kobiety, naprawdę nie istnieje nic ważniejszego, trzeba o tym pamiętać i trzeba...

– Nigdzie nie pojedziesz? – upewnia się Sebastian.

– Nie, nigdzie nie pojadę.

– I będziesz ze mną?

– Tak jak co dnia – rano, po południu i w nocy.

– Ale w poniedziałek cały dzień?

– W poniedziałek cały dzień.

– I pójdziemy na lody?

– Pójdziemy na lody.

– Do Texu?

– Do Hortexu.

Anna odkrywa w sobie niewyczerpane pokłady słodyczy i cierpliwości. Zapina sama wszystkie guziki przy kurtce i spodenkach Sebastiana, szczotkuje delikatnie jego czuprynkę, wciska na nią coraz bardziej już przyciasną dżokejkę.

– Sama się poszczotkuj! – mówi Sebastian, który uwielbia przyglądać się toaletowym zabiegom matki, więc Anna kilkoma pociągnięciami szczotki poprawia swoją fryzurę i w pośpiechu maluje usta; nie musi dziś nikogo zadziwiać urodą i starannym wyglądem, dzień jest całkiem zwyczajny, a ona jedną z aktorek, które nie jadą do Cannes.

– Idziemy! – mówi do Sebastiana.

Otwiera drzwi, a za nimi, na wycieraczce przed progiem – Anna nie wierzy swoim oczom – stoi, już z ręką uniesioną do dzwonka, jeszcze do dziś jawnie zmartwiona i speszona urzędniczka, która poprzedniego dnia nie wypłaciła jej dewizowych diet.

– O, Boże! – woła, prawie rzucając się Annie na szyję. – Jakie to szczęście, że panią zastałam!

– Dlaczego...? – Anna cofa się do środka, ciągnąc za sobą Sebastiana. – Co się stało?

Młoda osoba wchodzi do pokoju, błyskawicznie otwiera torebkę, wyjmuje z niej to wszystko, co wczoraj zamknęła w swojej ogniotrwałej kasie.

– Pan minister... – wyjaśnia, z trudem łapiąc oddech – pan minister wrócił z Poznania i dowiedział się, że pani... nie pojechała do Cannes. Okazało się, że to nieporozumienie... tak, to fatalne nieporozumienie... i proszę, tu jest paszport... bilet lotniczy na dziś... i diety... Jeszcze zdąży pani na otwarcie festiwalu...

Anna w pierwszej chwili nic z tego nie rozumie. Nie poprosiwszy gościa, żeby usiadł, sama siada na brzeżku krzesła, odsuwa od siebie Sebastiana, który tarmosi ją za rękę.

– Mama! Idziemy?

– Poczekaj – mówi słabo.

– Za dwie godziny ma pani samolot do Paryża – ciągnie dalej urzędniczka, wciąż wyrzucając coś na stół ze swojej przepastnej torby. – W Paryżu złapie pani samolot do Nicei, a stamtąd dostanie się pani jakoś do Cannes... Proszę pokwitować tutaj odbiór diet. Bilety są powrotne...

– Ależ ja nie mogę! – Anna odzyskuje wreszcie głos. Podnosi ręce do twarzy i dopiero teraz ma naprawdę ochotę zapłakać. – Nie mogę! Jak pani to sobie wyobraża? Za dwie godziny samolot do Paryża! Przecież ja wszystko odwołałam. Rozpakowałam się, nawet... nawet sukni już nie mam...

– A... co się z nią stało? – młodą dziewczynę ze wszystkich spraw do natychmiastowego rozstrzygnięcia najbardziej zaciekawia ten fakt.

– Mniejsza z tym. Nie mam! – I co zrobię z dzieckiem? Jak zawiadomię męża?

– Są przecież telefony...

– Ale nie wszyscy mężowie przy nich siedzą. Mój jest w tej chwili prawdopodobnie na sali rozpraw.

– My zawiadomimy męża. Biorę to na siebie!

– Mama! Idziemy? – dopytuje się Sebastian.

– Niech się pani pakuje! Proszę. Bardzo proszę! Za dwie godziny ma pani samolot do Paryża. Samochód czeka przed domem. Odwiozę panią na lotnisko.

– Dziecko! – krzyczy Anna, bo Sebastian, który zaczyna już pomału wszystko rozumieć, wpatruje się w nią czujnymi oczyma. – Co mam zrobić z dzieckiem?

– Przecież miała pani jechać wczoraj – młoda osoba nie traci przytomności – musiała to pani jakoś zorganizować.

– Oczywiście – wczoraj! Pan Feliks z czwartego piętra... Nawet nie wiem, czy jest w domu.

– Zaraz do niego pójdę. Niech się pani pakuje. – Urzędniczka jest już w drzwiach, ale jeszcze od progu woła: – Ma pani chyba jakąś wieczorową suknię?

– Mam, oczywiście – szepcze Anna zupełnie oszołomiona.

I rzuca się do szafy, wyjmuje z niej wszystkie suknie, ale żadna nie wydaje jej się odpowiednia na tak świetną okazję.

W końcu decyduje się na czarną długą spódnicę i białą bluzkę z szeroką, suto haftowaną falbaną przy dekolcie, w której nieraz występowała na estradzie; trudno, myśli, będę wyglądała jak maturzystka na pierwszym balu, ale to przecież nie ma żadnego znaczenia, nic w tej chwili nie ma żadnego znaczenia przy rozpaczy Sebastiana, który już dokładnie wszystko rozumie, rzuca się z płaczem na walizkę, bije piąstkami, kopie.

– Obiecałaś! Powiedziałaś, że nigdzie nie pojedziesz!

– Ale zmieniło się coś. Wiedziałeś, że mamusia miała jechać wczoraj – i już byłeś grzeczny, już wiedziałeś, że tak musi być.

– Ale dzisiaj powiedziałaś...

Na szczęście pan Feliks, wyraźnie popychany i przynaglany przez postępującą za nim urzędniczkę, staje w drzwiach i bierze Sebastiana na ręce.

– Mamusia bardzo szybko wróci, zobaczysz.

– Nie chcę! – ryczy Sebastian. – Obiecała!

– Obiecała, bo nie wiedziała, że ta pani przyjedzie z biletami i że jednak będzie musiała jechać...

– Dlaczego... musiała? – przycicha nieco Sebastian.

– Bo... takie jest życie – pan Feliks nie znajduje żadnego innego wytłumaczenia na to, co dzieje się przed jego oczyma; Anna jest mu nieskończenie wdzięczna, że zdjął z niej ciężar uspokajania Sebastiana, obiecuje sobie, że całe diety wyda na prezenty dla pana Feliksa, który wart jest w tej chwili wiele, bardzo wiele, bo Sebastian pochlipuje coraz ciszej i pozwala matce wrzucać (w kompletnym popłochu) do walizki przypadkowo wygarnięte z szafy rzeczy.

– Kosmetyki pani wzięła? – przytomnie przypomina urzędniczka.

Anna wpada do łazienki, zbiera z półek pod lustrem jakieś słoiczki, tubki i flakony, nie ma czasu myśleć, nie ma możliwości zastanowić się nad tym, co robi, jakieś okruchy świadomości podsuwają jej motywy innych rozwiązań i zachowań, może powinna się obrazić i podziękować teraz za zmianę decyzji... podziękować i odesłać tę panią tam, skąd przyszła, z jej biletami i dietami w dewizach, może powinna powiedzieć jej, że wczoraj miała, a dziś nie ma ochoty jechać do Cannes... ale, mój Boże, kto nie miałby ochoty jechać do Cannes, kto nie pozwoliłby się tam wysłać nawet w takich okolicznościach, w takim wariackim pośpiechu, kiedy wszystko z rąk leci, a Sebastianowi nie obeschły jeszcze policzki od łez...

– Prędzej! – przynagla urzędniczka. – Na litość boską, nie możemy się spóźnić na samolot! – Z niewiadomego powodu używa liczby mnogiej, jakby i ona leciała do Cannes, absolutnie odpowiedzialna za dostarczenie tam swojej podopiecznej.

– Nie spóźnimy się! – warczy Anna nad walizką, która nie daje się dopiąć. – I tak wykazałam maksimum dobrej woli... i przytomności. Żeby w ten sposób... W ten sposób wyjeżdżać do Cannes...

– Niech pani będzie spokojna – pan Feliks wie, kiedy powinien interweniować przypomnieniem swojej życzliwej obecności. – Niech pani o wszystko będzie spokojna! Pana sędziego zawiadomię, Sebastiana zawiozę i przywiozę z przedszkola, oka z niego nie spuszczę, dopóki pan sędzia nie wróci...

– Och, dziękuję panu! Dziękuję! – Anna całuje starszego pana i wskakuje do łazienki, żeby się przebrać, z przerażeniem spostrzega, że strzeliło jej oczko w rajstopach, ale tę nową parę, w której miała jechać wczoraj, wrzuciła do zamkniętej już (z takim trudem) walizki, więc musi jechać ze spuszczonym oczkiem, na nic nie ma już czasu; przerażona sytuacją urzędniczka wciąż woła do niej z pokoju, żeby się pośpieszyła, że nie mogą się spóźnić, och, naprawdę nie mogą się spóźnić, Anna wraca do pokoju, chwyta torbę, walizkę trzyma już urzędniczka, coraz bardziej przerażona tym, że jej podopieczna uważa za konieczne – jak w radzieckich filmach – przysiąść na chwilę przed podróżą...

– Na litość boską! – woła.

Ale Anny to nie obchodzi. Patrzy na syna, uciszonego w końcu w ramionach pana Feliksa, na swój dom, chce go zapamiętać, chce tu wrócić taka sama, jaka stąd wyjeżdża, ani odrobinę inna – no, może jednak trochę sławniejsza!

Ta myśl podrywa ją z krzesła. Nie oglądając się już za siebie, wypada z mieszkania i – ponieważ winda jest akurat na dole – zbiega schodami do wyjścia. Kierowca samochodu z ministerstwa, który – on jeden całkowicie spokojny – opalał się opuściwszy szybę, podrywa się na jej widok, wysiada, okrąża wóz i otwiera przed nią drzwiczki.

– Cieszę się – mówi – że jednak jedzie pani do Cannes.

Stylista! – myśli Anna, dziękując mu uśmiechem za ten aktorski akcent na słowie „jednak", którego wszakże miotająca się wciąż jak w ukropie urzędniczka wcale nie zauważa.

– Zdąży pan, panie Władysławie? – pyta.

– Zawsze dowożę piękne panie tam, gdzie trzeba, i zawsze na czas – zauważa szarmancko kierowca.

Istotnie, przyjeżdżają na lotnisko jeszcze przed rozpoczęciem odprawy paszportowej. Celną ograniczono wobec Anny jedynie do pieczątki na właściwym dokumencie, co nie obywa się bez równoczesnej prośby o autografy, Anna odzyskuje pomalutku pewność siebie, zwłaszcza że dyrygująca nią urzędniczka z centralnego urzędu pozostaje poza barierą sali odpraw i wciąż nie spuszczając z niej oczu upodabnia się do kury, która, odprowadziwszy na brzeg stawu wychowane przez siebie kaczęta, musi zatrzymać się na brzegu. Anna zdobywa się na serdeczny uśmiech; w gąszczu urzędowych powinności, kompetencji, uzależnień i powiązań – nie wiadomo w końcu komu co przypisać, dziewczyna może była Bogu ducha winna... Głos w megafonie zapowiada odlot samolotu do Paryża, Anna pozostawia więc tę myśl niedokończoną i kieruje się wraz z innymi pasażerami ku podanemu w zapowiedzi wyjściu na płytę lotniska. Głowa do góry, dziewczyno, mówi do siebie, jedziesz do Cannes, j e d n a k – jak to ujął kierowca – jedziesz do Cannes!

Lot do Paryża odbywa się bez większych emocji, nie licząc tych, których sama dostarcza, rozpoznana od razu przez stewardesę i pasażerów. Patrzą na nią, niektórzy może wiedzą, że leci na festiwal do Cannes i dziwią się pewnie, że jest sama, bez osób towarzyszących, tak chętnie z różnych resortów i powodów bardziej błahych wyjeżdżających za granicę. W tym, że leci sama, ostatecznie upewnia wszystkich sąsiedztwo brodatego misjonarza, który siedzi obok Anny – nie deleguje się przecież misjonarzy na festiwale, żeby towarzyszyli aktorkom, choć to może niekiedy byłoby i słuszne, i potrzebne. Anna uśmiecha się do tej myśli, jakkolwiek nie przewiduje, żeby w Cannes czekały na nią jakieś szaleństwa, zwłaszcza w tym stroju dla maturzystek, który będzie miała na sobie, ale zerka jednak ku misjonarzowi, starając się wyobrazić sobie sensację, jaką wywołałby na festiwalu.

– Ksiądz leci do Paryża, czy gdzieś dalej? – zagaja rozmowę; bardzo chce z kimś rozmawiać, panicznie chce z kimś rozmawiać, żeby nie myśleć o sobie, żeby nie dopuścić do siebie tego lęku, który może wyłonić się z każdej myśli, że oto zdana jest absolutnie na samą siebie w zupełnie niewiadomych okolicznościach, idiotko, gani się, nikt nikogo nie uczy podróży zagranicznych i udziału w festiwalach, teraz dziewczyny ze wsi jeżdżą do Ameryki i Australii, po prostu trzeba nie bać się życia, tak, jak ci wszyscy ludzie, którzy zapełniają samolot i pociągają teraz sok pomarańczowy z podanych im przez stewardesy szklaneczek.

Misjonarz powoli zwraca ku niej głowę. Jest młody, gąszcz zarostu nie od razu pozwalał to dostrzec, w oczach ma odległe zamyślenie, może się modlił.

– Na razie do Paryża – odpowiada po długiej chwili, jakby potrzebnej mu do koncentracji. – A po kursach językowych do Ghany.

– Wymagany jest tam język francuski?

– Nie tylko. Także znajomość kilku afrykańskich narzeczy.

– Długo to potrwa? – Anna bardzo chce przedłużyć rozmowę.

– Trzy miesiące. – Misjonarz oszczędza słowa, jakby to były dewizy, skąpo zapewne wydzielone mu na podróż.

– Trzy miesiące? – dziwi się Anna. – Przez trzy miesiące nauczy się ksiądz kilku narzeczy afrykańskich?

– Chodzi o podstawowe słowa i zwroty, które pozwolą nawiązać kontakt z miejscową ludnością.

– Rozumiem.

Rozmowa się urywa. Misjonarz patrzy teraz w okno, ale w końcu musi się odwrócić, kiedy i do nich podchodzi stewardesa z sokami na tacy.

– Pomarańczowy czy grapefruitowy? – pyta.

– Dla mnie pomarańczowy – prosi Anna.

– Grapefruitowy. – Misjonarz bez uśmiechu odbiera swoją szklaneczkę z rąk przystojnej dziewczyny. On się nas chyba boi – myśli Anna – gdyby na moim miejscu siedział jakiś mężczyzna, na pewno wiódłby z nim rozmowę o swoich misyjnych podróżach, ciekawe, czy i wśród Murzynek jest taki powściągliwy...? Anna usiłuje sobie wyobrazić tę spaloną słońcem afrykańską ziemię, na której w końcu wyląduje jej sąsiad z samolotu po odbyciu kursów językowych w Paryżu. Każda myśl, oddalająca od niej wyobrażenia różnojęzycznego tłumu, w który już za kilka godzin miała się wtopić (w t o p i ć, tak, cóż za adekwatne słowo!) w Cannes, była ukojeniem i ulgą. Pozazdrościła prawie misjonarzowi jego samotności na afrykańskich szlakach i znowu musiała skarcić siebie za to, że się nie cieszy tak, jak cieszyć się powinna, jak sobie obiecywała, że będzie się cieszyć, kiedy spełni się cud, na który czekała, poprawiając swój francuski u madame Valentine. – Czyż ten sok pomarańczowy, od tak dawna niedostępny w Polsce, nie był już pierwszą przyjemnością? A stewardesy wtoczyły właśnie w przejście między fotelami wózki z zimnym posiłkiem, który rozdają natychmiast pasażerom.

– Zobaczymy, co tu mamy? – mruczy Anna, pochylając się nad swoją tacką, przyjemnie zaintrygowana. Widok soczystego plastra szynki, schabu i cielęciny, garnirowanych ćwiartką jajka, rzodkiewką, krążkami pomidora i ogórka – wyraźnie poprawia jej humor.

Misjonarz ożywia się także.

– Jestem głodny jak wilk – wyznaje nagle.

– Nie jadł ksiądz śniadania?

– Jadłem, ale o świcie. Przed wyjazdem z Pieniężna.

– Skąd? – pyta Anna; nigdy nie słyszała nazwy tej miejscowości.

– Z Pieniężna. Małe miasto na wschód od Elbląga. Mamy tam seminarium księży werbistów, kształcące misjonarzy. Założyliśmy nawet małe muzeum... Gdyby była pani w tamtych stronach...

– Och, nie sądzę...

– Mówię na wszelki wypadek. W muzeum gromadzi się pamiątki przywożone przez misjonarzy z różnych stron świata. Jest na co popatrzeć.

– Wyobrażam sobie – mówi uprzejmie Anna. Sama jest także głodna jak wilk; po emocjach wczorajszego dnia niewiele zjadła na śniadanie, zajęta głównie pilnowaniem, żeby Sebastian zjadł porządnie swoje płatki. Kto będzie teraz nad nim stał i wmuszał w niego łyżkę po łyżce? Czy Szymonowi starczy cierpliwości...? – Ja także jestem głodna – mówi bojąc się, żeby ksiądz nie zamilkł, pozostawiając ją jej myślom. – Miałam bardzo nerwowe chwile przed odlotem.

– Teraz pani sobie odpocznie – mówi łagodnie ksiądz, nawykły do uspokajań i pocieszań.

– Wprost przeciwnie, proszę księdza, nie czeka mnie ani chwilka spokoju, nie jadę odpoczywać. – I już gotowa była opowiedzieć wszystko o udręce wczorajszego dnia i o równie intensywnej udręce radości, którą miała przed sobą, a do której była najwyraźniej nie przygotowana, ale ksiądz dyskretnie o nic nie pyta, zajęty pochłanianiem swego posiłku.

– Kawa czy herbata? – pyta teraz stewardesa.

– Kawa! – wykrzykują zgodnie.

– Europa zaczyna się już w polskich samolotach – stwierdza misjonarz.

– Niestety, nie podróżuję zbyt często – wzdycha Anna.

Jest to typowe zdanie z amerykańskiego dialogu, który poprzez swoją gładkość i enigmatyczność daje tyle satysfakcji aktorom. W polskiej sztuce powiedziałoby się na pewno: proszę księdza, ostatni raz leciałam samolotem pięć lat temu do Budapesztu, i była to moja podróż poślubna. Od tego czasu miałam mnóstwo kłopotów, kraj miał mnóstwo kłopotów, i nie w głowie nam było podróżowanie. W polskich dialogach obowiązywała „kawa na ławę", z solidną informacją, odbierającą im całą lekkość i polot, więc Anna rozkoszuje się swoim zdaniem sprzed chwili, powtarzając je jeszcze raz: – Niestety, nie podróżuję zbyt często. – I nagle pyta bez związku (O, Boże! P o z o r n i e bez związku...) – Ksiądz jest szczęśliwy, prawda?

– Ja? – misjonarz cofa się na oparcie fotela, wyraźnie i niemile zaskoczony. – Dlaczego przyszło pani do głowy pytać mnie o to?

– Nie wiem. Przepraszam. Bo wydało mi się może, że ksiądz... j e s t szczęśliwy.

– Jeśli szczęściem jest dokonanie właściwego wyboru, to tak... jestem szczęśliwy.

– I jest ksiądz spokojny? Nie szamocze się, nie miota...?

– Oczywiście, jak wszyscy ludzie, napotykam pewne wątpliwości, ale nigdy w zasadniczej sprawie, w m o j e j zasadniczej sprawie.

– To bardzo wiele.

– To najwięcej z tego, co jest możliwe.

Anna wie, co ksiądz nazywa swoją zasadniczą sprawą, i dlatego milknie, nie śmiąc mówić w tej chwili o swoich wątpliwościach i rozterkach.

Ale misjonarz najniespodziewaniej ciągnie:

– Nieraz dokonanie właściwego wyboru oznacza rezygnację z ponętnej, choć mniej dobrej, mniej pięknej alternatywy. Nie wszyscy ludzie potrafią rezygnować.

– Wiem.

– Ale trzeba się o to starać, trzeba...

– Czy ksiądz zaczyna mnie n a u c z a ć?

– Przepraszam. Nie uważam duszpasterstwa za zawód, ale jednak najwidoczniej ulegam nawykom zawodowym.

– Ależ to dobrze – nie ma mnie ksiądz za co przepraszać. Bo zastanawiam się właśnie, czy to czegoś nie oznacza w moim życiu, że teraz, akurat teraz, księdza spotkałam...

– Och, to przypadek.

– Najprawdopodobniej. Niemniej jednak wyobrażam sobie, że kiedyś do księdza napiszę. Nie może mi ksiądz podać swego adresu?

– Nie znam go jeszcze.

– Nie szkodzi, jakoś go znajdę. Jakie imię nosi ksiądz w swoim zakonie?

– W Zgromadzeniu Słowa Bożego księży werbistów po wyświęceniu przybrałem imię ojca Damiana.

– Dziękuję, ojcze Damianie.

Do końca lotu rozmowa z misjonarzem nie jest już przymuszaniem go do każdego słowa. Na lotnisku w Paryżu rozstają się jak para przyjaciół, żałujących serdecznie, że nie odbywają razem dalszego ciągu tej podróży – i Anna bez radości i prawie z uprzedzeniem zajmuje w samolocie do Nicei miejsce obok kobiety w białym garniturze, młodej, efektownej, pachnącej, opracowanej z niezwykłą dbałością i znawstwem. Aktorka! – myśli z nie przynoszącą jej zaszczytu niechęcią. Tamta prawdopodobnie to samo pomyślała o Annie, ale jest bardziej bezpośrednia, bo od razu pyta:

– Do Cannes?

– Do Cannes.

– Aktorka? Przepraszam, ale nie mogę sobie przypomnieć...

– Ja także nie przypominam sobie pani – zauważa Anna niezbyt uprzejmie.

– Och, ja jestem scenografem – śmieje się młoda kobieta. – Isabelle Pasregèr – przedstawia się, a Annie oczywiście nic nie mówi to nazwisko. – Fotosami scenografów nie ozdabia się, jak na razie, okładek filmowych pism. A więc – aktorka?

– Tak – wyznaje Anna, jakby przyznawała się do jakiegoś nietaktu wobec świata.

– Skąd? – Szlifowanie francuskiego u madame Valentine nie odniosło chyba właściwego skutku, skoro pani Pasregèr natychmiast rozpoznała w niej cudzoziemkę.

– Z Polski – oznajmia Anna i rzeczywiście, jak się spodziewała, budzi to zdumienie jej sąsiadki.

– Z Polski? Nie było was ubiegłego roku. Wracacie na festiwal?

– Wracamy na festiwal – dość cierpko potakuje Anna.

– Jakim filmem?
– „Zdobywanie świata" Wojciecha Tarły.
– To reżyser?
– Reżyser.
– Pani gra w tym filmie?
– Tak. Anna Turoń – dopiero teraz przedstawia się Anna.
– I sama będzie go pani prezentować?
– Reżyser i kolega grający główną rolę są już w Cannes od wczoraj. Ja... miałam pewne komplikacje... domowe...
– Och, aktorka, która wybiera się na festiwal do Cannes nie powinna mieć żadnych komplikacji domowych.
– A jednak! Mam dziecko...
– Rozumiem. Ale czy nie ma pani tak zorganizowanego domu, żeby w każdej chwili móc wyjechać?
– Nawet gdyby mój dom był tak zorganizowany – Anna nie może się powstrzymać od tkliwego uśmiechu na myśl o tej „organizacji" swego domu, która w tej chwili spoczywała wyłącznie na wątłych i stareńkich barkach pana Feliksa – to przecież gram jeszcze w teatrze.
– Wy macie posady w teatrach?
– Tak, mamy posady w teatrach.
– To bardzo niewygodne. Stałe związanie z jednym teatrem.
– Wasze kontrakty są równie niewygodne, a chyba każdy aktor zabiega, żeby je mieć. A stałe związanie z jednym teatrem ma swoje zalety, zapewniam panią – ucina Anna sucho. Kiedyż ta baba przestanie mnie indagować? myśli. Nie pragnie już rozmowy, jak w samolocie do Paryża, już się uspokoiła, okrzepła jakoś w swojej samotnej samodzielności, na lotnisku bez żadnych trudności udała jej się przesiadka do Nicei, więc może nie jest taką gęsią, za jaką sama siebie uważa, i byłby już najwyższy czas, żeby spokojnie zastanowić się nad tym, co powinna powiedzieć o swojej roli w „Zdobywaniu świata", gdyby ją o to ktoś zapytał...

– Oczko pani puściło, moja droga – zauważa pani Pasregèr, spoglądając na kolano Anny. W ustach tak nieskazitelnie wyglądającej osoby brzmi to jak zaszokowane zdziwienie, ale Anna nie ma zamiaru się poddać.

– Tak – odpowiada pogodnie – nie miałam już czasu się przebrać.

– Nie ma pani zapasowych rajstop?

– Mam, ale w walizce, którą oddałam na bagaż.

– Proszę! – Francuzka wyjmuje ze swojej torby podróżnej kartonik z nowymi rajstopami. – Niech się pani przebierze w toalecie.

– Ależ nie mogę tego od pani przyjąć. – Anna aż się cofa, uprzejmość tej denerwująco wspaniałej kobiety budzi w niej urazę zamiast wdzięczności. Poza tym zbyt dobrze pamięta cenę rajstop w Warszawie, żeby przyjmować takie prezenty. W dodatku, gdyby to przeliczyć na dolary z zagranicznych diet, bo przecież powinna zwrócić równowartość... – Nie – protestuje prawie w popłochu – naprawdę nie mogę, dziękuję.

– Dlaczego? – Isabelle jest wyraźnie urażona. I dodaje po chwili: – U nas to drobnostka. Tyle, co pudełko papierosów. A w Stanach, gdzie ostatnio pracuję, jeszcze mniej.

– Ale jednak nie mogę...

– Moje drogie dziecko! – pani Pasregèr zdejmuje swoje ogromne przeciwsłoneczne okulary, jakby chciała, żeby Anna dostrzegła te leciutkie zmarszczki, które jednak ma już wokół oczu, zwłaszcza teraz, kiedy się uśmiecha. Przygarnia Annę do siebie, całuje ją w policzek. Pachnie przyjemnie delikatnymi perfumami, którymi musi być natarty jej opalony dekolt między białymi wyłogami żakietu. – Niech mi pani nie sprawia tej przykrości. Między nami kobietami takie ceregiele...

– Dziękuję – słabnie Anna. I dodaje z prawdziwym męstwem (Mój Boże! Prezenty dla Sebastiana i pana Feliksa, choćby jakiś drobiażdżek dla madame Valentine, no i dla Szymona, dla Szymona także) – Ale proszę przyjąć równowartość...

– Obrażę się! Nie handluję rajstopami. Niechże się pani szybko przebierze, bo zaraz dadzą nam coś jeść.

Anna, ściągnąwszy w toalecie podarte rajstopy, ma przez chwilę ochotę wrzucić je do kosza na śmieci, ale po namyśle – wściekła na siebie – chowa je do torby. Po zaciągnięciu oczka w Warszawie, będzie je mogła jeszcze długo nosić. Kim ja jestem? – myśli, przyglądając się odbiciu swojej twarzy w lustrze. Ten drobny incydent znowu strącił ją w dołek, z którego z takim trudem starała się wygramolić. Myśli nawet w dodatku kryzysowymi sloganami, tego już za wiele! Musi się wziąć w garść, musi się zachowywać, jakby to na nią przede wszystkim czekano w Cannes i jakby to ona miała wysiąść z samolotu na lotnisku w Nicei w tym olśniewająco białym kostiumie ze śmiałym dekoltem między jego klapami. To, że poczuła się od razu upokorzona serdecznością tej obcej kobiety, było ostatnią zasadzką, jaką sama na siebie zastawiała. Dosyć! Dosyć! – powtarza sobie, wracając na miejsce. Czeka na nią tacka z posiłkiem; pani Pasregèr zabrała się już do swojej porcji.

– Podróżuję dość często samolotami, a zawsze jestem ciekawa, co dadzą mi do jedzenia. Lubię latać liniami francuskimi, bo podają na nich dużo jarzyn i sałat. Zbrzydły mi natomiast konserwy, którymi karmią swoich podróżnych linie amerykańskie.

– Jedzenie w polskich samolotach jest znakomite – uśmiecha się Anna, chrupiąc jak królik liść świeżutkiej sałaty. – Znakomite – powtarza szczęśliwa, że może coś dobrego powiedzieć o swojej ojczyźnie.

– Nigdy nie byłam w Polsce – wyznaje pani Pasregèr bez widocznego żalu.

– Może kiedyś wybierze się pani do nas?

– Mam nadzieję – Isabelle wyjada do ostatniego źdźiebełka zieleniny swoją porcję. Apetyt jej służy, służy jej na pierwszy rzut oka zdrowie, w ogóle s ł u ż y jej życie, co do tego nie ma dwóch zdań. Anna obserwuje kątem oka pewność i wdzięk ruchów jej dłoni, gdy po skończonym jedzeniu wyjmując z torebki paczkę cameli i malutką zapalniczką zapala papierosa.

– Nie częstuję pani, bo widzę, że pani nie pali.

– Nie palę.

– A ja muszę. Powinnam się odzwyczaić choćby dla męża, który nie lubi, gdy kobiety palą. Sam też nie pali. Sportowiec. Biega, pływa, gra w tenisa.

– Zawodowo?

– Och, nie. Moim mężem jest Marcel Soldivier. Mówi pani coś to nazwisko?

– Oczywiście! – wykrzykuje Anna, choć nie może sobie przypomnieć żadnego filmu Marcela Soldiviera. – Czy sądzi pani, że nie interesujemy się kinem światowym?

– Przepraszam. Istotnie, mało wiem o Polsce i Polakach.

– Filmy francuskie cieszą się u nas dużym powodzeniem. Także filmy pani męża... (Boże Boże, co on nakręcił? – myśli Anna w popłochu. Do kina nie chodzi, bo kiedy? Wolne ma tylko poniedziałki, ale w poniedziałki ogląda przeważnie teatr w telewizji, ciesząc się, że nie musi wieczorem wychodzić z domu. Zna więc filmy, twarze aktorów i nazwiska reżyserów jedynie z lektury pism filmowych, przerzucanych w przerwach między aktami w teatrze, ale ten Soldivier to znany reżyser, czytała o nim dość często, tylko co nakręcił, na litość boską, co nakręcił...?)

– Cieszę się – mówi pani Pasregèr. – Powtórzę to Marcelowi.

– Czy mąż prezentuje na festiwalu swój nowy film?

– Tak. Film będzie pokazany poza konkursem. Ale inauguruje festiwal. Dlatego właśnie rzuciłam robotę, choć mam bardzo napięte terminy, i lecę do Cannes.

– Jaki tytuł?
– „Odsiecz".
– „Odsiecz"? Film wojenny?
– Nie. Współczesny. Słowo „odsiecz" użyte jest tu nie w znaczeniu przybycia z odsieczą krajowi czy miastu – ale człowiekowi, który może być osaczony i zagrożony przez innych ludzi czy choćby przez drugiego człowieka...
– Rozumiem.
– Ale nie będziemy teraz mówić o filmie mego męża. Jestem ciekawa „Zdobywania świata", w którym gra pani. Dobry tytuł!
– Nie przemawia do wszystkich. Nawet u nas. Boję się, że obiecuje zbyt wiele, a tymczasem...
– A tymczasem?
– ...jest to kameralna historia wchodzenia w życie dwojga młodych, z których jedno poświęca się dla drugiego...
– Oczywiście ona?
– Oczywiście ona. Są biedni. Żyją tylko ze studenckich stypendiów, więc ona postanawia wziąć pracę, żeby on mógł uczyć się spokojnie, bo wydaje jej się zdolniejszy, więcej wart, zrealizuje marzenia ich obojga, dla nich obojga zdobędzie to wszystko, co ma jakąś wartość w życiu... Oczywiście nie chodzi tu tylko o sprawy materialnej egzystencji.
– Tak to rozumiem. – Pani Pasregèr zapala drugiego papierosa.
– Choć i ona jest ważna.
– Tak to rozumiem – powtarza Isabelle. – I chłopak robi karierę dzięki dziewczynie?
– Tak.
– A potem ją porzuca?
– Och, nie! Skądże znowu! W dalszym ciągu stanowią znakomitą parę... stanowiliby znakomitą parę, gdyby ona godziła się na jego sposób „zdobywania świata". Może wy-

idealizowała go za bardzo, może postawiła mu za wysokie wymagania, a tymczasem chłopak prze do przodu, nie przebierając w środkach. Życie, które mają razem spędzić, zaczyna opierać się na zasadach, których ona nie chce i nie może akceptować.

– Rozstają się?

– A tego nie powiem, bo chcę, żeby pani obejrzała film.

– Nie wiem, czy zdążę. Za trzy dni muszę być z powrotem w Hollywood.

– Proszę zgasić papierosy i zapiąć pasy! – ogłasza stewardesa. – Schodzimy do lądowania w Nicei.

– Jak to szybko minęło – uśmiecha się pani Pasregèr. – Czym dostanie się pani do Cannes? Będzie ktoś na panią czekał na lotnisku?

– Nie. Nikt. Ale są chyba jakieś autobusy albo... taksówki...

– Z tych ostatnich nie radzę korzystać. Taksówkarze strasznie zdzierają z cudzoziemców, jak zresztą na całym świecie. Na mnie będzie czekał mąż samochodem. Zabierzemy panią.

– Dziękuję.

– Otwarcie festiwalu o dziewiętnastej. Musi pani zdążyć odświeżyć się i przebrać. W jakim hotelu się pani zatrzymuje?

– Właściwie... nie wiem. Mam się zgłosić w biurze festiwalu.

– Och, to przedłuży sprawę. Powinna pani wiedzieć, w jakim hotelu ma pani rezerwację.

– Ale miałam lecieć wczoraj... wczoraj z resztą delegacji... – plącze się Anna – tylko, że moje obowiązki rodzinne... – Znów to poniżające uczucie niepewności, którego tak bardzo i raz na zawsze chciała się pozbyć. – Dam sobie jakoś radę – stwierdza z nadmierną energią.

Isabelle uśmiecha się leciutko.

– Wszędzie panią zawieziemy.

To ten misjonarz – myśli Anna – wymodlił dla mnie tego anioła albo po prostu wzbudzam w ludziach uczucie politowania. Ale czy po to wydelegowano mnie do Cannes?

Marcel Soldivier jest wysokim mężczyzną około czterdziestki. Ma nieczęsto u Francuzów spotykane bardzo jasne włosy, znakomicie ostrzyżone, podkreślające opaleniznę twarzy. Między szerokimi, ciemnymi brwiami zmarszczka, dwie bruzdy wokół ust – ale kiedy się uśmiecha i bruzdy, i zmarszczka układają się w łagodne linie chłopięcego rozbawienia.

Podnosi wysoko żonę wraz z jej podręcznym bagażem.

– Witaj w Europie! I w moich objęciach!

– Nie wyobrażam sobie bez nich Europy! – śmieje się Isabelle.

Anna stoi obok, zmieszana swoją sytuacją, pragnęłaby zapaść się pod ziemię, żeby nie przeszkadzać tym dwojgu w powitaniu i w pierwszych chwilach po długiej rozłące.

Pani Pasregèr od razu to wyczuwa. Oswobadza się z uścisku męża.

– Marcel! To jest pani Anna...

– Turoń – szepcze Anna prawie przepraszająco.

– Pani Anna Turoń z Polski. Zaprzyjaźniłyśmy się w samolocie. Pani Anna gra w filmie reprezentującym Polskę, cała delegacja przyleciała wczoraj, a ona ze względów rodzinnych... Jest zupełnie sama... i nawet nie wie, w jakim hotelu ma się zatrzymać...

– Wszystko to załatwimy – Marcel wciąż się uśmiecha, ale Anna ma uczucie, że nie jest zachwycony narzuconym mu towarzystwem. Nie obdarzył jej ani jednym uważnym spojrzeniem, co nie wróżyło sukcesów na ziemi francuskiej, skoro nie wzbudziła zainteresowania już w pierwszym napotkanym tu mężczyźnie...

– Może jednak nie powinnam trudzić państwa...

– Sza! – Pani Pasregèr bierze ją pod rękę. – Zabieramy panią do Cannes, a Marcel postara się jak najszybciej załatwić dla pani hotel w recepcji festiwalu.

– Otwarcie o dziewiętnastej! – przypomina Soldivier dość cierpko. – Trzeba odebrać bagaże.

Przepychając się przez kolorowy i gwarny tłum, zalegający plac przed lotniskiem, docierają do zaparkowanego tu samochodu. Jest to biały kabriolet, peugeot z niebieskimi siedzeniami. Pani Pasregèr wskazuje Annie miejsce na przodzie, ale Anna stanowczo potrząsa głową.

– Proszę, niech pani siada przy mężu. Macie sobie państwo na pewno wiele do powiedzenia.

– Dość często rozmawiamy przez telefon – uśmiecha się Isabelle do męża z czułością. – I jesteśmy szczegółowo o sobie poinformowani.

– Wsiadajcie! – przynagla Soldivier.

Jest wściekły – myśli Anna, wyraźnie omija ją spojrzeniem, żeby się z tym nie zdradzić. Gdyby był aktorem, może by zagrał tę odrobinę serdeczności, która pozwoliłaby jej nie czuć się intruzem na niebieskim siedzeniu jego samochodu. Wyobrażam sobie – myśli Anna – jaki nieprzyjemny musi być na planie. To nie Wojtaszek Tarło, który do wszystkich aktorów odnosi się tak, jakby czynili mu zaszczyt, grając w jego filmie. Wojtaszek Tarło... Zatęskniła tak gwałtownie do swoich Polaków zagubionych gdzieś wśród festiwalowego tłumu, jakby nie widziała ich od wieków. Ależ sprawi im niespodziankę zjawiając się w Cannes! Uśmiechnęła się do siebie, wreszcie trochę odprężona i zdolna do podziwiania widoków, które jak na taśmie filmowej przesuwały się po obydwu stronach samochodu. I nie wiadomo na co było patrzeć – czy na morze w dole, naprawdę lazurowe w obramowaniu płonących rudo w popołudniowym słońcu skał, czy na wzgórza ciągnące się po drugiej stronie autostrady, pokryte zielenią ogrodów, wśród których jak białe inkrustacje jaśniały fasady okazałych willi i mniejszych domów, uśpionych za opuszczonymi żaluzjami.

To mi się śni – myśli Anna – albo gram w jakimś filmie dziewczynę jadącą do Cannes, dlaczego nie mam dość siły i odwagi, żeby zagrać s i e b i e, najlepiej jak potrafię i z najmniejszym wysiłkiem, jak to czasem zdarza się na scenie, kiedy po prostu przestaje się istnieć poza postacią i ma się tylko jedno życie, to napisane i wyreżyserowane, ale najbardziej i jedynie własne? Kto ją napisał i kto reżyseruje ją w tym filmie? Anna unosi twarz pod uderzenia wiatru, oddycha głęboko, żeby oddalić strach, żeby choć trochę poczuć się szczęśliwą w tym pięknym miejscu świata i tak niespodziewanym miejscu swojego życia.

Kończą się ogrody w obramowaniu wysokich sztachet i zieleń obniża się w ciągnące się kilometrami obszary winorośli. Isabelle i Marcel wiodą wciąż ożywioną rozmowę, dopiero gdy po obu stronach autostrady ukazują się znów domy, Isabelle odwraca się ku tylnemu siedzeniu.

– Mamy pod Antibes letni dom. Kiedy jestem w kraju i nie pracuję, spędzam tu przynajmniej jeden letni miesiąc. A Marcel nawet w zimie lubi się tu ukryć i przygotowywać w spokoju nowy film. Teraz nie mamy czasu tam wstąpić, ale mam nadzieję, że w ciągu tych trzech dni mego pobytu w Cannes znajdziemy wolne popołudnie, żeby pokazać pani nasz domek.

– Dziękuję. – Anna odczuwa wciąż zażenowane zdumienie w zderzeniu z niewytłumaczalną dla niej życzliwością pani Pasregèr.

Jak bardzo była jej potrzebna, okazuje się dopiero w Cannes, gdy z trudem zaparkowawszy wóz, dość daleko od nowego Pałacu Festiwalowego, przebijają się przez tłum do biura festiwalu, żeby się dowiedzieć, w jakim hotelu zarezerwowany jest pokój dla Anny – i gdy się okazuje, że pokoju dla niej w ogóle nie ma, ponieważ delegacja polska zawiadomiła wczoraj organizatorów, że Anna Turoń do Cannes nie przyjedzie.

Na szczęście wszyscy tu znają Marcela Soldiviera.

– Pani Turoń właśnie przyjechała – mówi. – I jest tu ze mną. To jakieś nieporozumienie. Proszę szybciuteńko załatwić pokój dla pani, nie mogę spóźnić się na otwarcie festiwalu, a muszę panią odwieźć do hotelu.

– To nie będzie łatwe – pani w festiwalowej recepcji rozkłada ręce.

– Szybciuteńko! – powtarza Soldivier i choć to zdrobniałe słowo mogłoby zabrzmieć prawie pieszczotliwie, jest już w nim ów ton zniecierpliwienia, który chyba w każdym rozmówcy Soldiviera budzi popłoch.

– Mam jeszcze małą rezerwę – wyznaje pani cichutko.

– No właśnie – podchwytuje reżyser. – Byłem pewny, że coś się znajdzie. Nie! Nie! Nie! Żadnych autografów! – woła do grupy dziewcząt, która chce go osaczyć przy ladzie recepcji.

– Ostatni pokój w „Carltonie" – uśmiecha się pani z biura festiwalowego, wypisując skierowanie.

Pod Anną uginają się nogi. Naczytała się tyle corocznych sprawozdań prasowych z Cannes, żeby wiedzieć, że „Carlton" jest tu najelegantszym i najbardziej ekskluzywnym hotelem, ustępującym już wprawdzie ostatnio miejsca nowemu „Majesticowi", ale wciąż zapewne bardzo drogim. Czy wolno jej zamieszkać w „Carltonie"? Czy nie zawyży to znacznie kosztów jej pobytu w Cannes, i kto je pokrywa? Powinna coś powiedzieć, zaprotestować, poprosić o tańszy hotel, ale Isabelle Pasregèr uśmiecha się zadowolona z takiego załatwienia sprawy, a Soldivier z uniesioną nad głową ręką, w której powiewa skierowanie do „Carltona", prze poprzez tłum ku wyjściu, nie dając się nikomu zatrzymać, choć pozdrawia go wiele osób.

– Cieszę się – mówi Isabelle już w samochodzie. – „Carlton" to przyzwoity hotel.

Boże święty! – myśli Anna, nie śmiąc się odezwać. – „Przyzwoity hotel!" Wojtaszek Tarło się wścieknie, wściekną się w ministerstwie, kiedy się dowiedzą, że usadowiła się w „Carltonie". Jedyną pociechą może być tylko nadzieja, że to organizatorzy festiwalu pokrywają koszt zakwaterowania gości.

– Przynajmniej będziemy wiedzieć, gdzie pani szukać – ciągnie, nieustępliwie i natarczywie uszczęśliwiona Isabelle. – My mieszkamy w „Majesticu".

Soldivier milczy. Anna czuje, jak wzrasta w nim irytacja, i wie, że on na pewno nie będzie jej szukać, a także nie pozwoli na to żonie. Uwikłany w narzuconą mu uprzejmość, ledwie panuje nad sobą, zwłaszcza że przed „Carltonem" kłębi się tłum wchodzących i wychodzących gości, dziennikarzy i fotografów czekających na ukazanie się gwiazd, a także ciekawskich, którzy po to przyjechali do Cannes, żeby zobaczyć żywych swoich ulubieńców. Musi przebić się przez tę ciżbę z ciężką walizą w ręce, ponieważ nigdzie, absolutnie nigdzie nie widać żadnego boya, za to pełno tu znajomych, których wolałby zapewne nie spotkać w tej sytuacji, na dwie godziny przed projekcją swego filmu, inaugurującą festiwal.

Anna przepycha się za nim, zaczyna go już prawie nienawidzić za odrażający impet, z jakim zajmuje się jej osobą, ale najgorsze jeszcze ją czeka: oto Soldivier, dostrzegłszy wreszcie boya w tłumie zapełniającym hotelowy hall, wciska mu w rękę walizę – i od razu napiwek! w jawnym przekonaniu, że Polka nie wywiąże się z tego przyjętego tu obowiązku.

– Teraz chyba da już pani sobie sama radę – mówi i znów, jak na lotnisku, nie zaszczyciwszy jej spojrzeniem, znika w tłumie, przepychając się ku wyjściu, szczęśliwy najprawdopodobniej, że Isabelle została w samochodzie i nie wyrazi zdziwienia, iż nie doprowadził Polki do lady recepcji i drzwi jej pokoju.

Anna także oddycha z ulgą, że wreszcie się rozstają.

Nie wie, nie może wiedzieć, i nie uwierzyłaby, gdyby jej to ktoś przepowiedział, że i resztę wieczoru spędzi w tym samym towarzystwie.

A jednak... Kiedy przeraźliwie samotna w różnojęzycznym tłumie, nie znalazłszy telefonicznie Tarły ani Sarpowicza, stoi w swoim stroju licealistki przed wejściem do Pałacu Festiwalowego – tłum rozstępuje się nagle, żeby przepuścić Marcela Soldiviera, udającego się z żoną na premierowy i inaugurujący festiwal pokaz jego filmu.

Isabelle – w olśniewającej sukni z morelowego atłasu – zbyt jest pewna swej urody, żeby bać się drugiej kobiety u boku męża.

Dostrzegłszy Annę unosi ku niej rękę.

– Anno! – woła. – Wchodzimy!

Soldivier, najlżejszym nawet ruchem nie zwracając ku niej głowy, podaje jej ramię – sztywne i przeraźliwie obce, ale tak bardzo potrzebne jej w tej chwili.

Natychmiast wybiega im naprzeciw gromada fotoreporterów, błyskają flesze. Anna unosi głowę i uśmiecha się po raz pierwszy od wielu wielu godzin tak, jak powinna się uśmiechać aktorka w tej sytuacji. Zwycięsko.

I oto nazajutrz przy porannej kawie Wojtaszek Tarło i Marek Sarpowicz, polscy dziennikarze akredytowani przy festiwalu i przedstawiciele filmu polskiego, powiadomieni już także, że Anna Turoń do Cannes nie przyjedzie, oglądają ze zdumieniem na pierwszej stronie wszystkich dzienników jej zdjęcie, wchodzącej do Pałacu Festiwalowego w towarzystwie Marcela Soldiviera i jego pięknej żony.

VI

Anna o tym jeszcze nie wie, kiedy budzi ją telefon i kiedy otwiera oczy, patrząc na zdobiony wymyślną sztukaterią sufit pokoju w hotelu „Carlton". Z trudem przypomina sobie gdzie jest, zwłaszcza że na przyjęciu po pokazie filmu wypiła kilka kieliszków szampana, a potem z Soldivierami i całym poznanym towarzystwem była gdzieś na kolacji, przymuszono ją do kilku drinków, i kiedy w końcu odprowadził ją ktoś do hotelu, zasnęła jak kamień, nie rozglądając się przedtem po swoim apartamencie.

Telefon nie przestaje dzwonić, i Anna wreszcie przytomnieje, wyskakuje z pościeli, podnosi słuchawkę.

– Słucham! – woła po polsku.

– Czy to pani Anna Turoń? – Francuz nie bez trudu, choć z wielką starannością wymawia jej nazwisko.

– Tak – odpowiada Anna już po francusku – jestem przy telefonie.

– Cieszę się, że panią zastałem. Mówi Robert Presson z „Presse Soir". Chciałem prosić panią o rozmowę. Gdzie pani je śniadanie?

– Och, nie wiem jeszcze. Pana telefon mnie obudził.

– Przepraszam. Zadzwoniłem dość wcześnie, ale bałem się, że później nie znajdę pani w tym tłumie.

– Dobrze, że mnie pan obudził. Spałabym do południa, a ranek taki piękny. – Stolik z telefonem stoi przy oknie, przez które Anna widzi zalany słońcem nadmorski bulwar Croisette, najbardziej ruchliwe miejsce w Cannes, chyba nie tylko podczas festiwalu. W obydwie strony płynie kolorowa i gwarna ciżba; w Pałacu Festiwalowym od rana wyświetlane są filmy, choć zapewne nie wszyscy na bulwarze są widzami, którzy wracają lub udają się do sal kinowych; największe, najciekawsze, przez nikogo nie reżyserowane widowisko dzieje się właśnie tutaj, gdzie można zobaczyć znane z ekranu twarze, otrzeć się o sławnych ludzi, być świadkiem jakiegoś skandalu lub manifestacji, nie zawsze na tyle umiarkowanej, by nie musiała uczestniczyć w niej policja. Rojno jest już także na plaży, ciągnącej się poniżej bulwaru, i na pokładach jachtów zakotwiczonych w porcie, na których ich właściciele chyba już od rana przyjmują zaproszonych gości, podejmując ich śniadaniem, wspaniałym widokiem na Cannes i słońcem. Poranek jest naprawdę cudowny...

– Halo! – woła dziennikarz, któremu cisza w słuchawce wydaje się spowodowana przerwanym połączeniem.

– Och, nie ma pan pojęcia, jaki widok mam tutaj z okna. Wczoraj tego nie zauważyłam, przyjechałam prawie tuż przed inauguracją festiwalu, i dopiero teraz widzę bulwar, palmy i morze... Byłam pewna, że w Cannes jest pięknie, ale nie sądziłam, że aż tak!

– Zapewniam panią, że większość uczestników festiwalu tego nie zauważa.

– To chyba niemożliwe?

– A jednak. Tak są zajęci czym innym... Ale porozmawiamy o tym później. Zapraszam panią na śniadanie. Gdzie je zjemy? Może w głównej kawiarni „Carltona"?

– Dziękuję – mówi Anna powoli. W jej bezdewizowej duszyczce budzi się i nadzieja, i niepokój. Nadzieja, bo zaproszenie na śniadanie pozwoliłoby jej zaoszczędzić trochę franków (Sebastian! Szymon! Pan Feliks! Matka! I ojciec! Madame Valentine! Może nawet Ewka Zabiełło... – wszystkim powinna coś przywieźć), a niepokój – bo być może w zwyczajach francuskich zaproszenie nie oznacza wcale prawdziwego zaproszenia, jak w Polsce, i będzie musiała sama płacić za siebie, co przy cenach w „Carltonie" nie będzie zapewne błahą sumą. – Właściwie nie jestem głodna... – szepcze.

– Och, kawy na pewno napije się pani z przyjemnością. Czekam więc w recepcji, tam, gdzie oddaje się klucze.

– To trochę potrwa. Zerwał mnie pan z łóżka.

– Będę czekał.

Anna odkłada słuchawkę i zamiast się pośpieszyć, patrzy przez długą chwilę na bulwar, obserwując głównie, jak są ubrane kobiety. Na szczęście zdążyła przed tym nieoczekiwanym wyjazdem wyszarpnąć z szafy kilka całkiem niezłych letnich sukienek, na które w Warszawie było jeszcze za chłodno; ale tutaj na pewno będą w sam raz. Ta różowa, kupiona w „Telimenie" na ubiegłoroczny urlop, za zupełnie śmieszne grosze w porównaniu z obecnymi cenami w butikach, miała śmiały dekolt, upodabniający ją do plażowych negliży noszonych na Lazurowym Wybrzeżu. Postanowiła ją włożyć nie po to, żeby podobać się dziennikarzowi, ale żeby nie wyglądać prowincjonalnie. Co do dziennikarzy nie miała na razie zbyt wielkich nadziei. Przed pokazem „Zdobywania świata" nie była dla nich aktorką, o której można by coś napisać, a jedynie polską sensacją, wzniecającą zgoła pozaartystyczną ciekawość. Już wczoraj na przyjęciu przekonała się, że nawet jeśli któryś mówił: „ma pani zniewalający uśmiech", po chwili nieodmiennie pytał: „jak tam naprawdę u was jest?"

Robert Presson jest młodym człowiekiem o ujmującej powierzchowności i ujmującym sposobie bycia, Anna zaczyna wycofywać się z myśli, że jej na dziennikarzach nie zależy, o wiele bardziej niż w lustrze lubi przeglądać się w męskich oczach. A Francuz patrzy na nią długo i dopiero przyjrzawszy się jej z uwagą i jawną przyjemnością, mówi:

– Wolę panią żywą.

– Co to znaczy?

– Prawie wszystkie dzisiejsze dzienniki zamieściły pani zdjęcie. Przyniosłem kilka, żeby pani pokazać.

– Moje zdjęcie? – nie dowierza Anna. I dopiero kiedy Presson rozkłada przed nią na stoliku jedną z gazet, widzi, że z niej nie żartuje. Zdjęcie jest bardzo udane, nawet jej skromny strój licealistki, udającej się na pierwszy bal, nie razi swoją młodzieńczą odświętnością przy nieskazitelnym smokingu Soldiviera i świetnej kreacji Isabelle. „Marcel Soldivier – wyjaśnia napis pod zdjęciem – udaje się na premierę swego filmu «Odsiecz» w towarzystwie żony, scenografa o światowej sławie, Isabelle Pasregèr, i polskiej aktorki Anny Turoń, występującej w reprezentującym Polskę filmie konkursowym «Zdobywanie świata»".

– Skąd... skąd wiedziano, kim jestem?

– Fotoreporterzy mają swój wywiad. Najprawdopodobniej wcisnął się któryś na przyjęcie po premierze filmu Soldiviera albo rozpoznano panią z fotosów reklamowych. A potem już tylko telefony albo teleksy do gazet... W każdym razie, tak jak film Soldiviera, tak w jakimś sensie pani zdjęcie, zdjęcie pierwszej aktorki, wydobytej z tłumu pięknych kobiet, które zjechały do Cannes – otwiera festiwal.

– Niech pan ze mnie nie żartuje.

– Ależ naprawdę. To ma ogromne znaczenie. Pani pije kawę? – pyta Presson, gdy w pobliżu pojawia się kelner.

– Tak, proszę.

– A może mały koniaczek do kawy?

– Za nic. Wczoraj wypiłam trochę na przyjęciu i chyba do teraz to ze mnie nie wywietrzało.

– Wobec tego nie namawiam.

– Ja bym raczej... coś zjadła – wyznaje Anna, podjąwszy desperacką decyzję zapłacenia za swoją konsumpcję; jest po prostu w zawstydzający sposób głodna i nie może tego opanować. Marzy jej się domowe śniadanie, nawet płatki owsiane, które z takim wstrętem wpycha w siebie co rano Sebastian.

– Dwie kawy, koniak i coś do zjedzenia dla pani – zamawia Presson.

Kelner podaje kartę, ale Anna nawet jej nie otwiera.

– Najchętniej zjadłabym kanapkę z szynką. I może jakieś ciastko.

– Czekoladowe? – pyta kelner. Ma około pięćdziesiątki, widywał tu zapewne i obsługiwał największe gwiazdy ekranu, a teraz bardzo chce podać coś smacznego tej, która może kiedyś będzie się do nich zaliczać.

Anna zerka ku sąsiedniemu stolikowi. Trzy młode dziewczyny zabierają się właśnie do ogromnych porcji czekoladowego tortu, obłożonego śnieżystą puszystością bitej śmietany.

– Proszę o to samo, co podał pan do sąsiedniego stolika.

– Tort czekoladowy z migdałami i bitą śmietaną – precyzuje kelner. – Już podaję.

– Od jak dawna zna pani Marcela Soldiviera? – pyta Presson; ma już przed sobą swój notes i pstryknąwszy w długopis jest gotowy do indagacji.

Anna nie lubi wywiadów, nie udzielała ich nigdy za granicą, ale nawet te, przeprowadzane z nią nieraz w kraju, napełniały ją lękiem; zawsze to, co powiedziała, wydawało jej się potem niestosowne, niezręczne albo za śmiałe, albo zbyt lękliwe. W Cannes obowiązywała ją dodatkowa czujność, ileż to razy przypominała sobie, że... No tak, ale zadane jej pytanie na pewno nie miało żadnych podtekstów i nie było powodu, żeby się nad nim zastanawiać.

– Od kiedy znam Soldiviera? Od wczoraj.

– Miała pani dużo szczęścia, że tak od razu zwrócił na panią uwagę.

– Nie on. Jego żona. Leciałam z panią Pasregèr z Paryża do Nicei.

– Pani Pasregèr pracuje teraz dla Hollywood.

– Tak, mówiła mi o tym. Ale znalazła jednak czas, aby uczestniczyć w pokazie filmu swego męża.

– Który, dodajmy i odnotujmy z satysfakcją – Presson pochyla się nad notesem – okazał się pełnym sukcesem i gdyby był pokazany w konkursie, na pewno mógłby liczyć na jedną z głównych nagród.

– Też tak sądzę – przyświadcza Anna z zapałem, choć podczas całego wczorajszego wieczoru nie nabrała ani cienia sympatii do Marcela Soldiviera, który nie zadał sobie trudu, żeby wreszcie naprawdę z a u w a ż y ć ją w swoim towarzystwie. Film jednak wydał jej się bardzo interesujący, i w temacie, i w realizacji, miał jakiś szlachetny ton, moralne przesłanie, nie tak znów częste w światowym kinie. Ciesząc się, że może być szczera, powtarza: – Też tak sądzę.

– Fama głosi, że Soldivier, odsapnąwszy nieco po sukcesie, zabiera się wkrótce do następnego filmu. Robi filmy autorskie. Sam pisze scenariusz i nie zawsze korzysta z rad scenografa, chyba że jest nim jego żona.

– Tak, pani Pasregèr wspominała o tym. – Do czego on zmierza – myśli Anna – nie zaprosił mnie przecież na śniadanie, za które być może zapłaci nawet rachunek, żeby wypytywać mnie o Soldiviera... Mógłby się z nim umówić. A może Soldivier jest tak niedostępny, że trzeba w ten sposób zbierać o nim wiadomości i młody dziennikarzyna z „Presse Soir", zobaczywszy ją w jego towarzystwie, ma nadzieję, że wydobędzie z niej jakieś rewelacje...? Robert Presson nie wydaje jej się już tak ujmujący, jak na początku rozmowy, nie ma zamiaru być tubą, przez którą świat dowiadywałby się o zamierzeniach francuskiego reżysera.

– Podobno Suzanne Aringaux – zauważa dziennikarz – tak znakomita w „Odsieczy", jest właśnie odkryciem pani Pasregèr. Byłaby świetnym impresariem, gdyby nie zajęła się scenografią.

– Być może.

– Na pewno. Suzanne wiele jej zawdzięcza.

– Jeśli było tak, jak pan mówi – Anna z coraz większym rozczarowaniem podtrzymuje rozmowę – będzie grała zapewne w następnym filmie Soldiviera?

– O, nie! – W tej materii Presson wydaje się być dobrze poinformowany. – Podpisała już kontrakt na udział w filmie Saumonta.

– Soldivier nie zatrzymał jej dla siebie?

– Gdyby chciał, na pewno by mu się to udało.

Co to mnie wszystko obchodzi? – myśli Anna. Rozgląda się dyskretnie po kawiarni zapełnionej ludźmi, którzy zapewne wiele znaczą w światowym kinie. Ale ona nikogo tu nie zna i nikt jej nie zna, nie należy mieć nadziei, że ktokolwiek rozpozna w niej od razu aktorkę, wkraczającą na łamach wszystkich gazet do festiwalowego pałacu w towarzystwie Soldivierów.

Na szczęście zjawia się kelner i całą uwagę Anny pochłania kanapka z szynką. Jest rozległą kromką ukośnie ukrojonej bułki, pokrytą różowym plastrem szynki. Ułożono na niej pasmami: majonez, sałatkę z krabów, plasterki pomidora i ogórka, dwie ćwiartki jajka na twardo i śnieżny wzgórek świeżo utartego chrzanu przybranego dla kontrastu strzępkiem papryki.

– Ależ to cała góra jedzenia! – woła Anna. – W naszym kraju kanapki są całkiem maleńkie.

Kelner pochyla przed nią siwiejącą głowę.

– W Cannes naszym gościom dopisuje zwykle apetyt.

– Ale paniom zależy chyba na linii?

– Nie zauważyłem, żeby dbały o nią podczas festiwalu.

– Oczywiście – mówi Robert Presson, gdy kelner się oddala – podczas festiwalu zapomina się o wszystkim. Są to najbardziej zwariowane dwa tygodnie na Lazurowym

Wybrzeżu. A czasem najbardziej zwariowane dwa tygodnie w czyimś życiu.

Co on sobie wyobraża – myśli Anna – mówiąc mi takie rzeczy? Z ciekawością i apetytem zabiera się do swojej kanapki, która – szczerze mówiąc – wcale nie wydaje jej się za duża. Nigdy nie musiała się odchudzać czy dbać o linię, jadła zawsze to, na co miała ochotę, no... nie za dewizy.

– Dziwię się, że do tej pory – ciągnie dalej Presson – nie napisał nikt pracy socjologicznej na temat ustalonych już przecież od lat festiwalowych obyczajów.

– Myśli pan, że są tak odmienne od zwykłego sposobu bycia w tych środowiskach?

– W każdym razie udzielająca się atmosfera festiwalu, który jest swojego rodzaju targiem, nie tylko na filmy, ale także – i może przede wszystkim – na kariery filmowe, a ich źródłem są nie zawsze wartości artystyczne...

Człowieku! – myśli Anna, nie słuchając dalszego wywodu Pressona – czy ty mnie ostrzegasz, czy zachęcasz? W każdym razie wolę sałatkę z krabów od twoich ostrzeżeń albo zachęt. Jest znakomita, ale może trzeba było jednak zerknąć do karty, żeby dowiedzieć się, ile tak garnirowana kanapka z szynką kosztuje... może podają także kanapki bez tych dodatków...?

Zajęta jedzeniem nie zauważa, że Presson przechyliwszy głowę obserwuje ją, czekając na odpowiedni moment, żeby zrobić jej zdjęcie. Ma już w ręku swój aparat, który trzymał dotąd na kolanach, podnosi go do oka.

– Chwileczkę! – prosi. – Niech pani spojrzy na mnie, i proszę się uśmiechnąć! Tak... tak jest właśnie dobrze... Nie! Proszę nie wycierać ust serwetką, niech będą lśniące. I koniecznie – uśmiech! Czy mówił już ktoś pani, że ma pani zniewalający uśmiech?

– Nawet kilkakrotnie podczas wczorajszego wieczoru – niezbyt uprzejmie i bez cienia kokieterii odpowiada Anna, spodziewając się, że on zaraz zapyta: „Jak tam n a p r a w d ę u was jest?" Ma już właściwie dosyć Pressona, za śniadanie będzie musiała prawdopodobnie zapłacić sama i niepotrzebne jej to impertynenckie indagowanie o Soldivierów, deprecjonujące jeszcze bardziej i tak mało ważną w jej oczach własną osobę.

Ale Robert Presson nie stawia tego pytania. Przypatruje się jej wciąż z nieukrywaną przyjemnością malarza, który zadowolony jest z wyboru modelu, i robi jej drugie zdjęcie.

– Anna Turoń – mówi. – To bardzo dobrze brzmi po francusku.

– Zapewniam pana, że wymawiane po polsku brzmi równie dobrze – zauważa z niepotrzebnym naciskiem Anna.

Dziennikarz nie odbiera tego podtekstu, może w ogóle nie jest nastawiony na żadne podteksty, ale Annie nie przychodzi to do głowy. Rozpogadza się nie dlatego, że doszła do tego wniosku, ale że kelner stawia przed nią talerzyk z czekoladowo-migdałowym tortem, który naprawdę czekoladowo i migdałowo pachnie, a od dawna nie jadła czegoś takiego. Przychodzi jej od razu na myśl Sebastian, który w ciągu swego trzyletniego życia nigdy nie jadł takiego tortu i już postanawia przywieźć z Paryża (Wojtaszek Tarło obiecał, że się tam zatrzymają) pudło ciastek dla Sebastiana.

Przy wejściu do kawiarni zatrzymuje się boy hotelowy z tablicą w ręce. Wszyscy odwracają się ku niemu, starając się odczytać wypisane na niej nazwisko.

– Ależ to panią właśnie proszą do telefonu – mówi Presson.

– Mnie? – Anna gwałtownie odwraca się ku tablicy.

– Tak. Nazwisko jest nawet napisane bezbłędnie.

– Gdzie jest telefon? – Anna zostawia nietknięty tort i zrywa się od stolika.

– W recepcji. Boy panią zaprowadzi.

Przechodząc między stolikami Anna pojmuje, dlaczego tyle dziewcząt kręci się wciąż po kawiarni. Trzeba się tu p o k a z a ć, zaprezentować z każdej strony, i w całości; Presson miał rację, odbywają się tu targi nie tylko na filmy, i nie jest się z nich wyłączonym, choćby nie wystawiało się siebie na sprzedaż.

– Halo! – woła Anna, podnosząc odłożoną przy aparacie słuchawkę. Nie umie ukryć podniecenia, jest to już drugi telefon do niej tego ranka, ale nie przestaje się tym ekscytować i zdumiewać, choć powinna już może nabrać przekonania, że nie jest tak całkiem zagubiona w tym festiwalowym tłumie. Halo! – powtarza głośniej.

– To ty, Hanka? – pyta z niedowierzaniem Tarło. Także krzyczy w słuchawkę – tam, skąd dzwoni, panuje nieopisany hałas, ktoś musi stać w pobliżu z odbierającym muzykę jazzową tranzystorem, brzmią podniecone głosy ludzkie, nawet szczeka jakiś pies.

– Oczywiście, że ja. Cieszę się, że mnie znalazłeś. Ja wczoraj, zaraz po przyjeździe szukałam cię telefonicznie...

– Skąd się tu wzięłaś? – Wojtaszek nie może wciąż ochłonąć ze zdumienia. – Nie chce mi się wierzyć, że na własny koszt?

– Na własny koszt nerwowy, jeśli można to tak określić. Ale dewizy wyłożyło jednak ministerstwo. – Anna opowiada w największym skrócie wydarzenia poprzedniego dnia.

– Cieszę się, że ten niesłychany nietakt wobec ciebie okazał się nieporozumieniem. Mam nadzieję, że nikomu nie opowiedziałaś tej historii?

– Spaliłabym się ze wstydu.

– Ale to wszystko nie wyjaśnia, w jaki sposób znalazłaś się z Soldivierami na pokazie filmu, na który, nawiasem mówiąc, ja ledwo się dostałem?

– Leciałam z żoną Soldiviera z Paryża do Nicei. Przywieźli mnie samochodem do Cannes, a Marcel... – Anna, zawahawszy się przez sekundę, wymawia t y l k o imię francuskiego reżysera, choć nie łączy ją z nim nawet cień zażyłości – Marcel załatwił mi pokój w „Carltonie".

– Bój się Boga, dlaczego aż w „Carltonie"?

– Bo było to jedyne wolne miejsce. Słyszałam wczoraj na przyjęciu, jak mówiono, że jeszcze bardziej niż ja spóźnionych gości zakwaterowano w Nicei.

– Ale wyobrażasz sobie, ile kosztuje pokój w „Carltonie"?

– Powinni się tym martwić ci, którzy opóźnili mój przyjazd. Czy to w końcu nie ty odwołałeś rezerwację pokoju dla mnie? Przepraszam – Anna milknie, widzi prawie przed sobą w przykry sposób zdumioną twarz Wojtaszka. Co się stało z tą dziewczyną – myśli zapewne – przez jeden wieczór w Cannes? – Przepraszam, ale najmniej w tym mojej winy, musisz sam przyznać. Poza tym koszty zakwaterowania ponoszą chyba organizatorzy festiwalu.

– Miejmy nadzieję. Jestem tu z Markiem, chcemy się z tobą spotkać. Co teraz robisz?

– Jem w kawiarni śniadanie z dziennikarzem z „Presse Soir".

– Ostro startujesz, Hanka!

– Przypadek – mruczy Anna. Żebyś ty wiedział – myśli – że ten dziennikarz wypytuje mnie głównie o Soldiviera! Oczywiście nigdy się do tego przed nikim nie przyzna, nawet przed Szymonem, i w oczach własnego męża opłaca się być bardziej k i m ś, niż się jest w istocie.

– Już tam do ciebie idziemy. Jakkolwiek Marek wciąż się rozgląda za jakimiś sklepami.

– Zwariował! W Cannes jest wszystko w tej chwili dwa razy droższe niż gdzie indziej.

– Wytłumaczysz mu to sama.

Anna wraca do stolika z twarzą zarumienioną po tej rozmowie, w której tak bardzo się sobie nie podobała.

– Dzwonił Soldivier? – pyta Presson.

– Ach, nie. To Wojciech Tarło. Wyleciał z Warszawy dzień wcześniej. Ja... miałam pewne komplikacje domowe. Wojciech Tarło – twórca „Zdobywania świata".

– Scenarzysta? – pyta w roztargnieniu Presson.

– Nie, reżyser. Scenariusz napisał ktoś inny... – Anna nie może sobie przypomnieć nazwiska młodego pisarza, którego scenariusz stał się zalążkiem filmu. Nigdy nie widziała go na planie. Wojtaszek, jak wszyscy polscy filmowcy, nie zwykł był zawracać sobie głowy scenarzystami. – Zaraz tu przyjdzie.

– Kto?

– Wojciech Tarło. I aktor grający główną rolę męską, Marek Sarpowicz.

Presson niedwuznacznie zerka na zegarek.

– Będę musiał uciekać. Chcę obejrzeć film brazylijski. Podobno pełen drastyczności erotycznych.

– Pana to epatuje? – pyta Anna. Nie umie ukryć rozczarowanego zdumienia – po co właściwie dziennikarz się z nią umówił? Jednak ze względu na osobę Soldiviera!

– Czytelnicy to lubią – uśmiecha się Presson; zamykając swój notes pochyla się leciutko ku Annie. – Proszę przypadkiem nie prosić o rachunek, już zapłacony.

– Och – zaczyna Anna ze świetnie zagranym protestem – niech pan nie sądzi, że nasze diety są aż tak małe...

– Zaprosiłem panią – Presson całuje ją w rękę, potrafi być czarujący i można wybaczyć mu nawet to, że nie obchodzą go filmy, które prawdopodobnie nie zainteresowałyby czytelników jego gazety.

Niemniej Annie jest wyraźnie nieswojo, gdy Tarło i Sarpowicz nie zastają go przy jej stoliku.

– Gdzież twój dziennikarz? – pyta od razu Wojtaszek.

– Śpieszył się na pokaz filmu brazylijskiego.

– Może byśmy także poszli?

– Ja jestem umówiona na plaży.

– Twój kraj – zaczyna Wojtaszek z miną bardzo zasadniczo nastrojonego decydenta – wysłał cię tu nie po to, żebyś się opalała, tylko żebyś godnie reprezentowała...

– Właśnie najlepiej zrobię to na plaży w kostiumie, który ma mi pożyczyć Isabelle Pasregèr. O tej porze wszyscy, którzy liczą się w Cannes, spotykają się na plaży.

– I ty już o tym wiesz?

– Wyobraź sobie! – uśmiecha się Anna. – Jedliście już śniadanie?

– Oczywiście – odzywa się wreszcie Marek. Odespał się już trochę w Cannes po swoich nocnych obowiązkach ojcowskich, ale wciąż tkwi chyba przy nich myślami, bo spojrzenie ma odległe i roztargnione, a to jedyne słowo, które powiedział, zawiera podtekst, natychmiast właściwie odebrany przez Annę: Dziewczyno! Jedliśmy już śniadanie w o wiele tańszym lokalu i nie zmusisz nas nawet do wypicia kawy w „Carltonie".

– Wobec tego możemy wszyscy pójść na plażę.

– Mój kraj – zaczyna znów Wojtaszek – nie po to wysłał mnie do Cannes, żebym tu leżał na plaży, zwłaszcza że sami mamy tyle kilometrów morskiego brzegu, ale żebym chłonął trendy światowego kina...

– To także możesz robić na plaży. Tylko dziennikarze chodzą na ranne projekcje i zaliczają pięć do sześciu filmów na dobę. Wszyscy inni...

– ...którzy się liczą w Cannes... – to już słyszałem. No, dobrze – poddaje się w końcu piekielnie w gruncie rzeczy stremowany reżyser polskiego filmu, który za kilka dni ma być pokazany w oficjalnym konkursie. Nie wie, jak przetrwa do tego terminu, nic go nie bawi, nie zaciekawia ani nie interesuje. Najchętniej zaszyłby się gdzieś w kąt i nawet nie poszedł na pokaz, boi się, że dostanie ataku serca, słysząc skrzypienie krzeseł, co nieomylnie wróży klapę filmu, bo ludzie albo się nudzą i kręcą, albo nawet opuszczają salę kinową... Dlaczego tak łatwo popadał w panikę, dlaczego nawet w kraju nie miał tej siły przebicia co inni? Naprawdę, to, że właśnie jego film wysłano do Cannes, było najprawdziwszym cudem, jak twierdziła Hanka, nie przyłożył do tego cudu ręki o! na pewno. I tutaj także ktoś inny na jego miejscu... Wyobraził sobie kilku swoich kolegów brylujących w tym międzynarodowym towarzystwie. Tu by rzucili jakieś zgrabne powiedzonko, tam by błysnęli cierpiętniczo-ironicznym stwierdzeniem, którym zapewne nie popisywaliby się w kraju. Weszliby w ten gąszcz zależności, w którym rodziły się i przepadały kariery i umieliby uczynić atut z tego, co on uważał za obciążenie. Czy miał tu jakąś szansę? Czy jego film, choć zakwalifikowany przecież przez jury do konkursu, rzeczywiście n a d a w a ł s i ę do Cannes? Miał wprawdzie ten ton szczególny, o który tu, na pierwszym festiwalu świata, zawsze chodziło jurorom, ale czy nie zabrzmi on zbyt słabo przy dobitniejszych akcentach niepokoju o coraz bardziej pochyłą drogę współczesności? Ale czy zamyślenie człowieka nad sobą można było ukazać w tonacji innej niż kameralna oszczędność środków, niż prostota i ściszenie? A jednak! Taki na przykład Soldivier... Swoje posłanie moralne pokazał nie w ascetycznej formie – przed którą zdołał się obronić – ale w całym bogactwie i blasku najnowocześniejszych osiągnięć kina, nie zaniedbując obowiązków wobec widza zdemoralizowanego perfekcjonizmem filmów komercyjnych. Na wczorajszym pokazie „Odsieczy" nie trzeszczały krzesła. Film był „do myślenia" i „do oglądania", jak mówiono po projekcji na Poziomie Trzecim pałacu wśród krytyków i profesjonalistów, i „do sprzedania" – jak zapewne ostatecznie stwierdzono na Poziomie Minus Jeden, gdzie odbywały się targi filmowe.

– A więc chodźmy! – przynagla Anna, już trochę zniecierpliwiona. Wczoraj wieczorem tęskniła tak bardzo za

Wojtaszkiem i Markiem, że przeszukała telefonicznie połowę Cannes, żeby ich znaleźć. Dziś wydawali jej się przypomnieniem udręk, które pragnęła zrzucić z siebie: Tarło uosabiał ów przerażający znak zapytania, jakim był czekający ich pokaz „Zdobywania świata", Marek – spętany ojcowskimi powinnościami – nie pozwalał jej oddalić od siebie myśli o własnych obowiązkach matczynych. Może także powinna sporządzić sobie listę najkonieczniejszych zakupów i panicznie oszczędzać franki... no, na razie nie wydała ani jednego!

– Ja jednak... – zaczyna teraz oponować Marek, ale Anna bierze go energicznie pod rękę. – Człowieku, rozejrzyj się! Zobacz, jak baby wytrzeszczają na ciebie ślepia! Nie namawiam cię, żebyś miał tu zaraz wskoczyć do czyjegoś łóżka, ale przestań chociaż na chwilę myśleć o pieluchach!

– Co ty wygadujesz? – Marek jest co najmniej od roku zupełnie pozbawiony poczucia humoru. – Przejrzyj moją listę, czy są tam w ogóle zapisane pieluszki?

– Wojtaszku! – Anna bierze i Tarłę pod rękę, żeby nie zgubić go w zatłoczonym hallu „Carltona". – Nie mogłeś mi znaleźć innego amanta?

– Szczerze mówiąc, mam was obydwoje powyżej uszu. Ty ciągniesz mnie na plażę, a on do sklepów.

– A na co ty masz właściwie ochotę?

– W gruncie rzeczy – na nic! – wyznaje Tarło z tak bolesną szczerością, aż Anna uznaje za słuszne dać mu kuksańca w bok.

– Ciebie chyba także muszę przywołać do przytomności.

– O, tak! – kiwa smętnie głową Wojtaszek. – Zrób to, Hanka. I upoważniam cię do tych kuksańców za każdym razem, gdy tylko zauważysz, że...

– Koniec z tym! Słońce nam ucieka! – Anna popycha obydwu w stronę wyjścia.

Na bulwarze Croisette jest jeszcze tłoczniej niż przed godziną i chyba także przybyło leżących ciał na plaży. Słońce przypieka ostro, na pokładach jachtów, zakotwiczonych na Morzu Liguryjskim, rozpięto kolorowe parasole.

– Gdzież ty znajdziesz w tym tłumie tych, z którymi się umówiłaś? – powątpiewa Tarło, kiedy schodzą już na plażę i wymijając leżących posuwają się wzdłuż brzegu.

– Przynajmniej spróbuję – mruczy Anna. Zaczynają ją także ogarniać wątpliwości. Wprawdzie znająca tę plażę od lat Isabelle określiła dokładnie, gdzie należy jej szukać, ale nie przewidziała chyba, że tłok będzie aż tak wielki, a kosze pod ścianą kawiarenki usytuowanej w centralnym miejscu zajmie jakaś hałaśliwa młodzież. – Mieliśmy się spotkać gdzieś tutaj.

– Z kim?

– Z żoną Soldiviera i jej towarzystwem.

– A on? – pyta Tarło. Może jednak miałby ochotę poznać francuskiego reżysera.

– On pływa.

– Co robi?

– Pływa. Długodystansowiec. Co dnia pięć kilometrów.

– Wariat!

– Poza tym gra w tenisa i biega.

– Matko Przenajświętsza! A kiedy kręci filmy?

– Chyba w tak zwanym międzyczasie.

– Wariat! – powtarza Wojtaszek. Sam, kiedy nie pracuje, lubi długo spać, siedzieć z wyciągniętymi nogami w głębokim fotelu, udając przed samym sobą, że myśli, a jeśli się z niego podnosi, to po to, żeby przesiąść się na któreś z krzeseł w SPATiF-ie. Nieraz na planie zadawał sobie na głos pytanie: Właściwie nie wiem, czy jestem chory, czy leniwy? – Wariat – powtarza jeszcze raz – i pewnie się kiedyś utopi.

– Ma motorówkę z wynajętym ratownikiem, która mu przez cały czas towarzyszy.

– Ba!

– To warunek jego żony. Inaczej nie pozwoliłaby mu pływać. – Mówiąc o motorówce, Anna wpatruje się w morze i dostrzega na lazurowej płycie, nie zmarszczonej nawet najdrobniejszą falą, białą łódź i obok niej również biały czepek pływaka. – Gdzieś tu, w prostej linii od łodzi, musi być Isabelle – mówi do Tarły i Sarpowicza. – Rozejrzyjcie się, widzieliście w prasie jej zdjęcie.

– Zapamiętałem tylko to, że jest piękna – wzrusza ramionami Wojtaszek. – Ale jest tu wiele pięknych kobiet.

Jedna nawet od dłuższego czasu idzie za nimi, nie spuszczając oka z Marka, który zdjął koszulę, żeby wystawić na słońce swoje szerokie plecy. Wyróżniają się tu rażącą bielą skóry, ale tym bardziej zwraca uwagę ich męska uroda, siła mięśni i wspaniały rysunek karku. Dziewczyna musiała dostrzec to pierwsza, bo snuje się tuż za piętami Polaka podśpiewując cichutko. Cała w czekoladowej polewie skóry, przepasanej tylko na biuście i biodrach wąskimi skrawkami opalacza, jest chyba Mulatką i jedną z tych ciemnoskórych ślicznotek, którym już nie wystarcza kariera covergirl czy modelki i pragnęłaby wedrzeć się w świat filmu.

– Anna! – woła Isabelle, unosząc w górę ramię. Leży na pomarańczowym ręczniku, otoczona swoim towarzystwem, ale tak jak na schodach festiwalowego pałacu, tak i tutaj wyławia Annę z tłumu, może tym razem dlatego, że Polka jest ubrana, a nie rozebrana, jak wszyscy wokół. – Jesteśmy tutaj! Proszę do nas!

– Och, bałam się, że już pani nie znajdę. – Anna klęka przy niej na ręczniku i naprawdę jest szczęśliwa, że ją widzi. To dzięki niej przestała się bać Cannes i siebie, zagubionej w tej międzynarodowej ciżbie, a nawet nabrała trochę zaufania do własnych możliwości, które nie wydawały jej się już tak znikome. Co zrobiłaby bez niej? Nie wyobraża sobie nawet, że mogłaby poznać kogoś innego, jest przekonana, że byłaby zdana tylko na towarzystwo Wojtaszka i Marka, ale po cóż wobec tego wyjeżdżała z Warszawy? – Ogarnęło mnie prawie przerażenie – mówi – kiedy zobaczyłam, że te kosze pod ścianą kawiarni zajęte są przez jakąś młodzież.

– Tak, wpakowali się tam już wcześniej jacyś gówniarze – Isabelle nie przebiera w słowach, ale dodaje jej to jeszcze wdzięku. – Na plaży ten lepszy, kto pierwszy. Dobrze, że udało mi się znaleźć to miejsce. Nie jest nadzwyczajne, bo za blisko wody i wciąż się tu ktoś kręci, ale przynajmniej mogę obserwować, jak płynie Marcel.

Anna unosi się i patrzy także na biały czepek, oddalający się wciąż od brzegu, w bezpiecznej bliskości łodzi.

– Ale nie musimy się wciąż w niego wpatrywać. – Isabelle przenosi wzrok na Tarłę i Sarpowicza. – Zdaje się, że wreszcie ma pani zamiar przedstawić mi swoich Polaków.

– Tak, to właśnie oni! – Anna uśmiecha się i wie, co należy w takiej chwili powiedzieć: – Po obejrzeniu dzisiejszej prasy obydwaj marzyli, żeby panią poznać. Pan Wojciech Tarło, reżyser „Zdobywania świata" i pan Marek Sarpowicz, mój partner z tego filmu.

– Pattsy Walth – przedstawia się również Mulatka ściskając dłoń wcale nie zdziwionej jej obecnością pani Pasregèr, która czyni okrągły gest ku reszcie towarzystwa.

– Poznajcie się!

– Chętnie! – mówi Pattsy i wyciąga ciemną łapkę ku leżącej również na pomarańczowym ręczniku Suzanne Aringaux, potem ku górze tłuszczu, jaką jest Francis Balk, producent trzech ostatnich filmów Soldiviera, bardzo odważnie pokazujący się na plaży w ledwo trzymających się na podbrzuszu kąpielowych spodenkach, wreszcie – odsuwa gazetę, którą czyta René Paton, współpracujący z Soldivierem kompozytor, żeby także i jemu się przedstawić. Dziewczyna ma bardzo dużo olśniewających zębów, które ledwo się mieszczą w rozpękłych uśmiechem ustach i trudno nie czuć się szczęśliwym, że ma się przed sobą taką osóbkę.

– Poznajmy się i my – mówi ochoczo Wojtaszek Tarło, nie mający pojęcia, że to oni przywlekli Mulatkę do towarzystwa pani Pasregèr.

Przedstawia się także Marek, któremu ciemnoskóra dziewczyna nie pozwala już oddalić się od siebie. Dotyka smagłym palcem, zakończonym nieprawdopodobnie długim koralowym paznokciem, jego piersi i uśmiecha się porozumiewawczo do pań.

– Prawda, jaki śliczny?

Ale podnieconym śmiechem odpowiadają panowie. Jakoś się ożywili, Paton odłożył gazetę, Balk podniósł na czoło przeciwsłoneczne okulary, Tarło prostuje swoją niepozorną postać, nawet Marek – zamiast poczuć się urażonym za tak bezceremonialne zwrócenie na niego uwagi – wyszczerzył zębiska. Mulatka mówi po francusku z okropnym akcentem, ale to się najwidoczniej podoba; po co – myśli Anna – wydałam tyle pieniędzy i zadałam sobie tyle trudu, żeby poprawić mój francuski, kiedy trzeba tu było właśnie kaleczyć ten język, żeby zwrócić na siebie uwagę? W ogóle – myśli Anna – w takim jednym miejscu, do którego zjechało tyle pięknych kobiet, nie może wystarczyć tylko uroda. Trzeba tu być ponad przeciętność głupią, jak ta mała, która nie wiadomo właściwie skąd się wzięła, albo tak jak Isabelle promieniować pychą dobroci, wypływającej z uspokajającego poczucia własnej doskonałości.

I Isabelle rzeczywiście okazuje się taka, jak Anna sobie ją wyobraża. Życzliwie przyjmuje infantylny nietakt Mulatki, powtarzając nawet to najmniej pasujące do męskiej urody Marka słowo:

– Śliczny! – Ale zaraz dodaje, uważnie choć bez impertynencji oglądnąwszy Polaka od stóp do głowy: – Cieszy mnie, że przynajmniej inne kinematografie mają przypływ młodych obiecujących aktorów. Bo, niestety, o francuskiej nie da się tego powiedzieć. Mój Boże, nasi czołowi amanci już po pięćdziesiątce, a nowych – im dorównujących – nie widać. Na szczęście, jeśli chodzi o aktorki, jest o wiele lepiej. Wystarczy pojechać do któregokolwiek z prowincjonalnych teatrów, żeby znaleźć tam prawdziwą piękność. Ja zobaczyłam Suzanne (Suzanne Aringaux porusza się leniwie na ręczniku, nie otwierając oczu) na scenie teatru w Orleanie. Pascal prosił mnie o wspólne obejrzenie kilku zamków nad Loarą, chciał w którymś z nich zrealizować jeden z dramatów Szekspira. Nie miał jeszcze konkretnych planów co do sztuki, chciał, żebym najpierw obejrzała te plenery, ewentualnie może mu coś zasugerowała, a przede wszystkim, żebym z nim była, żebym z nim rozmawiała, rozmowy działają na niego inspirująco, nie pracuje sam, jak Marcel... Jest już tak daleko...

Wszyscy patrzą w morze, więc i Anna unosi się z klęczek i patrzy na biały czepek pływaka oddalającego się wciąż od brzegu.

– No więc przegadaliśmy cały dzień – ciągnie dalej Isabelle – a wieczorem wstąpiliśmy do teatru w Orleanie, żeby zobaczyć którąś tam Joannę d'Arc w swoim życiu. Teatr w tym mieście musi mieć wciąż Joannę w repertuarze, turyści tego oczekują, po zwiedzeniu muzeum Joanny d'Arc, po modłach w katedrze St Croix, wieczorem chcą zobaczyć swoją Joannę na scenie. Przedstawienie zresztą było znakomite. Joanna...

– Shawa czy Anouilha? – pyta Anna; jeszcze w szkole dramatycznej marzyła, żeby zagrać w „Skowronku".

– Anouilha, oczywiście. Przedstawienie reżyserował gościnnie Gaspar Garrou, a on mógł zrobić tylko „Skowronka". Gaspar nie znosi Shawa...

Paton i Balk potakują, wiedzą, że Gaspar Garrou nie znosi Shawa, wszyscy się tu znają, każde wymienione nazwisko ma tu określone znaczenie; tylko dla mnie – myśli Anna, jest pustym dźwiękiem, którego nie warto nawet zapamiętywać, na nic się to nigdy nie przyda. Ogarnia ją nagłe zniechęcenie. Zbyt wiele barier trzeba było pokonać, żeby naprawdę b y ć tu, wśród tych ludzi. Tylko ktoś taki jak Pattsy mógł się nad tym nie zastanawiać. A więc to jednak o nią chodzi, myśli Anna upokorzona, że potrzeba jej tak mało – Pattsy! To przez nią poczuła się od razu zgaszona, jakby całe słońce padało na tę brunatną dziewczynę. Ogarnęła ją panika. Musiała coś zrobić, musiała w jakiś sposób zwrócić na siebie uwagę, musiała walczyć, wszędzie i wciąż, bez chwili wytchnienia!

Tymczasem Francis Balk nie spuszcza oczu z Mulatki.

– Chyba gdzieś już panią widziałem.

– Zgadza się – potwierdza Pattsy. – Na pewno mnie pan widział. Okładka „Playboya" numer siódmy, osiemdziesiąty drugi rok. – Nie zwraca uwagi na Balka, choć wie, że jak ktoś jest stary i gruby, musi być kimś w tym środowisku. Zajęta jest wyłącznie Polakiem, ogląda go sobie, jakby stał na wystawie, był sztuczny i na pewno do kupienia.

A Marek, ściągnąwszy spodnie (nie chciał iść na plażę, myśli Anna, a jednak wyszedł z hotelu już w slipkach), składa je starannie, żeby nie straciły kantu i kładzie w cieniu ogromnej torby plażowej pani Pasregèr, która wyjmuje z niej od razu tubkę z kremem i podaje Polakowi.

– Och! – przypomina sobie. – Anno! Przecież przyniosłam dla pani kostium plażowy!

Ten „kostium" mieści się cały w dłoni Isabelle i wręczony Annie napełnia ją prawdziwym przerażeniem. Zastanawia się, jak nie ulec i nie zostać zmuszoną do zawiązania na sobie tych czterech trójkącików (dwa większe na dół i dwa mniejsze na górę) z szafirowej tkaniny, która miała stać się osłoną jej nagości.

– Może ja zostanę... – zaczyna.

Ale pani Pasregèr nie przewiduje oporu.

– Zsuniemy zaraz dwa kosze – mówi, patrząc wymownie na mężczyzn – żeby mogła pani się przebrać. Już wraca! – dodaje spojrzawszy w morze.

Biały czepek zaczyna teraz zbliżać się do brzegu, łódź także zawraca i płynie obok w czujnej bliskości. Isabelle rozkłada na piasku kilka ręczników, ale nie zaprasza nikogo, żeby się na nie położył.

– Niech się nagrzeją – mówi. – Marcel wychodzi z wody zimny jak lód.

Anna, skurczona w zsuniętych przez Wojtaszka i Marka koszach, nie ma łatwego zadania. Trzeba nie lada ekwilibrystyki, żeby przebrać się w tych warunkach, a ponadto nie jest pewna, czy powinna to czynić, nigdy w życiu nie nosiła tak skąpego kostiumu i jakkolwiek aktorka najmniej ze wszystkich ludzi ma swoje ciało tylko dla siebie – to może przecież nie poddać się tej zasadzie. Czy jednak... akurat teraz? I tutaj, gdzie większość młodych kobiet nosiła topless, a wśród nich te, choć odrobinę szczelniej ubrane, wydawały się od razu kalekami? Jednym szarpnięciem rozsunęła zamek błyskawiczny na plecach i ściągnęła przez głowę suknię. Żeby choć kawałek lustra, myśli, przecież nawet nie wiem, jak w tych idiotycznych trójkącikach wyglądam, nigdy bez sprawdzenia siebie w lustrze nie pokazywała się na scenie. Bo to jednak jest scena, to pasmo piachu, zryte tysiącami stóp, nie można o tym ani na chwilę zapomnieć.

Ale porównanie nie jest trafne. Gdyby – uporawszy się z trudną znikomością swego kostiumu – pojawiła się na prawdziwej scenie, zwróciłyby się ku niej oczy całej widowni. Tu, gdzie wszyscy są aktorami i widzami, nie patrzy na nią nikt – prawie nikt, bo Isabelle obrzuca ją jednak krótkim spojrzeniem.

– Świetnie! – mówi. – Czy także chce pani kremu? Mam nadzieję, że nie wchłoną całej tubki rozległe powierzchnie waszego czołowego amanta.

Ostatnie zdanie skierowane jest do Pattsy, która jednak za słabo zna francuski, żeby pojąć, o co chodzi. W dalszym ciągu nie żałując kremu, wciera go w plecy, ramiona i nawet uda wyraźnie tym zmieszanego, ale jednak nie oponującego Sarpowicza.

– Ten krem ma wystarczyć także dla mnie – cierpko zauważa Anna.

– Powiedz jej to! – również po polsku odpowiada Marek.

– Ty jej powiedz! Znasz angielski, a ona zdaje się mówi tym językiem. Zresztą diabli ją wiedzą, nie mam pojęcia, skąd się tu wzięła.

– Była już tu, kiedy przyszliśmy.

– Skądże? Przedstawiła się przecież pani Pasregèr.

– Nie zauważyłem.

– Żeby tylko nas nie okradła! Widziałeś, że wszędzie wiszą ostrzeżenia przed złodziejami?

– Widziałem – Marek odwraca się tak, żeby mieć na oku swoje spodnie; zostawił w kieszeni wszystkie dewizy.

– Elżbieta by nie uwierzyła, że okradziono cię na plaży.

Przypomnienie żony budzi w Marku energię.

– Dosyć! – mówi do Pattsy po angielsku. – Przez tak grubą warstwę kremu nie przebije się wcale słońce. A w ogóle, chcę mieć trochę spokoju.

Pattsy robi ze zdumienia okrągłe oczy, prześliczne okrągłe oczy (rzęsy ma chyba sztuczne – myśli Anna), nie rozumie Polaka, najwidoczniej zna angielski, ale n i e r o z u m i e Polaka, nie może pojąć, że nie jest zachwycony natłuszczającym masażem i uwagą, jaką mu poświęca.

– Dosyć! – powtarza Marek, odbiera tubę z kremem Mulatce i wręcza ją Annie.

– No, chyba teraz zrozumiała – stwierdza Anna po polsku. – Wyraźnie wpadłeś jej w oko.

– Przecież kiedy wychodziliśmy z hotelu – włącza się do rozmowy, również po polsku, Wojtaszek Tarło – zalecałaś mu, żeby rozejrzał się wśród gapiących się na niego pań.

– Ale czy to musi być od razu Murzynka?

– Ona nie jest Murzynką. Co najwyżej jej biały tatuś wybrał dla niej czarną mamę. Nie wiedziałem, że masz rasistowskie uprzedzenia. Ale chyba tylko w stosunku do prześlicznych Mulatek?

– Och, daj mi spokój!

– Niech się pani nie przejmuje – mówi Wojtaszek po angielsku do Pattsy. – Osoby tak urocze nie powinny się niczym przejmować.

Cała ta rozmowa toczy się przy absolutnym milczeniu Francuzów, które wreszcie przerywa pani Pasregèr, zwracając się do Tarły po angielsku.

– Pan, zdaje się, nie zna francuskiego?

– Zapamiętałem tylko najczęściej używane słowa, madame. *Pain, eau, amour, argent...*

– Chleb, woda, miłość, pieniądze – powtarza po angielsku Isabelle. – To rzeczywiście najważniejsze słowa.

– Ja bym tu dodał jeszcze befsztyk z polędwicy – uśmiecha się Balk.

– A ja wino! – dorzuca Paton.

Wreszcie rozmawiają wszyscy razem i Anna, choć zna angielski bardzo słabo, nabiera przekonania, że Wojtaszek, uważany prawdopodobnie dotąd przez całe towarzystwo za mizerną figurę, zaczyna błyszczeć w tym gronie i jemu głównie Isabelle, umiejąca świetnie w y b i e r a ć, poświęca swoją uwagę.

– Ma pan rację – mówi. – Trafna obsada jest najważniejsza. Ja także, choć jestem scenografem, a nie reżyserem, patrzę na aktora jako na główny akcent kompozycji kadru.

Dobrze – myśli Anna – niech sobie tak rozmawiają, nic mnie to wszystko nie obchodzi. – Posmarowawszy kremem dekolt i ramiona, wrzuciła tubkę do torby Isabelle, i teraz siedzi nieruchomo, jak swój własny posąg, starając się opanować nagły smutek i rozdrażnienie. Jest jej zimno – w Cannes! Jest jej zimno – ma prawie dreszcze (chyba dostanę zaraz gęsiej skórki – myśli w popłochu); Warszawa wydaje jej się najwspanialszym miejscem świata, a Szymon, j e j Szymon... zatęskniła za nim tak boleśnie, że zaczęło jej się zbierać na płacz.

I wtedy właśnie wszyscy zrywają się ze swoich miejsc – Marcel Soldivier zbliża się do brzegu.

Isabelle biegnie do morza i płynie mu naprzeciw, a kiedy wyprowadza go z wody, rzuca się od razu po ręczniki nagrzane słońcem i zaczyna wycierać i rozcierać nimi męża.

– Anno! – woła. – Niech mi pani pomoże! Jest naprawdę zimny jak lód.

Anna zbliża się posłusznie (dlaczego nie zawoła Suzanne? – myśli), choć bez ochoty. Zostają jej powierzone piersi Soldiviera; trudno uwierzyć, że ktoś tak spalony słońcem może być zmarznięty, ale tak jest, czuje to, gdy kładzie dłoń na brązowej, twardo napiętej na mięśniach skórze, i trze ją ręcznikiem dla rozgrzewki. Soldivier nie patrzy na nią, powieki ma opuszczone, w półotwartych ustach dzwonią mu zęby, chyba się wstydzi, że nie może tego opanować, i znowu jest wściekły na żonę za przywołanie Polki, która oczywiście jest już tu także razem z nią.

Jak spod ziemi wyrasta rój fotografów. Nieobecni, gdy nie było tu Soldiviera, teraz obskakują go zwartym kołem; trzaskają aparaty i Anna wie, że i ona będzie na tych zdjęciach, ona i Soldivier, otulany przez nią ręcznikiem; zbyt jest przez pracę w telewizji i filmie obeznana z okiem kamery, żeby nie orientować się w jej nastawieniu – i nagle ogarnia ją strach, niewytłumaczalny niczym strach, zamiast triumfu i radości.

VII

– Kiedy wróci mama? – Sebastian co ranka zadaje to pytanie. Budzony teraz wcześniej, żeby Szymon, odprowadziwszy go do przedszkola, mógł zdążyć na ósmą do sądu – kaprysi nad talerzem płatków, które nie wiadomo po co wmusza się w niego, skoro zaraz po przyjściu do przedszkola dostaje tam śniadanie. Szymona ogarniają te wątpliwości, kiedy już od szóstej rano zaczyna gotować wciąż przypalające się płatki, kiedy kipią mu z rondelka i trzeba potem myć kuchenkę, szorować proszkiem przypalone dno garnka i wyrzucać nie dojedzone przez Sebastiana płatki do ustępu – ale Anna powiedziała przed wyjazdem, że nie wolno dziecka wyprowadzać z pustym żołądkiem z domu, więc musi tak być, nie należy niczego zmieniać w tej regule.

– Kiedy wróci mama?! – powtarza Sebastian, kategorycznie domagając się odpowiedzi. Płatki z trzymanej na sztorc łyżki spływają na serwetę.

– Zobacz, co robisz! – krzyczy Szymon.

– Nic nie robię. To się samo robi.

Słusznie, Szymon nie może odmówić synowi racji, a poza tym wciąż pozostaje bez odpowiedzi zadane mu przez niego pytanie.

– Jak zjesz zaraz płatki – mówi, nie patrząc mu w oczy – to mama wróci bardzo prędko.

Sebastian zanurzył znów łyżkę w ziemistobury klej i może byłby skłonny podnieść ją do ust, ale teraz zaniechał tego zamiaru.

– W tym jest jakieś szachrajstwo.

– Jakie szachrajstwo? – wybucha ojciec i zaraz milknie.

Sebastian znów ma rację, bezbłędnie wychwytuje brak logiki w kierowanych do niego zdaniach, nie można mu niczego wmówić, nie można go oszukać. Sędzia Turoń czuje się pokonany. Wyobrażał sobie zawsze, że wrodzone skłonności, wychowanie, jakie odebrał, i wykonywany zawód wykształciły w nim tyle przymiotów pedagogicznych, że mógłby promieniować nimi w każdej sytuacji. Tymczasem wobec swego trzyletniego syna... Ależ on jest już starszy, ma już trzy lata i pięć miesięcy, dzieci w tym wieku są podobno najbardziej dociekliwe... Ciekawe, w jaki sposób radzi sobie z nim Anna? Może po prostu nie przywiązuje zbyt wielkiej wagi do jego paplania i pozostawia czasem pytania bez odpowiedzi. To on, wpatrujący się przez wiele godzin dziennie w oczy ludzi siedzących na ławie oskarżonych i usiłujący dociec co – jakie zaniedbanie, niewłaściwe słowo, brak uczucia ze strony bliskich – ich tu zaprowadziło, był może zbytnio skłonny zastanawiać się nad sensem i uczciwością każdego skierowanego do syna słowa. A jednak teraz pozwolił sobie wobec niego na to idiotyczne zdanie: „Jak zjesz zaraz płatki, to mama wróci bardzo prędko". Naprawdę kryło się w nim szachrajstwo, nie można było temu zaprzeczyć. Ten mały człowieczek, którego z Anną stworzyli, powinien rosnąć bez najmniejszego kłamstwa, w przeciwnym razie, po cóż było go powoływać na świat?

– Przepraszam cię – mówi Szymon, wyjmując z lepkiej piąstki syna oklejoną płatkami łyżkę – wylejemy zaraz to świństwo do ustępu. Choćbyś wyjadł do czysta cały talerz, mama nie wróci tak prędko.

– Ale w poniedziałek już będzie? – Dla Sebastiana najważniejszym i najpiękniejszym dniem tygodnia jest poniedziałek, kiedy matka nie musi iść do teatru.

– Chyba jeszcze nie – zeznaje Szymon, pilnie zważając, żeby mówić „prawdę i tylko prawdę", jak przed sądem.

– Nie? – smutnieje Sebastian.

– Przykro mi, ale nie.

– Obiecała, że w poniedziałek pójdziemy na lody. Powiedziała, żebym nie jadł lodów bez mamy.

– Słusznie.

– Boby mnie może rozbolało gardło, a nie powinno mnie boleć gardło, kiedy mamy nie ma.

– Słusznie – powtarza Szymon.

– Ale mój diabełek...

– Jaki diabełek?

– Pan Feliks mówi, że jak są aniołki, to muszą być i diabełki. I właśnie mój mnie wciąż pokusza...

– Co takiego?

– Pan Feliks mówi, że lody to pokusa, więc jak wracam z panem Feliksem z przedszkola, to ten mój diabełek wciąż mnie pokusza, żebyśmy wstąpili do Texu.

– Do Hortexu.

– Ojej, mama mnie też wciąż poprawia.

– Bo trzeba mówić właściwie.

– Co to znaczy – właściwie?

– Tak, jak powinno się mówić. Jak jest napisane.

– Nie umiem jeszcze czytać – stwierdza Sebastian zrzucając z siebie całkowicie odpowiedzialność za przekręcanie słów. Chodzi za ojcem krok w krok: do ustępu, gdzie unicestwione zostały prawdopodobnie niejadalne z powodu przypalenia płatki, potem do kuchni, gdzie w zlewie trzeba umyć talerz i wydrapać przypaleniznę z dna garnka.

– Mamie nigdy się nie przypala – zauważa Sebastian, krytycznie przyglądając się zabiegom ojca.

– Ma większą praktykę – warczy Szymon.

– Co to znaczy – ma większą praktykę?

– To znaczy, że stale to robi.

– Musi?

– No... nie musi – plącze się Szymon.

– Chce?

– Daj mi spokój! Jak będziesz się wciąż pytał, to się spóźnimy – ty do przedszkola, ja do sądu.

Sebastian milknie, ale nie na długo. Zmienia tylko temat.

– Ty też byłeś k i e d y ś mały?

– Oczywiście.

– A ja myślałem, że nie. Że to nie każdemu się przytrafia.

– Przytrafia się każdemu. – Skąd on zna takie słowa? – zastanawia się Szymon. To chyba z tych wielogodzinnych konwersacji z panem Feliksem, który wreszcie ma się przed kim wygadać. Ale te aniołki i diabełki, które wmówił Sebastianowi... Trzeba by to było jakoś wybić mu z głowy, chyba jednak nie teraz, nie zaraz... Szymon wyciera ręce w ścierkę i bierze ze stołu zegarek, zapina go na ręce. – Musimy się już bardzo śpieszyć. Ubieraj się!

– Sam?

– Oczywiście, że sam. A kto by miał ubierać takiego dużego chłopa?

– Mama... – zaczyna Sebastian cichutko.

– Po pierwsze mamy teraz nie ma, a po drugie opowiadała mi, że już świetnie radzisz sobie z guzikami.

– Ale z butami nie.

– No to buty ja ci nałożę – mięknie Szymon. Sadza Sebastiana w fotelu i przyklęknąwszy przed nim, nie bez trudu wciska mu na stopy obuwie.

Sebastian nieomylnie orientuje się, kiedy ojciec łagodnieje i kiedy można wrócić do nie dokończonej rozmowy o lodach.

– A jak byłeś kiedyś mały, to też nie wolno ci było jeść lodów?

– Chyba też.

– A teraz możesz jeść, ile chcesz i w ogóle wszystko ci wolno?

– No, wiesz... – Szymon, zasznurowawszy buciki Sebastiana, podnosi się z klęczek – to nie jest całkiem tak. Dorosłemu człowiekowi także wielu rzeczy robić nie wolno. – Mój Boże! Najprościej byłoby powiedzieć mu od razu o K.K. Kodeks

Karny najzwięźlej określał, czego człowiekowi nie wolno! Tym ludziom, których widywał na ławie oskarżonych, może trzeba było właśnie pokazać i dać do przeczytania tę księgę, kiedy wyrastali z zakazów dzieciństwa, wszystko zaczynając negować. Ale przecież nie tylko ta księga stawiała bariery ludzkiej wolności. Wcześniej uczyniły to religie i jeśli ktoś zakodował sobie w duszy...

– A czego nie wolno robić dorosłemu człowiekowi? – chce wiedzieć Sebastian.

– Na przykład, na pewno nie wolno mu za późno przyprowadzać syna do przedszkola. Wkładaj kurtkę i pokaż wreszcie, jak pięknie potrafisz zapinać guziki.

W szatni przedszkola panuje tłok i gwar, jak zwykle o tej godzinie. Dwóch trzyletnich nowicjuszy płacze, nie chcąc rozstać się z mamami. Jedna z nich, drobniutka kobietka trzyma w objęciach wierzgającą pociechę.

– Popatrz – mówi – jaki grzeczny jest synek tego pana. Ten pan na pewno bardzo by się zmartwił, gdyby jego synek płakał.

– Płaczą tylko gówniarze – stwierdza Sebastian.

– Jak ty się odzywasz? – gromi syna Szymon. Nie egzekwuje już od niego rozpinania guzików, sam je rozpina i ściąga z niego kurtkę.

– No co takiego powiedziałem? Płaczą tylko gówniarze.

– Sebastian!

– Co za urocze imię! – uśmiecha się do małego Turonia pani, bynajmniej nie zgorszona jego słownictwem.

– Ja i Zdzisiek Klemens nie płakaliśmy nawet pierwszego dnia.

– Nic mnie nie obchodzą twój Zdzisiek i twój Klemens, proszę, żebyś się grzecznie wyrażał.

– Zdzisiek Klemens jest jeden, chodzi ze mną w parze.

– Jak to jeden? – Szymon czuje, że kręci mu się w głowie od ścisku i hałasu, od tej rozmowy z Sebastianem.

– Przecież mówię, że jeden. Jakby było ich dwóch, to by nie mogli chodzić ze mną w parze.

– Oczywiście – mruczy Szymon, zaczyna nie lubić własnego dziecka za tę precyzję myślenia. Jak też radziła sobie z nim Anna?

Tymczasem szlochający malec uspokoił się już w ramionach matki i od dłuższego czasu patrzy na Sebastiana spode łba, może by go kopnął w kostkę, gdyby stał obok niego na ziemi. Ale Sebastian nie zwraca na niego uwagi.

– Klemens! – woła olśniony.

W drugim końcu szatni stoi niepozorny chłopaczek. Matka już go rozebrała i zostawiła, ale najwidoczniej to go nie martwi. O wiele mniejszy od Sebastiana, ma jednak w sobie coś mężnego, Szymon tak właśnie o nim pomyślał, patrząc, jak energicznie przebija się przez dziecięcą ciżbę, żeby dotrzeć do Sebastiana.

– Ach, więc to jest Klemens!

– Tak. Zdzisiek – dokonuje prezentacji Sebastian. Nie patrzy już na ojca, zupełnie nie interesuje go jego obecność. Pierwsza przyjaźń jest równie silna i zniewalająca jak pierwsza miłość i Szymon wie, że wobec Klemensa nie ma szans. Nie może tylko pojąć, na czym polega charyzma tego piegowatego krasnala; jeden rzut oka przekonał go, że to nie Sebastian, ale tamten jest wodzem w tej dwuosobowej grupie.

– Cześć! – mówi Klemens do Sebastiana i brzmi to łaskawie.

– No to ja już mogę iść – z ulgą stwierdza Szymon. – Do widzenia! Bądźcie grzeczni!

– Do widzenia – szepcze Sebastian w roztargnieniu, cały pochłonięty obecnością przyjaciela, który – Szymon to zauważył – przygląda się z pobłażaniem jego ojcu.

– Dzieci są teraz coraz trudniejsze – stwierdza mała kobietka, która także wychodzi z przedszkola i skręca w tym samym co Szymon kierunku. Wygląda na dziewczynkę i zadziwiające jest to, że ma coś do powiedzenia o dzieciach. – A jeszcze, jak są jedynakami i wychowuje je tylko jedno z rodziców...

– Żona wyjechała na krótko – wyjaśnia Szymon pośpiesznie.

– Ach, tak...

– Tak. Do widzenia pani! – Nadjeżdżający tramwaj byłby świetnym powodem do zakończenia rozmowy, ale mała pani również do niego wsiada.

– Jeśli dziecko przywiązuje się zbytnio do jednego z rodziców... – ciągnie dalej, nie zauważywszy jakby, że Szymon powiedział jej do widzenia.

– Na początku swego istnienia przywiązuje się zwykle do matki.

– Sam pan powiedział – zwykle. Czyli, że może być inaczej.

– Oczywiście.

– Dziecko powinno kochać jednakowo rodziców; jest to najwłaściwsze, nawet w dobrych, zgodnych rodzinach. Ale kiedy rodzina ulega rozbiciu...

Szymon dopiero teraz przygląda się swojej rozmówczyni. Jest blondynką o ciemnych oczach i nieskazitelnej cerze, ma świeże usta i białe równe zęby... a jednak porzucił ją mężczyzna, który był ojcem jej dziecka i zapewne kochał ją, zanim przyszło na świat. Dlaczego? Czy zaczęła mu się podobać inna, i z tego tylko powodu zniszczył założoną przez siebie rodzinę? I choćby nie zakładał jej w pełni odpowiedzialności, choćby lekkomyślność, będąca podstawą wielu związków małżeńskich... – Szymon łapie się na tym, że formułuje myśli, jakby uzasadniał wyrok w sprawie rozwodowej. A może to ona...? Może ona była przyczyną rozbicia małżeństwa? Właściwie, zaczepiła go i wyszła za nim z szatni, i wiodła dalej na ulicy rozmowę, choć niczym nie zachęcił jej... Ta gotowość kobieca imputowana nieznajomej przywiodła mu niespodziewanie na myśl Annę. Na pewno kręci się tam teraz wokół niej wielu mężczyzn; czy także tak jawnie pragnie ich towarzystwa i zachęcająco patrzy im w oczy? Nie znał takiej Anny. Ale może w ogóle jej nie znał, człowiek jest czasem niespodzianką dla samego siebie, a co dopiero dla innych.

– Mój Piotruś nie lubi chodzić do przedszkola, bo – jak wszyscy mężczyźni – chce, żeby tylko nim się zajmowano, co oczywiście w przedszkolu jest niemożliwe. Nie może się pogodzić z tym, że jest traktowany jak wszystkie inne dzieci, że jest jednym z nich.

– Już to samo jest wystarczającym powodem, żeby go w przedszkolu umieścić.

– Prawda? – matka Piotrusia z rosnącym ożywieniem prowadzi rozmowę. – Cieszę się, że jest pan tego zdania. Bo na przykład moja matka uważa, że nie należy dziecka przymuszać i skoro ma warunki, żeby wychowywać się w domu...

– W domu, pod opieką babci, wyrośnie na egoistę – orzeka Szymon z naciskiem, choć nic go nie obchodzi tak gorliwie omawiana przez nieznajomą kwestia.

– Prawda? – powtarza znowu kobieta. – Jak to dobrze, że pan też tak myśli. Nie mam z kim porozmawiać na ten temat. A pan wydaje mi się taki rozsądny. Bardzo się pan śpieszy?

– Bardzo! – nieuprzejmie stwierdza Szymon.

– Och, jaka szkoda! Bo ja... mogłabym się trochę spóźnić do pracy.

– Ja nie – Szymon zaczyna sobie torować drogę ku wyjściu, żeby wysiąść na najbliższym przystanku, choć mógłby to zrobić dopiero na następnym.

– Czy przyjdzie pan po południu po swego syna? – woła za nim malutka kobietka; patrzy z taką nadzieją, i chyba naprawdę nie zasługuje, żeby potępiać ją za to, że rozmawia z obcym mężczyzną.

– Nie! Po południu odbiera go sąsiad – odkrzykuje jednak Szymon. Na ulicy uśmiecha się do siebie. Niechby go Anna zobaczyła w tej sytuacji! Szkoda, że i on nie może jej zobaczyć w sytuacjach, w których ona teraz bywa. Czy zwrócono tam na nią uwagę? To chyba niemożliwe, żeby została nie zauważona. Przesadą byłoby wyobrażać sobie, że na jej widok wszystkich ogarnąć musi zachwyt, jaki przed pięciu laty obezwładnił pewnego młodego sędziego, niemniej jednak można było mieć pewność, że nawet w Cannes taka dziewczyna, jak ona... Nawet w Cannes! Ależ tam zjeżdżały się najpiękniejsze z najpiękniejszych! Przerażała czy też... pocieszała go ta myśl? I pragnął, i bał się sukcesu Anny – nie po raz pierwszy przyłapywał się na tej zawstydzającej rozterce. Ale czy nie rodziła się stąd, że tak bardzo obydwaj jej potrzebowali.

Kupił gazetę, przejrzał nagłówki tylko na pierwszej stronie, i wsunął ją do kieszeni. Choć nie było jeszcze ósmej, słońce przygrzewało ostro, maj nie sprawił tego roku zawodu. Dobrze by było pójść z Sebastianem po południu na spacer, ale kto mógł przewidzieć, kiedy skończy się rozprawa, pan Feliks był pewniejszym opiekunem.

– Dzień dobry, panie sędzio! – pani Wisia, punktualna jak zawsze, także zmierza ku wejściu do sądu. Wyciąga ku Szymonowi rękę z bukiecikiem fiołków. – Niech pan powącha, jak pachną. Lubi pan fiołki?

– Oczywiście. – W ten majowy, słoneczny dzień powinien był powiedzieć: bardzo, albo: szalenie! ale mówi: oczywiście, ponieważ wkracza już w tę sądową oschłość i ukształtowane nią słownictwo, z którego usunięte zostały wszelkie zachwyty i egzaltacje. – Oczywiście – powtarza, niezadowolony jednak z siebie, przez samego siebie skarcony, ale nie mający dość siły, żeby zmienić coś w swoim sposobie bycia.

Pani Wisi to nie zraża. Za dobrze zna swego przełożonego, żeby wymagać więcej. Sekretarki i pracownice biurowe spędzają ze swoimi szefami więcej czasu niż ich żony, nie licząc nocy naturalnie, choć niektóre z nich i w nocy towarzyszą im myślami. Pani Wisia więc wie, że sędzia Turoń nie zdobędzie się na bardziej emocjonalne określenie swego stosunku do fiołków, ale mimo to – stawia mu je na biurku w małym wazoniku.

– Cóż to jest? – pyta Szymon, podnosząc oczy znad akt sprawy, którą miał za chwilę prowadzić.

Pani Wisia cofnęła się już ku drzwiom, położyła dłoń na klamce.

– Powiedział pan przecież, że lubi pan fiołki.

– Ależ...

– Sza! – pani Wisia jest już w progu. – Postanowiłam wprowadzić trochę wiosny w te sądowe wnętrza. Czy nie sądzi pan, że jesteśmy dość smutną instytucją?

– Nie wszyscy mogą pracować w „Syrenie".

– Ale... może przynajmniej oglądają jej spektakle? Widział pan ostatni program?

– Nie. – Wstydem byłoby przyznać się, że od kilku lat nie widział żadnego.

– A nie miałby pan ochoty zobaczyć?

– Ochota by się może znalazła... – zaczyna Szymon ostrożnie. Cóż za dzień! – myśli. – Najpierw ta kobieta z przedszkola, a teraz – któż by pomyślał? – pani Wisia! Widocznie maj działa na te panie. Ale maj jest także w Cannes...

– A więc, jeśli ochota by się znalazła – podejmuje wątek pani Wisia.

– Ale niestety muszę zostać w domu z synem. Moja żona wyjechała na festiwal...

– Wiem.

– No i dopóki...

– ...dopóki Sebastian nie dorośnie, nigdy nie ruszy się pan wieczorem z domu. Bo kiedy żona wróci, każdy wieczór będzie miała zajęty w teatrze, a pan będzie musiał... Przepraszam. – Pani Wisia opanowuje swój wybuch. Szymon patrzy na nią zdumiony. – Przepraszam, nie chciałam pana urazić, ale tak mi czasem pana... żal.

– Żal...? – Szymon zamyka teczkę z aktami i coraz bardziej przykro zdumiony patrzy na panią Wisię. Miał ją zawsze za osobę zrównoważoną i taktowną...

– Jeszcze raz pana przepraszam, panie sędzio. Nie powinnam była tego wszystkiego mówić.

– Ale już pani powiedziała.

– Sama nie wiem, co mi się stało.

– A... dlaczego właśnie pani mnie... żałuje?

– No... – pani Wisia przyparta do muru, a właściwie do drzwi, które ma wciąż tuż za plecami, nie od razu znajduje odpowiedź.

– Czuję się całkiem szczęśliwy. Kocham swoją rodzinę, swój zawód.

– Zawód też pan kocha, panie sędzio?

Co jej się stało? – myśli Szymon; czym prędzej pragnie przerwać tę rozmowę. Wstaje, wyjmuje z szafy togę i łańcuch sędziowski, pani Wisia powinna zrozumieć, że przed rozprawą musi się skupić. Ale ona powtarza:

– Zawód też pan kocha?

– A jakże mógłbym go pełnić – teraz Szymon ledwie opanowuje rozdrażnienie – gdybym nie żywił do niego szacunku...

– Szacunek to co innego. Ja także żywię szacunek do całego sądu, a czasem trudno mi tu wytrzymać.

– Trudno pani tu wytrzymać?

– Oczywiście.

– Nigdy nic pani nie mówiła.

– Nieraz mówiłam, tylko pan tego nie zauważał. Nawet przed chwilą powiedziałam, że jesteśmy dość smutną instytucją. Kiedy stąd wychodzę, aż trudno mi nieraz uwierzyć, że istnieje jakieś inne życie – bez morderstw, bez kradzieży i gwałtów.

– Po to właśnie istnieje prawo i sądy, żeby chronić to inne życie...

– Ja to wszystko wiem, panie sędzio.

– Czyżby miała pani zamiar nas opuścić?

– Ja? – pani Wisia zdumiała się i przestraszyła. – Skąd przyszło to panu do głowy?

– No bo jeśli źle się pani tutaj czuje...

– Spóźni się pan na rozprawę, panie sędzio. – Pani Wisia rusza się od progu, pomaga Szymonowi założyć togę i łańcuch, poprawia kołnierz. – Widzę, że nie można przed panem się pożalić.

– Nie należy tego robić nawet przed samym sobą – ucina w końcu tę rozmowę Szymon.

Ale nawet podczas rozprawy zdarza mu się myśleć o niej. Do tego budynku trafiały rzeczywiście sprawy przerażające. Oto na ławie oskarżonych siedziało dwoje młodych – dojrzałych pod względem odpowiedzialności prawnej, nie można ich było sądzić w sądzie dla nieletnich – ale zupełnie niedojrzałych życiowo i emocjonalnie. Ona była adoptowaną córką bezdzietnego małżeństwa, on – jej przyjacielem, może także złym duchem, miał to dopiero wykazać przewód sądowy, na razie pytania prokuratora zmierzały do ustalenia, kto kogo namówił do zbrodni, a obrońcy każdego z oskarżonych starali się umniejszyć winę swego klienta.

– Skąd oskarżony wiedział – pyta prokurator – gdzie w domu Forysiów przechowywane były pieniądze i kosztowności?

– Od Joli.

– Proszę mówić – od oskarżonej.

– Od oskarżonej – powtarza chłopak. Nie patrzy na dziewczynę, siedzącą obok niego na ławie między dwoma uzbrojonymi milicjantami. Już nie są parą kochanków, pragnących swej bliskości, są oskarżonymi, których opuściło ich dotychczasowe życie, sami je przekreślili i zabili w chwili, w której dopuścili się morderstwa.

– Często mówiła o pieniądzach jej przybranych rodziców?

– Często.

– Kiedy? W jakich okolicznościach?

– Kiedy... chcieliśmy coś mieć... no... kiedy chcieliśmy sobie coś kupić.

– Oskarżony nie dysponował żadnymi własnymi funduszami?

– Nie. To znaczy... wyciągnąłem czasem coś od matki... matka sama mi dawała...

– Jakie jest źródło utrzymania matki oskarżonego?

– Ma rentę.

– Wysoką?

– Siedem tysięcy.

– Oskarżony nigdzie nie pracował?

– Nie... To znaczy ostatnio nie...

– Ale w ostatnim miejscu zatrudnienia wytrwał oskarżony tylko dwa miesiące. W poprzednim trzy, a jeszcze w poprzednim tylko półtora. Dlaczego?

– Miałem daleko do pracy.

– W każdym z tych trzech wypadków?

– No nie... Ta ostatnia praca była nawet całkiem blisko.

– Dlaczego więc oskarżony ją porzucił?

– Była za ciężka.

– Gdzie oskarżony pracował?

– W Urzędzie Telekomunikacyjnym. Jak gdzieś zepsuł się telefon, to musieliśmy odkopywać z ziemi przewód...

– A więc jedynym źródłem pozyskiwania pieniędzy była oskarżona i kasa Forysiów.

– Oni nigdy nie chcieli jej dać więcej pieniędzy.

– Co to znaczy – więcej?

– No... dostawała tylko na ciuchy, na lody, na kawę i kino.

– To mało?

Oskarżony milczy.

Prokurator rezygnuje z zadawania mu dalszych pytań. Prosi sąd o powołanie świadków, którzy występują w procesie jako świadkowie oskarżenia, choć są najbliższymi przyjaciółmi oskarżonego. Pierwszy z nich jest niskim blondynem o niepozornym wyglądzie, oczy ma tylko jakby wypożyczone z innego ciała, czujne, pełne blasku i sprytu. Stoi za balustradką ograniczającą miejsce dla świadków, bynajmniej nie speszony swoją sytuacją, uważający ją nawet za zaszczytną i wyróżniającą.

– Od kiedy świadek przyjaźni się z oskarżonym?

– Od dawna.

– Dokładniej.

– Od... czterech miesięcy.

– Gdzie świadek poznał oskarżonego?

– W Urzędzie Telekomunikacyjnym. Pracowaliśmy razem.

– Czy razem też zrezygnowaliście z pracy?

– Tak. Powiedziałem Heńkowi...

– Proszę mówić – oskarżonemu.

– No nic... To była ciężka praca.

– Dlaczego ciężka?

– Jak się przyszło do domu, to się już nic nie chciało.

– Czy oskarżony szybko uległ namowom świadka, żeby porzucić pracę?

– Myśmy zawsze jedno myśleli. – Świadek posyła krótkie, zwycięskie spojrzenie ku ławie oskarżonych i sędzia Turoń uzmysławia sobie, kogo mu przypomina ten pewny siebie chłoptaś. Widocznie zawsze niedomogi ciała wzmagały w osobnikach nimi dotkniętych rekompensującą siłę ducha. Ależ tak! Klemens! Zdzisio Klemens, którym Sebastian był tak oczarowany, że poskąpił ojcu pożegnalnego spojrzenia! Zaczyna się więc to dość wcześnie i nie ojciec, nie matka stają się wyrocznią w wielu życiowych sprawach. Pohamowawszy chęć zapytania, czy świadek chodził do przedszkola, Szymon włącza się znów z uwagą w tok przesłuchania.

– Od kiedy oskarżony zaczął mówić, że będzie miał niedługo dużo pieniędzy?

– Jak przestaliśmy pracować w Urzędzie Telekomunikacyjnym. Mówił, że ma teraz bogatą dziewczynę i będzie miał niedługo dużo pieniędzy.

– Nie podawał żadnych szczegółów?

– No... wiedzieliśmy, że to chodzi o Forysiów. Chwalił się, że tam jest co dnia i obiecywał nam ubaw.

– Nie zwierzał się nigdy, w jaki sposób zamierza zdobyć te pieniądze?

– Nie.

– Mogliście się domyślać.

– Ale nic, że on ich... że on ich... Co pan? Co wysoki sąd sobie wyobraża? Że my... wiedzieliśmy? Że mogliśmy przypuszczać...

– Nie mam więcej pytań – mówi prokurator.

Rozprawa wlecze się ospale, prokurator usiłował dowieść, że oskarżony działał z premedytacją, że od dawna planował swoją zbrodnię; adwokaci oskarżonych starają się obalić tę tezę. Przesłuchiwany przez swego adwokata oskarżony, pouczony prawdopodobnie przez niego, jak ważną sprawą jest kwalifikacja zbrodni, żarliwie powtarza jedno zdanie:

– Nie wiedziałem, że oni będą w domu. Nie wiedziałem, że oni będą w domu! Nigdy bym tam wtedy nie poszedł. Ale Jolka... ale oskarżona powiedziała, że wybierają się do ciotki na imieniny...

– Obecność Forysiów w domu była więc dla oskarżonego zaskoczeniem?

– Tak. Nie spodziewałem się, że usłyszą, jak dobieram się do ich schowka. Jakbym nie miał już tych pieniędzy w rękach, tobym udał, że niby nigdy nic, że tak sobie przyszedłem. Ale oni widzieli, że trzymam te cholerne pieniądze, że drzwiczki do schowka są wyłamane – i tak zaczęli wrzeszczeć...

Sędzia Turoń odwraca wzrok od twarzy oskarżonego. Pani Wisia ma rację; kiedy się spędza trzy czwarte dnia w tej ponurej sali, trudno uwierzyć, że istnieje jakieś inne życie, bez morderstw rabunków i gwałtów. I jak mało było ostatnio procesów poszlakowych! Jak łatwo przyznawali się do swoich zbrodni ci nie kochający pracy, a łaknący pieniędzy młodzi ludzie, którym – gdy stawali przed sądem – towarzyszył tylko strach przed karą, a nigdy poczucie winy. Ktoś inny miał pieniądze, i po prostu trzeba mu było je odebrać.

– Sąd ogłasza przerwę – obwieszcza Szymon, szukając już pudełka z papierosami w kieszeni marynarki, pod togą.

Pokój za salą rozpraw na pewno nie jest weselszym niż ona pomieszczeniem, ale przynajmniej można tu przez piętnaście minut nie patrzeć na twarze, które na zawsze chciałoby się wymazać z pamięci.

Sędzia Korzyński, wchodzący w skład zespołu orzekającego, podsuwa Szymonowi gazetę.

– Czytał pan już korespondencję z Cannes?

– A jest? – pyta Szymon bez ożywienia, które powinien w tej chwili okazać. Tak, nie mógł tego dłużej ukrywać przed sobą – pragnął, ale i bał się sukcesu Anny; to poniżające go we własnych oczach uczucie sprawiało, że zachowywał się z nigdy nie okazywaną młodszemu koledze rezerwą.

– Ależ jest! Oczywiście! I piszą tu o pani Annie...

– Dobrze czy... źle?

– Ach, skądże znowu, źle? Wygląda na to, że ma już całe Cannes u stóp.

Szymon gasi papierosa i pochyla się nad gazetą. Szybko przebiega oczyma linijki tekstu, w którym nie ma nic o Annie i dopiero na widok jej imienia przymyka na chwilę oczy.

– No? Znalazł pan? – dopytuje się kolega.

– Chwileczkę. – Szymon podnosi gazetę do oczu i zakrywa nią sobie twarz. Czyta z rosnącym łomotem w skroniach: „Od drugiego dnia festiwalu prawie cała prasa zamieszcza zdjęcia Anny Turoń, przeważnie w towarzystwie Marcela Soldiviera. «Presse Soir» opatrzył nawet jedno z nich tytułem: Czy polska aktorka będzie następną muzą Marcela Soldiviera? Jak wiadomo, znakomity francuski reżyser po niewątpliwym sukcesie – szkoda, że poza konkursem – swego filmu «Odsiecz», z wylansowaną przez niego Suzanne Aringaux, zamierza w niedługim czasie rozpocząć pracę nad nowym filmem. Będzie to zapewne znów obraz w pełni autorski. Soldivier znany jest z tego, że wybiera aktorki, inspirujące go swoją osobowością, pisze dla nich scenariusze... – Szymon znów przymyka oczy.

– Przeczytał pan? – dopytuje się wciąż Korzyński.

– Tak, dziękuję. – Szymon składa gazetę, stara się uśmiechnąć, tego się po nim oczekuje.

– Przeczytał pan do końca? Z jakim zainteresowaniem oczekuje się w Cannes pokazu „Zdobywania świata"? Oczywiście ze względu na pana żonę! Byłem pewny – kolega jest wyjątkowo rozmowny – że pani Anna zwróci tam na siebie uwagę. To tylko u nas aktorki właściwie się marnują. Nawet odniósłszy sukces w jakimś filmie, nieraz przez całe lata nie są angażowane do następnego. A już najgorzej jest z tymi, które mają mężów reżyserów. Grają tylko w ich filmach, jakby istniał zakaz angażowania ich do filmów innych reżyserów. Czy pamięta pan na przykład...

– Koniec przerwy – mówi Szymon bezbarwnie. – Wracamy na salę.

VIII

Jadą do Antibes. Nad ranem, kiedy morze zaczynało wydobywać się z mroku różowym połyskiem, trzema samochodami jadą do Antibes – Soldivierowie i goście, zaproszeni do ich letniego domu po pokazie polskiego filmu, konferencji prasowej i koktajlu.

Anna i Tarło jadą w wozie Soldivierów, obydwoje milczący, pełni wątpliwości co do własnych i cudzych zachowań po pokazie, własnych i cudzych wypowiedzi, które trudno było na razie ocenić. W wozie producenta Balka na przednim siedzeniu obok niego jechał George Blanchot, przyjaciel i dawny wspólnik, który przeniósł się ostatnio do Stanów, ale pojawiał się co roku w Cannes, z tyłu zaś Marek Sarpowicz i Pattsy Walth, przez nikogo nie zapraszana, ale zawsze obecna wszędzie tam, gdzie był Polak. René Paton zabrał do swego starego peugeota bardzo już senną Suzanne Aringaux, reżysera Saumonta i dziennikarza Roberta Pressona, który tak długo przepraszał Soldiviera za nagłówek nad jego zdjęciem z polską aktorką w „Presse Soir", aż przylgnął do towarzystwa.

Soldivier milczy, milczy przez cały czas, pustawa przed świtem droga z Cannes do Nicei nie wymaga chyba aż takiego skupienia; jadą nią zakwaterowani tam uczestnicy festiwalu oraz ci, którzy – pokazawszy się już na nim – odlatują pierwszym samolotem do Paryża.

Dlaczego on milczy? – myśli Anna. – I dlaczego nie był na pokazie „Zdobywania świata"? Zakrawało to na afront albo na celową manifestację po tym, co napisał ten kretyn Presson w „Presse Soir". Isabelle powiedziała wprawdzie, że mąż ma migrenę – co mu się czasem zdarza – dodała, spotkawszy zdziwione spojrzenia, ale jakoś ta migrena nie przeszkodziła mu w pojawieniu się na koktajlu w całkiem dobrym humorze, i nawet potrafił znieść spokojnie pomysł Isabelle, żeby zakończyć noc w ich domu na skraju Antibes. Dlaczego milczy? Czy nie powinien teraz powiedzieć, że mu przykro, że tak bardzo chciał zobaczyć ten ich polski film, i tym bardziej żałuje po tym, co usłyszał o nim na konferencji prasowej. Mniejsza o nią, widocznie nie mogła liczyć nawet na taką uprzejmość Soldiviera (skąd to przekonanie na całym świecie, że Francuzi są tak uprzejmi dla kobiet?) – ale Wojtaszek, Wojtaszek! Jego zdumienie było aż bolesne. Prawdopodobnie myślał o tym, że gdyby Soldivier pokazywał swój obraz w Polsce i gdyby przedtem spędzili wspólnie kilka dni, on – Wojtaszek – uważałby za swój obowiązek nie tylko być na projekcji, ale zdobyłby się także na kilka ciepłych słów, nawet gdyby film mu się nie podobał.

– Marcel, kochanie – odzywa się Isabelle. – Mam nadzieję, że nie śpisz nad kierownicą.

Tego by jeszcze brakowało! Anna z niepokojem patrzy na tył nieruchomej głowy Francuza, którą ma przed sobą. Żeby zasnął i pozabijał nas wszystkich. Byłaby to reklama – niestety, spóźniona – jakiej nie miała żadna aktorka na całym świecie. Zginąć w katastrofie samochodowej po pokazie własnego filmu na festiwalu w Cannes! I to z Marcelem Soldivierem! Ale chyba wspomniano by w gazetach, że siedziała przy nim jego żona...

– Marcel! – powtarza Isabelle, zaniepokojona milczeniem męża.

– Ależ nie śpię! Co ci przychodzi do głowy?

– Bo nic nie mówisz.

– A co mam mówić?

– Cokolwiek. Choćby to, że taki piękny wstaje ranek.

– Zbyt wiele razy go tu widziałem.

– Nie wmówisz we mnie, że zrywanie się przed świtem należy do twoich przyjemności.

– Skąd wiesz? Może zmieniłem obyczaje? Ostatnio widujemy się dość rzadko.

Głos Soldiviera jest bezbarwny, nie ma w nim wyrzutu ani pretensji, a jednak Anna ma nadzieję, że zaczną się kłócić, że jakieś ostrzejsze słowa przetną ściszoną ospałość w samochodzie. Isabelle jednak milknie zupełnie nie podejmując kwestii, rzuconej przez męża w ich małżeńskim dialogu. Milczy także Tarło; może przeżywając wciąż jeszcze wydarzenia wieczoru, a może żałując, że dał się namówić na tę wyprawę do Antibes, która – w rzeczy samej – nie stwarzała żadnych perspektyw. Tych dni w Cannes nie należało marnować na bezowocne znajomości, każdy starał się tu coś dla siebie załatwić i zyskać; czas przeznaczony na przyjemności był czasem straconym. Chociaż...? W końcu Balk i Blanchot byli producentami, liczącymi się na świecie...

O tym samym myśli Sarpowicz, mając przed sobą dwie świecące łysiny starszych panów. Pattsy rozpięła mu koszulę i błądzi palcami po jego piersiach. Jej ostre paznokcie, jak pazurki przeciągającej się kotki, wpijają mu się co pewien czas w ciało, ale nie podnieca go to, siedzi obok niej ociężały i senny; na krótkie momenty otrzeźwia go tylko myśl, że powinien w jakiś sposób spożytkować znajomość z obydwoma producentami, z reżyserem Saumontem i choćby z samym Soldivierem, który wprawdzie na pokazie filmu nie był, ale słyszał, co o nim mówiono na konferencji prasowej. Czas uciekał, ten przeklęty, niewyczerpany długodystansowiec, którego nikomu nie udało się zatrzymać, i liczyła się już teraz każda godzina nie przerobiona na szansę, na nadzieję...

– Z czego ty jesteś? – pyta Pattsy z ustami przy jego uchu.

– Nie rozumiem. Co znaczy – z czego?

– Bo na ogół ludzie zrobieni są z ciała. A ty jakby nie. Gdybym się tak przytulała do innego mężczyzny...

Marek całuje Pattsy, żeby uzyskać choć chwilę spokoju. Ale... Czy nie ma racji ta czarnuszka? Czy on na pewno zrobiony jest z ciała, a nie z ról, które wykuwa na pamięć, nie z list sprawunków, które co rano wręcza mu Elżbieta, nie uwalniając go nawet w Cannes od obowiązku myślenia o rodzinie? Do dziś nie udało mu się znaleźć tego jakiegoś wymyślnego smoczka, który przyjaciółka Elżbiety, również młoda matka, dostała dla swojej pociechy z Paryża, a więc i Magdusia nie mogła obyć się bez niego...

– Gdybym miał w zapasie choć pięć dobrych scenariuszy – mówi Balk do swego przyjaciela George'a Blanchota – mógłbym spać spokojnie.

– Chyba właśnie po to, żeby móc spać spokojnie, przeniosłem się do Stanów.

– I śpisz?

– Nie.

– To samo, co tutaj?

– To samo. Wciąż zjawiają się jacyś wyleniali faceci z pogniecionymi kartkami w rękach i wpychają mi je, i każą czytać. Ale ja nie czytam pogniecionych kartek, bo wyglądają na to, że już je ktoś miętosił i odrzucił, i ci faceci przychodzą z nimi do mnie. Mam dla nich zawsze jedną radę.

– Jaką?

– Żeby przychodzili do producentów ze świeżo przepisanym scenariuszem. Bo nikt z zaciekawieniem nie czyta pogniecionych kartek...

– Ja czytam.

– Masz dużo czasu?

– Nie. Ale mam wciąż nadzieję, że w końcu trafię na jakąś rewelację.

– Masz Soldiviera, to ci powinno wystarczyć.

– Częściowo. I na razie. Bo Soldivier się kiedyś skończy. Jak długo można co roku wypluwać z siebie nowy film? Wciąż się boję, że jeśli nie znajdzie odpowiedniej dziewczyny...

– Znajdzie, znajdzie... O to nie ma obaw – mruczy sennie Blanchot.

W trzecim wozie się śmieją. Suzanne Aringaux z kolanem przysuniętym do kolana reżysera Saumonta opowiada, jak na egzaminie do studium aktorskiego wyrecytowała miast oczekiwanego Corneille'a fragment ociekającej lubieżnością prozy Rabelais'go.

– Wyobrażam sobie miny czcigodnego grona egzaminujących! – woła Presson. Odwrócony do tyłu, żeby móc widzieć Suzanne, nie jest zadowolony z miejsca obok kompozytora Patona, który zaprosił go do swego wozu. Wolałby siedzieć obok Aringaux, w osobistym zetknięciu miała jeszcze więcej seksu niż na ekranie.

– Takie znów czcigodne to ono nie jest – ciągnie wciąż zaśmiewająca się Suzanne. – Bo kiedy już byłam na studiach nieraz po wykładach ci panowie... – Suzanne urywa, śmieje się jeszcze przez chwilę, ale już nie kończy zdania. Nie wszystkie wspomnienia z życia nadają się do zwierzeń, nawet większość nie nadaje się do zwierzeń, a już na pewno nie te, które chce się wspominać. W dodatku ten plotkarz Presson mógłby to wszystko wydrukować, nigdy nie wiadomo, co takiemu dziennikarzowi może przyjść do głowy. No i nie należy samej sobie psuć opinii, wystarczy, że robią to inni.

– Suzanne, moje dziecko! – mówi Saumont, który nie ma jeszcze czterdziestki i dlatego z kokieterii chętnie posługuje się ojcowskim tonem. Mocniej przyciska dość chuderlawe kolano do okrągłego kolana Suzanne, zastanawia się nawet, czy nie położyć na nim dłoni. – Nie należy mieć za złe panom, że nie mogą oprzeć się twoim wdziękom.

– Ależ ja im wcale nie mam tego za złe – nie przestaje śmiać się Suzanne.

Z tą odrobiną rozwiązłości – myśli Presson – ta dziewczyna zrobi karierę. Tego właśnie brak tej Turoń, która w życiu jest jeszcze bardziej zasadnicza niż na ekranie. Może się boi? Boi się otworzyć, pozwolić sobie na swobodę, na jakąś małą niewłaściwość, która dodałaby jej pikanterii. Jest w obcym kraju, wśród obcych ludzi, wydaje jej się zapewne, że ją wciąż obserwują i tylko czekają, żeby mieć jej coś do zarzucenia. Niechby choć na chwilę przestała być spięta jak koń przed wzięciem następnej przeszkody. Czy ją weźmie? Czy ten skromny, pełen prostoty środków i intencji polski film z jej rolą ściszoną, ale tym bardziej wyrazistą, przekona jurorów, że tak właśnie trzeba walczyć o najbardziej podstawową potrzebę człowieka – patrzenia drugiemu człowiekowi prosto w twarz.

– Dlaczego pan zamilkł? – pyta Suzanne.

– Przepraszam. Zamyśliłem się.

– Nad czymś przyjemnym?

– Nie wiem... Raczej czegoś mi... żal.

– Żal? – Saumont kładzie spoconą, kościstą rączkę na opalonym kolanie Suzanne. – To nie jest uczucie ani refleksja na dzisiejszą noc, a raczej poranek. Mam zamiar upić się u Soldivierów i spędzić czas na samych głupstwach.

– Czy pani śpiewa, Suzanne? – pyta Paton znad kierownicy.

– Oczywiście – odpowiada Suzanne bez zbytniej pewności.

– Sopranem?

– Raczej altem.

– Co to znaczy – raczej?

– Bo nie mogę na przykład śpiewać sopranowych arii...

– Ach, któż myśli o ariach? Od kilku tygodni chodzi mi po głowie piosenka, którą mógłby zaśpiewać ktoś taki jak pani. Zmysłowa, ale bez melancholii, przeciwnie – pełna ekspresyjnej nadziei Bertrand, przydałaby ci się piosenka w twoim filmie?

– Czemu nie? Jeśli dobra...

– Zagram ją wam u Soldivierów.

– Mają fortepian?

– Mają. I to dobry! Marcel kupił go dla mnie. Nie odwiedzałbym go, gdyby nie miał fortepianu.

– Teraz ludzie mają raczej magnetofony – mówi Suzanne.

– Właśnie – potwierdza Paton. – Raczej magnetofony.

Jadący przodem Soldivier skręca w boczną drogę, wiodącą między winnicami ku morzu. Poświata na płycie zatoki staje się coraz jaśniejsza, jej różowość przechodzi w złoto, zaraz zza wschodniej linii horyzontu wychyli się gorejący czub słońca.

– Za chwilę zobaczycie nasz dom – mówi Isabelle do Polaków. Martwi ją, że obydwoje zamilkli, czyżby przyjęcie ich filmu przez publiczność nie wydało im się dość życzliwe? Nie ono zresztą się liczyło ani nawet nie to, co po pokazie napisze prasa; werdykt jury okazywał się niekiedy zupełną niespodzianką. – Dostaniecie zaraz coś do jedzenia. O ile oczywiście uda się nam obudzić Paulette.

– Paulette wstaje teraz bardzo wcześnie – informuje Soldivier.

– Och! – woła Isabelle zdumiona najbardziej tym, że mąż zna obecne zwyczaje opiekunki ich letniego domostwa. – Nie jest chyba chora?

– Po prostu starzeje się. A ludzie starzy nie potrzebują już tyle snu. Prócz tego... ma kury.

– Co takiego?

– Kury. I do nich wstaje o świcie. Twierdzi, że musi mieć w końcu jakieś towarzystwo.

– Ma Salomona i Dianę.

– Salomon śpi całymi dniami, zwinięty w kłębek pod jej

kołdrą, a Diana, od kiedy nie zabieram jej do lasu, włóczy się po okolicznych winnicach.

– Nie masz ochoty znów zapolować?

– Nie.

– Dlaczego? Lubiłeś to.

– Przeszło mi. Nie tylko Paulette, ja się też starzeję. A im bardziej człowiek zbliża się do śmierci, tym więcej ceni także i cudze życie.

To niepotrzebne – myśli Anna – to nawet niewłaściwe – w taki piękny poranek mówić o śmierci. – Przez cały czas uważała, że gromadzone przez Isabelle towarzystwo przeszkadza jej w obcowaniu z mężem, teraz nabiera przekonania, że Isabelle czyni to celowo, żeby uniknąć jakiejś rozmowy, choćby nawet i tej o śmierci, której nie można kontynuować wioząc na tylnym siedzeniu przysłuchujących się gości.

– Tak, masz rację – ucina Isabelle. I od razu zmienia temat. – Kiedy skończą się te winnice – mówi – zaraz zobaczycie oliwki w naszym sadzie. A za nimi białe ściany...

Dom Soldivierów nie jest duży ani piękny. Ale właśnie dlatego odkupili go od jakichś wieśniaków, że nie przypominał żadnej z tych nowoczesnych rezydencji, którymi ludzie bogaci pragną podkreślić swój status. Długi i niski, miał piękny stromy dach i zielone okiennice zamknięte teraz na noc, jak ogromne powieki ułożonego do snu zwierzęcia. Od frontu tonął w różach i pnączach glicynii, od tyłu miał opadający w stronę morza rozległy trawnik, a na nim pod ogromnym kolorowym parasolem okrągły stół i białe krzesła.

– Ależ to jest bajka! – woła Anna, czym prędzej wysiadając z samochodu.

– Bajka! – potwierdza Wojtaszek. On także marzy od lat o takim wiejskim domu i takim przed nim trawniku, po którym mogłyby biegać jego dzieci.

Anna myśli o tym samym.

– Sebastian! – wzdycha. – Sebastian byłby zachwycony!

– Kiedyś przyjedzie tu na wakacje – mówi Isabelle.

Zdanie to rzucone jest mimochodem, bo Isabelle już zgarnia swoich gości i z podjazdu dla samochodów prowadzi ich ku wejściu – ale Anna słyszy je inaczej, może jeszcze nie jak zapowiedź czy obietnicę, ale jak sygnał czegoś, co naprawdę mogłoby się zdarzyć. Kiedyś... powiedziała Isabelle. Anna drapieżnie wychwytuje każde słowo, które jak piękny prezent będzie mogła zawieźć tam, dokąd już wraca za kilka dni, dokąd wraca już teraz, choć jeszcze tu jest wśród tych obcych ludzi. Wariatko, mówi do siebie, tak jak powtarzała to sobie w Cannes już dziesiątki razy, ciesz się, że tu jesteś, że to ci się przydarzyło, bo najpewniej nie przydarzy się po raz drugi w życiu.

Wbrew przewidywaniom Soldiviera Paulette jeszcze śpi i dopiero walenie w okiennice jej pokoju wyrywa ją ze snu.

– Paulette! – woła Soldivier. – Nie przestrasz się! To my!

Mija długa chwila, zanim Paulette owinięta w szlafrok zjawia się na progu. Siwiuteńka, ale krzepka, ma już chyba siedemdziesiąt lat, które dobrały się jednak tylko do jej włosów, pozostawiając policzkom ich rumianą krągłość.

– O, Boże! – szepcze na widok gości.

– Nie przestrasz się – powtarza Soldivier. – Jest chyba w domu coś do jedzenia. Wszyscy są strasznie głodni.

– Są konserwy. I jaja... I coś do picia... – szepcze w popłochu Paulette, cofając się przed gośćmi w głąb domu.

– Alkoholami zajmę się sam.

– Podobno masz kury – mówi Isabelle.

– Tak – rozjaśnia się Paulette. – I nawet dziesięć kurczaków.

– Świetnie! – woła Isabelle. – Będą smażone kurczęta na śniadanie! Czy to długo potrwa?

– Co, proszę pani? – pyta Paulette.

– No... żeby je... oczyścić... I oskubać...

– Ja mogę pomóc – zgłasza się Balk. – Zwykle, kiedy jeżdżę na polowanie, sam skubię dzikie ptactwo.

– No to prędziutko, Paulette! – przynagla Isabelle. – Pokaż, co potrafisz. Jesteśmy bardzo głodni.

Ale Paulette nie rusza się z miejsca. Policzki jej pobladły i jakby zapadły się w zszarzałej twarzy.

– Prędzej, Paulette! – powtarza Isabelle. – Piliśmy tylko przez całą noc i jesteśmy głodni jak psy. Poza tym stęskniłam się za twoją kuchnią, wiesz o tym.

– Ale ja... – Paulette wydobywa wreszcie z siebie cichutki, drżący głos. – Ja...

Soldivier obejmuje ją ramieniem, kierując się razem z nią ku drzwiom.

– Pomogę ci – mówi. – Panie i panowie – zwraca się do gości. – Ja odpowiadam dziś za kuchnię!

– Najwyższy czas – mruczy Balk – żebyś się zajął czymś pożytecznym.

– A my – woła Isabelle – nakryjemy do śniadania w ogrodzie. Jest już zupełnie ciepło, zaraz wzejdzie słońce. – Otwiera ogromny dębowy kredens, który chyba zrośnięty jest z tym domem od pokoleń, i wyjmuje z jego przepastnego wnętrza serwetę, tace, naczynia. – Ruszajcie się, dziewczęta! Pomóżcie mi!

– Ja się do tego nie nadaję – wzrusza ramionami Pattsy. – Jeszcze coś stłukę.

– Nie stłuczesz, nie stłuczesz. A zresztą... Nie jestem zbytnio przywiązana do skorup. To wszystko kupiliśmy razem z domem. Tamci ludzie już nie żyją, a to wciąż trwa. Nie lubię przedmiotów za to właśnie, że są trwalsze od ludzi. – Isabelle bierze w dwa palce śliczną filiżankę z cieniutkiej porcelany i upuszcza ją na podłogę.

Cichutki trzask trwa przez sekundę w zapadłej ciszy.

Przerywa ją Balk, uplasowany już w wygodnym fotelu.

– Tak, Isabelle! Tak właśnie trzeba walczyć z zagracaniem świata przez cywilizację.

Anna schyla się, żeby pozbierać szczątki filiżanki.

– Szkoda – szepcze. – Taka piękna.

– My też jesteśmy piękne, prawda? – Isabelle odbiera jej skorupki i wrzuca do kosza na śmieci. – Nakryj serwetą stół w ogrodzie.

Wschodzące słońce wydobywa z zieleni jej najpiękniejszy odcień. Chyba i woń także, bo powietrze przesycone jest aromatem każdego drzewa i krzewu. Anna stoi przez długą chwilę przy stole pod ogromnym parasolem i patrzy na zdarzający się przecież co dnia, ale tak rzadko oglądany, cud poranka. Niedaleko stąd, poniżej stromego brzegu, uderza o skały morze. Nad wierzchołkami palm widać jego pasemko stopione z błękitem horyzontu. Przejmujące piękno świata pomniejsza wszystkie sprawy, którymi zajmuje się człowiek. Ile było w moim życiu takich chwil – myśli Anna – kiedy pozwalałam sobie na zachwycone patrzenie, na przyglądanie się ziemi, zanim ludzie nie zniszczą jej do końca...

– Anno! – woła Isabelle. – Co się z tobą dzieje? Niesiemy talerze i sztućce.

Anna pośpiesznie narzuca serwetę na wilgotną jeszcze trochę od rosy powierzchnię stołu. Żal jej chwili, którą przeżyła tu w samotności, prawie ból sprawia jej myśl, że zaraz wtargną wszyscy w ten poranek, nie zauważając nawet jego niezwykłości.

– Chyba tu zmarzniemy – krzywi się Suzanne. Ma bardzo wydekoltowaną suknię i dziwnie przy niej wygląda stos talerzy, które dźwiga.

– Dam ci szal – mówi Isabelle. Sama także ubrana jest skąpo, ale nie przechodzi jej przez myśl, że mogłaby zmarznąć. – Lubię tu jadać – dodaje, jakby przepraszając Suzanne, że naraża ją na gęsią skórkę. – Zbyt często muszę wzrok ograniczać ciasną klatką kadru, żeby nie tęsknić do wolnej przestrzeni. Wybaczcie mi to, moje pięknie rozebrane panie.

Anna podsuwa wyżej haftowaną falbanę białej bluzki, którą Isabelle przyozdobiła na filmowy pokaz czarnym strusim piórem i obniżyła ją tak, że obnażała głęboko dekolt i ramiona. Do tej pory nie odczuwała chłodu, dopiero uwaga Suzanne, przywołująca doraźne i pospolite doznania, sprawiła, że także zrobiło jej się zimno.

– Hej, chłopcy! – woła Isabelle w głąb domu. – Przynieście sześć foteli! Za mało tu krzeseł.

– Ja swego nie oddaję – odpowiada Balk. – I pozwólcie mi się zdrzemnąć, dopóki nie zjawi się coś na stole.

Ale właśnie Isabelle nie dopuszcza do tego, żeby Balk zapadł w drzemkę. Korzystając z zamieszania przy wynoszeniu foteli, siada przy nim na piętach i zapaliwszy papierosa pyta:

– Francis, chyba pochwalałeś zawsze mój wybór aktorek do filmów Marcela? Choćby ta Aringaux! Jak nam donoszą z Poziomu Minus Jeden, o czym zapewne wiesz także, „Odsiecz" sprzedaje się świetnie i już wkrótce Suzanne stanie się sławna w kilkunastu krajach, które zakupiły film.

– Zasługuje na to – mruczy ten tłuścioch Balk. – Jej widok sprawia, że byle ogryzek w kinie czuje się mężczyzną.

– Kiedy zobaczyłam ją po raz pierwszy na scenie w Orleanie, nie uwierzysz... Dzięki niej można było sobie po raz pierwszy wyobrazić, że Joanna d'Arc była seksowną dziewuchą, za którą naprawdę mogło pójść całe wojsko.

– A to jest koncepcja! – śmieje się Balk.

– Ale nie przyszłam do ciebie, żeby rozmawiać o Suzanne... Przypatrz się tej Polce. Myślę, że wystarczyłoby ją popchnąć trochę w górę, żeby już sama wywindowała się bardzo wysoko. Bezskutecznie staram się wmówić ją Marcelowi, nie wiem dlaczego jest taki oporny. Może gdybyś ty spróbował...

– Nie mam za grosz talentu do perswazji. – Balk odbiera Isabelle papierosa i sam się nim zaciąga.

– Ale obiecaj mi, że jeśli nadarzy się odpowiedni moment...

– Obiecuję. – Balk dotyka wierzchem pulchnej dłoni policzka Isabelle. – Jesteś niestrudzona!

– Muszę – uśmiecha się melancholijnie pani Soldivier.

Wraca do stołu na trawniku, poprawia i uzupełnia nakrycie, które jest dziełem Suzanne i Anny. Pattsy zajmuje się raczej panami. Przysiadła razem z nimi na stopniach ganku, oparła brodę na kolanach Sarpowicza i wpatruje się w niego swoimi wypukłymi oczyma pięknego psa.

– Moi przodkowie – mówi – najbardziej cenili sobie polowania na trudną zwierzynę. Mam to po nich.

Marek milczy. Wciąż myśli o liście zakupów, którą przed wyjazdem wsadziła mu do kieszeni Elżbieta. Ale już zaczyna być wściekły na siebie, że jest spętany jej oddziaływaniem, jakby była czarodziejskim przedmiotem, odbierającym mu wszelką swobodę.

– A moi przodkowie – odzywa się Presson – mieli restaurację. Niestety, nie mam tego po nich, brakuje mi nawet czasu, żeby się porządnie najeść i jestem wciąż głodny.

– Zaraz! – chwyta w locie tę kwestię Soldivier, znoszący z piwnicy wino. – Zaraz będzie coś do jedzenia!

– Pomogę panu! – Saumont zrywa się ze schodów. – Mam wyrzuty sumienia, że zrobiliśmy taki najazd na wasz dom.

– Isabelle to lubi. – Soldivier zamyśla się na chwilę. – Zwłaszcza ostatnio.

Do piwnicy podąża za nimi również Tarło, wkrótce i Paton, a także Blanchot, zaciekawiony tajemniczym znikaniem mężczyzn.

– To jest przybytek! – woła, stanąwszy wśród półek zapełnionych ułożonymi na nich butelkami. – Marcel! Nie podejrzewałem pana o to.

– Również i wino kupiliśmy razem z domem. A że służy prawie wyłącznie gościom, więc wciąż utrzymuje się tu jeszcze spory zapas.

– Tylko ja go uszczuplam – przyznaje się Paton, szukając dla siebie odpowiedniej butelki na półkach. – Lubię prowansalskie wino i skomponowałem przy nim, gospodarząc tu razem z Paulette, muzykę do trzech filmów Marcela.

– Przypominam – Saumont także przygląda się etykietom na butelkach – że obiecał pan nam zagrać piosenkę dla Suzanne.

– Pamiętam. Ale tym bardziej muszę się przedtem napić.

– Postawiłem już na stole – wtrąca Soldivier – wszystko, co lubisz.

– Dziękuję.

Gdybym tak mógł zapraszać do siebie swoich przyjaciół – myśli Tarło. Ma dwa pokoje i troje dzieci, które muszą wcześnie chodzić spać. Od kiedy zaczęły pojawiać się na świecie, nie zaprosił nikogo do swego domu nawet na herbatę. Pracował nocami w kuchni, gdy wszyscy już spali, przy dziennym gwarze domu mógł oddawać się tylko lenistwu. Ale i w Polsce byli reżyserzy, którzy mieli domy, a w nich dobrze zaopatrzone piwnice. Teraz „Zdobywanie świata" mogło sprawić, że zacząłby się do nich zaliczać...

– Jak pan sądzi – chwyta za guzik producenta Blanchota – kupi ktoś ten mój film?

– Ależ oczywiście – Blanchot jest człowiekiem uprzejmym, poza tym wie, że najlepiej prowadzi się rozmowę, gdy mówi się to, co chce usłyszeć rozmówca. – Na pewno. Może tylko podczas konferencji prasowej pani Anna upierała się niepotrzebnie przy pewnych stwierdzeniach...

– Przy jakich mianowicie? – pyta Wojtaszek cierpnąc.

– Kilku dziennikarzy podkreślało polską specyfikę pana obrazu i trzeba było pozwolić im na to. A ona...

– A ona?

– Ona uparcie twierdziła, że życie ułatwione poprzez rezygnację z zasad jest problemem ogólnoświatowym. Nie słyszał pan tego?

– Chyba słyszałem, ale nie uważałem tego za aż tak ważne.

– A jednak. Poza tym...

– Co poza tym?

– Na przyszłość dam panu jedną radę: niech pan robi filmy, które można streścić w jednym zdaniu. Tylko takie dobrze się sprzedają – mogą być nie wiem jak skomplikowane, ale ich treść powinna się zamknąć w jednym zdaniu. Niech pan weźmie na przykład „Love story". Kochają się i ona umiera. Może pan tak krótko streścić „Zdobywanie świata"?

– Owszem – mówi Wojtaszek, czując, jak tężeją mu wargi. – Kochają się, a on okazuje się zwyczajnym współczesnym sukinsynem.

– Doskonale! – śmieje się Blanchot. – Film ma szanse!

– Wychodzimy! – woła Soldivier.

Na stole pojawiły się już półmiski z zakąskami.

– Wszystko z puszek – usprawiedliwia się Isabelle – ale Paulette nie była uprzedzona, że zjawimy się tu całą gromadą. Za to takich kurcząt nie dostaniecie w żadnej restauracji.

– Na pewno – bąka pod nosem Soldivier, nalewając wino. Isabelle zwraca na chwilę ku niemu spojrzenie, ale zaspany Balk pojawia się właśnie w drzwiach, więc podbiega do niego i sprowadza go ze schodów na trawnik.

– I znowu każecie mi coś pić – mruczy, opierając się na jej ramieniu.

– Ależ nikt ci nie każe, mój drogi.

– Nie? To po co mnie budzono? Być u was i nie napić się wina, które wasi poprzednicy składowali w tym domu od lat – to byłby prawie grzech.

– Grzech – potwierdza Paton, unosząc w górę szklankę.

Pierwsze promienie słońca są już na czubach drzew i naraz, jakby cała filharmonia ożywiona pałeczką dyrygenta – odzywają się ptaki.

– Przyjeżdżam tu czasem dla tej jednej chwili – mówi Soldivier. Nie pije, trzyma tylko szklankę w ręce, gładząc palcami szkło. Spojrzenie ma nieruchome, nie zwraca go ku nikomu, jakby nie było tu ani jednej twarzy, na którą chciałby patrzeć.

– I pomyśleć – Isabelle stara się nadać swemu głosowi żartobliwy ton – że nigdy nie kontemplowaliśmy tej cudownej chwili razem.

– Ale można to nadrobić, prawda? – Marcel, przechyliwszy głowę, patrzy wreszcie na żonę. Również stara się, aby żartobliwa nutka zabrzmiała w jego głosie, ale wyraz twarzy nie popiera tego wysiłku. – Możemy to nadrobić, choć... nie należy dowierzać czasowi, który ma się przed sobą.

– Przede wszystkim nie należy mnie straszyć – szepcze Isabelle; wypija od razu swoje wino i sięga po butelkę nie czekając, żeby mąż jej nalał. – Mam nadzieję, że miałeś na myśli tylko to, iż kiedy postarzeję się jeszcze bardziej, nie będzie mi się chciało wstawać o świcie. Ale mylisz się, bardzo chcę się postarzeć.

– Och, nie żartuj, Isabelle! – woła Suzanne z pełnymi ustami. Nałożyła sobie wzgórek szynki, salami i krabów i pochłania to wszystko z bezwstydnym apetytem. – Postarzeć się? To najgorsze, co nas czeka.

– Dlaczego? – uporczywie nie rezygnuje ze swego zdania Isabelle. I dodaje nietaktownie wobec trzech aktorek przy swoim stole. – Z moim zawodem mogę starzeć się spokojnie. I jeszcze... dobrze mieć męża, przy którym nie opuszczałby ten spokój...

Czy ona wyobraża sobie – myśli Anna, sennie przysłuchując się tej rozmowie – że ma takiego męża, czy też stwierdza tylko, że dobrze by było go mieć? – Zawiła stylistycznie wypowiedź Isabelle nie stwarzała co do tego żadnej pewności. Szymon... Anna powstrzymuje czuły uśmiech, który drży na jej wargach. Sędziowie, na szczęście, nie byli atakowani tak jak reżyserzy bezustannym widokiem młodych ciał.

– Niestety – Pattsy umyślnie czy też bezwiednie podkreśla niezręczność gospodyni – aktor musi być zadowolony z własnego wyglądu albo przynajmniej z nim pogodzony. Gdybym była na przykład gruba...

– Psujecie mi apetyt! – Suzanne wyjada wszystko ze swego talerza i odsuwa go od siebie.

– Ależ, kochanie! – woła pani Soldivier. – Na razie nic ci nie grozi. Masz znakomitą figurę. Radzę jednak zostawić trochę miejsca w twoim ślicznym brzuszku na następne danie. Zaraz będą kurczęta.

Ale zamiast nich Paulette i Soldivier, który pobiegł do kuchni, żeby jej pomóc, wnoszą ogromne półmiski z dymiącymi omletami.

Nagła cisza przewiała gwar przy stole.

– Co to jest? – pyta cicho Isabelle, wznosząc oczy na męża.

– Omlety, kochanie. Wiesz, jak świetnie Paulette robi omlety.

– Wiem. I uwielbiam je. Ale można je było podać po kurczętach.

– W ogóle nie będzie kurcząt.

– Jak to, nie będzie kurcząt?

– Po prostu nie będzie. Widziałaś chyba, jak Paulette...

Pani Soldivier zrywa się od stołu i potrącając krzesło biegnie do kuchni. Paulette już tu jest; zwrócona twarzą ku drzwiom czeka.

Isabelle dyszy przez chwilę, oparłszy się o stół. Ale w twarzy starej służącej jest coś, co sprawia, że nie wybucha. Milczy przez długą chwilę, a potem mówi cicho:

– Przepraszam, Paulette. Zachowałam się okropnie. – I zaczynają obydwie płakać, ciasno objąwszy się ramionami.

Kiedy Isabelle, przemywszy oczy zimną wodą, wraca wreszcie z kuchni, całe towarzystwo po wymieceniu omletów z półmisków jest już w pokoju, gdzie Paton przegrywa wciąż piosenkę, którą miałaby śpiewać Suzanne w filmie Saumonta. Wszyscy już ją nucą podnieconymi winem głosami. Potem zaczynają się tańce, pań jest mniej niż panów, więc wszystkie zostają porwane na skrawek parkietu, pusty po wyniesieniu na trawnik foteli. Balk wreszcie dorwał się do Pattsy, ale tusza jego sprawia, że nie starcza mu długości rąk, żeby ją objąć.

– Ależ ty ją rozgnieciesz tym swoim brzuchem! – śmieje się Blanchot.

– Jest całkiem mięciutki – Pattsy przytula się do ogromnej wypukłości, którą Balk dźwiga przed sobą. Ale zostawia go po kilku taktach i dopada Marka, szukającego dyskretnie miejsca, gdzie by mógł się przespać. – O, nie! – woła, wyciągając go na środek pokoju. – Nie po to tu przyjechaliśmy, żeby spać!

Anna tańczy z Pressonem, sztywna, ani trochę nie senna, cała owładnięta potęgującą się rozpaczą. Mijała godzina za godziną i nie działo się nic, co mogłaby zapisać na swoje konto. Presson powiedział jej, że zaraz z rana po powrocie do Cannes musi przetelefonować do gazety sprawozdania z wczorajszych pokazów, z pokazu „Zdobywania świata" także. Z pokazu „Zdobywania świata" przede wszystkim! – powiedział, a ona powinna była przytulić się do niego, zarzucić mu ręce na szyję, pozwolić może na jakąś poufałość, gdyby miał na nią ochotę. Ale do niczego takiego nie była zdolna, tańczyła jak drewno, którego nie są w stanie rozgrzać obejmujące je ramiona. Nie zapytała nawet Pressona, czy film mu się podobał, puściła mimo uszu jego nieobowiązujące komplementy, nie była ciekawa tego, co powie i co napisze, ponieważ wciąż myślała – i wciąż się tym truła – dlaczego na pokazie nie było Soldiviera...

Tańczył teraz z żoną; obydwoje milczący, najwidoczniej nie potrzebujący już słów do porozumienia.

– Wiem, że chciałbyś teraz pobiegać – mówi wreszcie Isabelle. – Wymknij się niepostrzeżenie, wciągnij dres...

– Tak chyba zrobię – Soldivier całuje żonę w policzek. – Pobiegnę brzegiem morza ze dwa kilometry w stronę Nicei.

– Ale nie dalej.

– Nawet nie mam na to ochoty. Jednak ta noc była męcząca. Prześpimy się kilka godzin po powrocie do hotelu w Cannes.

– Ja także marzę o tym.

– Więc pobaw teraz gości beze mnie...

– Sami bawią się doskonale.

Blanchot, stojący z Wojtaszkiem przy fortepianie, na którym Paton wygrywa najmodniejsze szlagiery, otwiera nową butelkę wina. Przyglądają się tańczącym zamglonymi już trochę oczami.

– Skądże pan wyrwał taką dupę? – pyta naraz Blanchot.

Tarło prostuje swą niepozorną postać, stara się nadać głosowi ton pełen obrażonej godności.

– Anna nie zasługuje na to, żeby w ten sposób...

– Ależ ja nie myślę o pani Annie. Przepraszam. To ten pana amant od siedmiu boleści! Chłop jak byk, a zupełny mięczak. Na ekranie jeszcze jako tako, ale w życiu najwidoczniej się nie sprawdza. Ile się namęczy ta brązowa ślicznotka, żeby go rozruszać! Broniąc honoru Polaków, powinien pan sam się nią zająć.

– Chętnie – propozycja Blanchota przypada niespodziewanie Wojtaszkowi do gustu. Poprawia krawat, obciąga na sobie wygnieciony nieco smoking. Już wieczorem nabrał pewności, że uszyty przed czterema laty nie był smokingiem, w którym można by zabłysnąć na schodach w Pałacu Festiwalowym, gdzie spotykały się supergwiazdy, słynni producenci i reżyserzy. W dodatku wyrósł jakby z niego, niestety, wszerz, ale teraz ta przyciasność smokingu wydała mu się nawet pożądana. Wyglądał w nim bardziej męsko, bicepsy rozsadzały przyciasne rękawy, zbyt wąski dół marynarki opinał sprężyste pośladki. Wojtaszek rusza ku Pattsy i odsuwa od niej wcale tym nie zmartwionego Marka.

– Brawo! – woła Blanchot.

Anna dostrzega wyjście Soldiviera, przeprasza Pressona i podchodzi do Isabelle.

– Chce trochę pobiegać – wyjaśnia od razu, choć Anna o nic nie pyta. – I tak już zapewne robi sobie wyrzuty, że dziś nie będzie pływał ani grał w tenisa, więc niech się chociaż przeleci wzdłuż brzegu.

– Czy... – Annie drży trochę głos – czy mogłabym pobiec razem z nim? Podczas studiów należałam do klubu sportowego i miałam całkiem niezłe wyniki...

Pani Soldivier patrzy na nią przez chwilę.

– Ależ doskonale! – mówi wreszcie (choć wie, że mąż będzie wściekły). – Doskonale! Niech pani biegnie za nim.

Po obydwu stronach ścieżki, wiodącej w dół ku morzu, drżą jeszcze gałązki krzewów potrącone przez Soldiviera. Ale jego już nie widać, Annę ogarnia panika, że już go nie dogoni, że co najwyżej będzie musiała usiąść u wylotu ścieżki na plażę i czekać tam na niego. Dostrzega go jednak zaraz po wydostaniu się z zarośli; biegnie samotny wzdłuż brzegu, nieśpiesznie odmierzając kroki. Anna rzuca się w tym kierunku, już wie, że uda jej się z nim zrównać, że zobaczy ją wkrótce obok siebie i będzie musiał przystanąć, będzie musiał się zatrzymać...

Nie dzieje się jednak nic takiego.

Soldivier się nie zatrzymuje, nie poznać po nim nawet, że dostrzegł jej obecność obok siebie. Morze jest tego poranka spokojne i obydwoje słyszą swoje oddechy; Annie wydaje się to jakąś wspólnością, pierwszą, która powinna zbliżyć ich do siebie. O, Boże! – myśli. – Niech ten człowiek przemówi, niech odezwie się do mnie! – Mokry piasek ugina się pod stopami, Soldivier biegnie w trampkach, Anna – boso, wilgotny chłód przenika ją całą, słońce nie zdążyło jeszcze nagrzać poranka. Pomysł, żeby towarzyszyć Soldivierowi w jego rannym biegu, wydaje jej się nagle idiotyczny. I ośmieszająco pozbawiony taktu. Czemu Isabelle jej tego nie wyperswadowała, czemu – znając swego męża – pozwoliła, żeby spotkało ją kolejne upokorzenie?

– Dlaczego nie był pan na pokazie naszego filmu? – krzyczy.

Soldivier jakby tego nie słyszał. Biegnie dalej, nie zwolniwszy kroku, nie zwróciwszy ku niej głowy.

– Dlaczego? Czy szkoda było panu czasu? Nie spodziewał się pan żadnych rewelacji i szkoda było panu czasu, tak? Ale mógł pan choćby z uprzejmości... Skąd się bierze w człowieku taka pycha? Taka pycha!

Soldivier milczy, biegnie i milczy. Anna zaczyna go nienawidzić. Za spokój, którego nie potrafi w nim zburzyć, za utkwiony w horyzoncie wzrok ani na sekundę nie zwrócony ku niej.

– Niech pan tylko nie myśli, że się tym przejmuję... Pytam tylko z ciekawości... Bo mnie pan ciekawi! Ciekawi mnie pan jako osobnik...

Annie brak tchu, potyka się, uderza palcami stopy w wystający z piasku kamień, ale mimo bólu nie przestaje krzyczeć, zdyszana i na wpół przytomna.

– Osobnik opętany pychą! O, Boże! Czemu akurat mnie musiał pan tak zlekceważyć? Akurat mnie! I tego biednego Wojtaszka, nie czuje pan, że zrobił mu pan świństwo? Właściwie nie powinniśmy byli tu przyjechać! Nie! Po tym, co pan zrobił? Mogliśmy zostać w Cannes z bardziej życzliwymi ludźmi... Bo film się podobał! Słyszy pan? Podobał się!

Na twarzy Soldiviera zaczyna ukazywać się nikły uśmieszek. Anna go nie dostrzega. Wciąż krzyczy, nie panując nad sobą:

– Film się podobał! Prawie wszystkim! Mówili to!

Dwie mewy, siedzące na kamieniu wystającym z morza, zrywają się do lotu spłoszone ich widokiem.

– Podobał się! Na złość panu! Na złość panu!

Anna wyskakuje przed Soldiviera i szarpie go gwałtownie za przód dresu. Szamocze się z nim przez chwilę, aż mężczyzna unieruchamia jej ręce, przytrzymując je na swoich piersiach.

– Ależ i mnie się podobał – mówi cicho.

Anna dysząc ciężko, przysłuchuje się słowom Soldiviera, nie dowierza im.

– Przecież go pan nie widział!

– Widziałem.

– Był pan na pokazie?

– Byłem, mała histeryczko. Jeśli chcę naprawdę zobaczyć film, nie pcham się tam, gdzie by mnie widziano. Potrzebuję spokoju, żeby się skupić. Wszedłem na salę, gdy szła już czołówka. Usiadłem obok jakiegoś człowieka, mając pewność, że nie będzie nic do mnie mówił podczas projekcji...

– I na konferencji prasowej był pan także?

– Oczywiście. Stanąłem przy drzwiach...

– Ale słyszał pan wszystko?

– Słyszałem.

Anna wciąż nie może uwolnić rąk z uścisku Soldiviera. Chciałaby się zapaść w piasek, ukryć pod nim, nie istnieć.

– Przepraszam.

Marcel podnosi jej ręce do ust, całuje i dopiero wtedy pozwala Annie, żeby mu je odebrała.

– Rozumiem, że mogła pani mieć żal do mnie, teraz chyba jeszcze większy, bo już wie pani, że widziałem film i nic o nim nie mówię. Ale to dlatego, że wciąż jeszcze nie wyrobiłem sobie pełnego o nim zdania.

– Powiedział pan przecież, że... podobał się panu – nieśmiało zauważa Anna.

– Och, tak – generalnie rzecz biorąc. Ale to jest w ogóle niewłaściwe słowo. Podobał się! Film trzeba przeżyć. Trzeba wmieszać się niejako w to, co dzieje się na ekranie. Jeśli reżyser nie potrafi wciągnąć widza na plan swego filmu...

– A Tarło nie potrafił?

– Nie, nie – tego nie powiedziałem. Film jest zrobiony według bardzo interesującego scenariusza. I miała pani rację, twierdząc na konferencji prasowej, że życie ułatwione, robienie karier poprzez rezygnację z ideałów jest zjawiskiem ogólnoświatowym. Pod tym względem film jest uniwersalny. Ale według mnie jest może jednak za bardzo ściszony, przemawiający do innych warstw wrażliwości niż te, które ożywiają się w tłumie. Ale to oczywiście nie jest zarzut. Różni ludzie przemawiają różnym głosem. Pani, na przykład, przed chwilą krzyczała...

– I mam na to znowu ochotę. Bo nie mówi pan nic o... mojej roli.

– Pani... – Soldivier zawraca i idą teraz powoli w stronę Antibes ku ścieżce prowadzącej z plaży do domu. – Gdybym pani nie znał, myślałbym, że mam do czynienia z aktorką jednego tonu. Ale na szczęście wiem, wyobrażam sobie, że tak nie jest.

Dwie mewy, które – spłoszone przez nich – znów usiadły na swoim kamieniu, i tym razem zrywają się do lotu.

– Na szczęście – powtarza Soldivier, a Anna nie ma odwagi zapytać, co to znaczy.

Gdy stają na progu pokoju, w którym Paton wygrywa wciąż na fortepianie modne szlagiery, a trzy pary tańczą, Isabelle – uwięziona w ramionach Pressona – zwraca powoli ku nim głowę. Dopiero po długiej chwili uwalnia się z objęć dziennikarza i klaszcze w dłonie.

– Wracamy do Cannes!

– Chwileczkę! – woła Pattsy. – Nie widziałam jeszcze ogrodu! – I pociąga za sobą tańczącego z nią Wojtaszka, który wcale nie ma ochoty się opierać.

Za drzwiami na skraju posesji jest altana. Wciągając Wojtaszka w jej mroczne wnętrze, Pattsy chichocze cichutko.

– Od razu ją odkryłam, jak tu przyjechaliśmy. Czy tu nie bosko?

– Bosko! – potwierdza żarliwie Wojtaszek. Padają obydwoje na stos tytoniowych liści, które prawdopodobnie przechowywała tu Paulette.

Pattsy wciąż się śmieje i rozwiązuje Wojtaszkowi krawat, rozpina koszulę.

– Nie robiłam tego jeszcze nigdy z Polakiem.

– No... – mruczy Wojtaszek. – Nie wiem, czy jestem taki reprezentatywny i czy mógłbym występować w kadrze narodowej.

Pattsy pomaga mu pozbyć się resztek garderoby.

– Nieźle! – mówi, dotykając go swoimi chwytliwymi rączkami. – Nie ma się pan czego wstydzić.

Liście tytoniu pachną odurzająco. I chrzęszczą cichutko, osobliwa muzyczka towarzyszy każdemu ruchowi ludzkich ciał.

– Hej, hej! – odzywa się w dali nawoływanie Soldiviera. – Wracamy do Cannes!

– Wracaaamyyy! – powtarza Isabelle.

– Prędzej... – szepcze Pattsy. – Prędzej, mój słodki, wspaniały Polaku! Ci okropni ludzie, ci nudni ludzie każą nam wracać do Cannes...

IX

W dniu ogłoszenia werdyktu jury, Soldivierów nie ma już w Cannes. Wezwały ich pilne sprawy, jego do Paryża, ją do Stanów, a ponadto „Odsiecz" nie uczestniczyła przecież w konkursie.

Anna pożegnała ich z niejasnym uczuciem żalu i równoczesnej ulgi, jaką przynosiło uwolnienie się od ich towarzystwa. Miała jakby pretensję do nich (i do siebie także!), że najnierozsądniej w świecie poświęciła im cały swój czas, nie szukając innych kontaktów. Choć nie ogłoszono jeszcze wyników konkursu, nosiła już w sobie swoją klęskę, i nawet Presson (Boże, jaki w końcu okazał się poczciwy!) nie jest w stanie jej rozjaśnić, rozkładając przed nią na stoliku kawiarni Pałacu Festiwalowego płachtę najświeższego numeru swojej gazety z artykułem, w którym nazwał „Zdobywanie świata" prawdziwą rewelacją.

– Dziękuję – mówi Anna bezbarwnie. Wie, że jury nie bierze pod uwagę dziennikarskich opinii, że nawet nie lubi presji wywieranej przez prasę. Co najwyżej opinia gazety mogła liczyć się na Poziomie Minus Jeden, gdzie Film Polski miał swoje handlowe stoisko, starając się zjednać zagranicznych dystrybutorów dla obrazów kręconych nad Wisłą.

– Ja także dziękuję – odzywa się Wojtaszek, bo obydwaj z Sarpowiczem są tu także, i oczywiście Pattsy wraz z nimi, Pattsy w oszałamiająco skąpym jakimś łaszku na oszołamiającym ciele. Wpatruje się teraz w Tarłę, tak jak przedtem wpatrywała się w Sarpowicza, co Wojtaszka zaczyna w końcu krępować.

– Mam nadzieję, że pan tego nie opisze – z głupawym uśmiechem szepcze do Pressona.

Francuz w lot pojmuje, o co chodzi.

– Ma mnie pan za takiego plotkarza?

A nie jesteś? – myśli Anna. – Nie jesteś? – Nie może mu wciąż jeszcze wybaczyć nagłówka nad korespondencją, którą przesłał z Cannes już nazajutrz po jej przyjeździe. „Czy polska aktorka będzie następną muzą Marcela Soldiviera?" Dobre sobie! Boki można było teraz z tego zrywać. Marcel, żegnając się z nią, nie poprosił jej nawet o adres. I tylko Isabelle zostawiła jej dwa swoje na wypadek, gdyby była w Paryżu lub Stanach. Co za idiotyzm! Wrzuciła tę wizytówkę do torby bez nadziei, że będzie jej kiedykolwiek potrzebna.

Natomiast Pattsy ma dla Wojtaszka konkretne propozycje.

– Rozumiem – mówi, oparłszy łokcie na stole, cała przechylona ku Polakowi – że reżysera mogłoby usatysfakcjonować zaproszenie z Paramountu lub Warner Brothers, ale myślę, że i zaproszenie Pattsy Walth nie jest do pogardzenia. Nie zagrałam wprawdzie żadnej głównej roli, ale za to wystąpiłam w dziewięćdziesięciu filmach; która gwiazda może to powiedzieć o sobie? Ludzie rozpoznają mnie na ulicy szybciej niż Meryl Streep, która jest teraz tak modna, a panowie na ogół liczą się z moim zdaniem. Gdybym szepnęła któremuś producentowi...

Wojtaszek zamiast się obrazić, czuje się wzruszony. Bierze łapkę Pattsy i długo ją całuje.

– Jesteś kochana! Ale nie zwykłem robić kariery przez łóżko. Nawet własne, a co dopiero przez cudze.

– Ależ nie bądź naiwny – woła Pattsy. – Tak się załatwia większość spraw. W barze albo w łóżku!

Wojtaszek śmieje się; pragnie całą rozmowę obrócić w żart, krępuje go obecność Marka, choć on zdaje się najmniej w niej uczestniczyć. Natomiast Presson poczuwa się nagle do złożenia zupełnie nie oczekiwanego oświadczenia:

– A ja mógłbym w przyszłym roku zaprosić panią Annę. Najpierw do Paryża, a później do Cannes! – kiedy to mówi, twarz ma szczerze uśmiechniętą i biją z niej dobre intencje, jak pioruny z głowy Zeusa. Mimo to Anna nie czuje się wzruszona, jak Wojtaszek przed chwilą.

– Co pan powiedział? – pyta cicho.

– No... że mógłbym w przyszłym roku wysłać pani zaproszenie... oficjalne zaproszenie – plącze się już nieco zbity z tropu dziennikarz. – Bo, zdaje się, że... jest w waszym kraju wymagane...

– Ależ tak! – woła Pattsy. – Wiem na pewno!

– Wypchajcie się swoimi zaproszeniami! – wybucha Anna głosem, którym na pewno nie mogłaby mówić Corneille'a. Madame Valentine byłaby przerażona, słysząc ją w tej chwili. – Wypchajcie się! Albo przyjadę tu kiedyś, aby naprawdę coś znaczyć, albo nie przyjadę wcale. Nie chcę być zapraszana jak dziadówka, z zapewnieniem wyżywienia, a nawet leczenia na wypadek choroby, upokarza mnie to, rozumiecie?

– Anno! Uspokój się! – szepcze po polsku Wojtaszek.

– Upokarza mnie! – powtarza Anna wciąż nie hamując głosu. – Czuję się jak zbity pies. Nie jestem byle jaką łajzą, którą można wywołać z domu w każde i n n e miejsce świata. A w ogóle nie muszę grać w filmie. Mam męża, dom, dziecko, swój teatr, mam się czym w życiu zająć.

Siedzący przy sąsiednich stolikach zaczynają nieznacznie zwracać ku nim głowy. Czekają tu wszyscy na wezwanie do sali konferencyjnej pałacu, gdzie ma się odbyć ogłoszenie werdyktu jury, które wciąż jeszcze obraduje.

– Sądziłem, że się pani ucieszy – rozbrajająco wyznaje Presson.

– Pomylił się pan. I zdarza się to panu w stosunku do mnie już po raz drugi.

– Anno! – prosi Wojtaszek.

Anna milknie, boi się, że się rozpłacze, robi jej się przejmująco żal – siebie, ale i Pressona, w końcu była pierwszą polską wariatką, z jaką zdarzyło mu się obcować. Skąd mógł przypuszczać, że obyczaj zaproszeń, utrzymujący się od wielu lat między Wschodem a Zachodem, może się wydać komuś obrazą? Dobrze by było udać przed nim, że trochę wypiła, ale on przecież wie, że od czasu wyjazdu Soldivierów nie miała w ustach kropli alkoholu, więc musi się przyznać przed nim, że nerwy odmawiają jej posłuszeństwa, że – jakby to określiła Ewka Zabiełło – stanowczo nie nadaje się do Cannes...

– Przepraszam – mówi wreszcie. – Sama nie wiem, co się ze mną dzieje.

Presson z ulgą zapisuje incydent na konto zdenerwowania przed ogłoszeniem wyników konkursu.

– Udział w każdym konkursie jest hazardem – mówi prawie pocieszająco, i jest to jego pierwszy prawdziwy nietakt tego wieczoru.

W sali konferencyjnej tłok zdaje się rozsadzać ściany. Nie widać wieczorowych kreacji, jakie kobiety włożyły na tę okazję, niektóre z nich może w nadziei, że wywołane zostaną na podium. Anna tej nadziei nie ma; opuściło ją towarzyszące jej przed wyjazdem do Cannes uczucie czekania na cud, który miał na pewno się spełnić. Wojtaszek ściska jej dłoń, gniecie ją, wyłamuje palce. Widocznie ma jednak jakąś nadzieję. Boże! Jakże kochał ten swój film, kiedy go robił, dlaczego inni ludzie mieliby go także nie pokochać, dlaczego mieliby pozostać obojętni na wszystko, o czym mówił...

„Złotą Palmę" otrzymuje film brazylijski, pierwszą nagrodę film amerykański, specjalną nagrodę za artyzm obraz radziecki, nagrodę za najlepszą reżyserię film angielski... Wojtaszek cierpnie, słuchając tych obcych tytułów i nazwisk; wtulił głowę w ramiona, jakby słowa przewodniczącego jury były obsypującym go gradem kamieni. I nagle z tego przerażonego odrętwienia wyrywa go dźwięk znajomy... Już gdzieś słyszał to nazwisko... to nazwisko z trudem wymawiane teraz przez przewodniczącego... Krzysztof Kęsowicz... ten jakiś facet, Krzysztof Kęsowicz otrzymywał nagrodę specjalną za scenariusz do filmu „Zdobywanie świata"...

– Hurra! – woła Marek, jeszcze bardziej ponad tłum wystawiając swój wspaniały kędzierzawy łeb.

– Hurra! – powtarza Anna. Nie spodziewała się, że i cudze szczęście może być przyczyną takiej radości. Wyrażają ją oboje z Markiem może zbyt żywiołowo jak na miejsce i szacowne grono, w którym się znajdują, ale nie potrafią się opanować. Bo jednak zabrzmiało na podium polskie nazwisko i nie wyjadą stąd bez sukcesu, bez uznania dla ich filmu.

Wojtaszek, wciąż nie mogąc ochłonąć, stara się przypomnieć sobie twarz scenarzysty, jego niepozorną postać. Bo to był właśnie ktoś taki – pętaczyna, którego nie można zapamiętać, o którym przestaje się myśleć, gdy się oddala, gdy się go nie widzi...

– Nagroda specjalna za scenariusz filmu „Zdobywanie świata", za jego wartości ogólnoludzkie – powtarza przewodniczący jury, krztusząc się jak za pierwszym razem przy wymawianiu nazwiska – dla pana Krzysztofa Kęsowicza z Polski.

– Niestety, nieobecny! – woła z tłumu Sarpowicz. Opadła zeń cała senność, całe otępienie, któremu poddał się w Cannes, po raz pierwszy od kilku miesięcy zaznając wypoczynku od zawodowych i ojcowskich obowiązków. Bo to on przyniósł Wojciechowi Tarle zwinięty w rulon scenariusz początkującego pisarza, z którym się przyjaźnił i w którego talent wierzył, dość odosobniony zresztą w swoim przekonaniu. On zmusił Wojtaszka do przeczytania scenariusza, on go w końcu skontaktował z autorem, już gdy scenariusz był przyjęty i Wojtaszek zabierał się do pisania scenopisu na jego podstawie, więc rozpiera go teraz duma, że choć nie uhonorowany nagrodą za swoje aktorstwo, przyczynił się jednak do sukcesu polskiego filmu.

– Kto odbiera nagrodę? – pyta już nieco zniecierpliwiony przewodniczący jury.

Wojtaszek przepycha się przez tłum w stronę podium. Gdy przewodniczący wręcza mu nagrodę, rozlegają się dość długo brzmiące brawa i mały Polak ma czas, żeby ze zbitego psa, jakim czuł się przed chwilą, przemienić się w filmowego lwa, który najwidoczniej nie spartolił filmu, co przecież nieraz się zdarza, nawet gdy scenariusz jest wręcz genialny, skoro zwrócił jednak na siebie uwagę jury. Wojtaszek obejmuje zwycięskim spojrzeniem całą salę i powoli schodzi z podium. Kiedy jednak wraca na swoje miejsce wśród tłumu przy drzwiach, ogarniają go myśli podlutkie i niegodne tej chwili. Bo mógł przecież, mógł, u diabła! użyczywszy scenariuszowi swego „filmowego spojrzenia", stać się jego współautorem, mógł nie poddać się w pokorze – rezygnując z wszelkich kalkulacji – jego doskonałości. Scenariusz jednak wydał mu się dobry bez uzupełnień, a ponadto nie zwykł wyrywać ludziom z gardła pieniędzy, niewielkich zresztą; w filmie polskim honorarium za scenariusz wynosiło przeciętnie jedną czwartą p r o c e n t u kosztów produkcji filmu... Ba! ale któż mógł przewidzieć nagrodę w Cannes!

– Nie wyjeżdżamy bez nagrody! – szepcze Anna. Teraz ona ściska dłoń reżysera, wiesza się na ramieniu Marka. – Najważniejsze, że nie wyjeżdżamy bez nagrody!

– Wyobrażam sobie, jak się Krzysztof ucieszy – Marek ściska Annę i Wojtaszka, całuje oboje.

Podczas konferencji prasowej on jeden z polskiej delegacji może powiedzieć coś o autorze nagrodzonego scenariusza. Zresztą niewiele jest do powiedzenia – dwa tomy opowiadań, wcześniej tomik wierszy. Tak na ogół zawsze startuje młodzież literacka, a Kęsowicz do niej jeszcze należał.

– Scenariusz jest jednak zdumiewająco dojrzały – zauważa dziennikarka z tygodnika „L'Express" – co podkreśliło jury w swoim werdykcie, przyznając mu nagrodę za jego wartości ogólnoludzkie. Pani mówiła zresztą o tym – zwraca się do Anny, która czerwienieje z radości, że zapamiętano jej słowa – na konferencji prasowej po projekcji waszego filmu.

– Tak – Anna czuje się upoważniona do powtórzenia tego, co powiedziała przed dwoma dniami. – Życie ułatwione poprzez rezygnację z zasad jest problemem ogólnoświatowym.

– Na pewno. I nie tylko prawo, ale i sztuka powinna z tym walczyć. Film „Zdobywanie świata" ma swój udział w tej walce.

A Blanchot uważał – myśli Wojtaszek Tarło – że dzięki tej uniwersalności film będzie się źle sprzedawał. Wolałby, żeby jego treść była uznana za wyłącznie polską specyfikę... Do diabła z tym wszystkim! Do diabła z tym podziałem świata na sprzeczne racje! Sztuka, zaprzężona w szory politycznych interpretacji, przestawała być sztuką. Zaczynała czemuś służyć, a nie była do tego powołana. Ale przecież... były sprawy tak ważne, tak wzniosłe i piękne, że mogłaby i powinna im służyć bez uszczerbku dla swoich artystycznych wartości... – Wojtaszek plącze się w swoich dywagacjach, łowi uchem odgłosy dźwięczącego w którejś z sąsiednich sal szkła. Kieliszek szampana miał zakończyć uroczystość, miał zamknąć festiwal, którego ostatnie chwile stawały się już historią światowego kina.

Oczywiście, nie jest to tylko jeden kieliszek. Jeszcze na konto festiwalu, ale już niejako poza nim, goście nie żałują sobie alkoholu i skłonniejsi są do zawierania znajomości, bardziej niż podczas wszystkich poprzednich dni. Ogłoszenie wyników konkursu przywróciło im swobodę bycia, znikła trema i napięcie, każdy był sobą bardziej otwarcie, niżby sobie na to pozwolił w innych okolicznościach. Anna, przeszedłszy na ty z niezliczoną ilością osób, jeszcze raz żałuje, że straciła tyle czasu na Soldivierów, gdy co drugi człowiek okazywał się przemiłym rozmówcą i – och! Boże drogi! – niewątpliwie znaczył coś w tym filmowym światku.

– Jesteś czarująca! – mówi jakiś osobnik, wyglądający na Meksykanina; jest o głowę niższy od Anny i trzymając ją wpół sprawia wrażenie wymagającego tkliwości niedorostka, a nie mężczyzny, który przytula kobietę. Schodzą wraz z całą grupą rozweselonego towarzystwa na plażę, oświetloną lampami bulwaru, a Meksykanin wciąż powtarza: – U mnie grałabyś tylko główne role! Tylko główne role!

– Od kiedy to od operatorów zależy obsada filmu? – zauważa Presson, który chyba trochę przywiązał się do Anny, skoro nie odstępuje jej także po wyjeździe Soldivierów.

– Od operatora zależy bardzo wiele – upiera się Meksykanin. – Wielkie gwiazdy zastrzegają w kontrakcie, kto ma być operatorem filmu i jakich nie życzą sobie ujęć. Wiele z nich wylansowali operatorzy na równi z reżyserami, choć ich nazwisk się przeważnie nie pamięta. Słynne cienie na policzkach Marleny Dietrich, linia ich wklęsłości od ucha ku brodzie! Ktoś przecież to opracował, ktoś zrobił tę twarz! A usta Ingrid Bergman? Inaczej fotografowane nie byłyby tak soczyste i wypukłe...

– Niech on przestanie bredzić – mruczy Wojtaszek po polsku.

– Posłuchaj, posłuchaj – mówi Anna. – To ci się przyda. Może byś zaczął wymagać od operatorów, żeby uważniej przyglądali się twarzom aktorów.

– Brednie! Epoka takiego kina się skończyła. Z aktorem byle jak fotografowanym utożsamia się każdy widz, gwiazdor wypieszczony przez operatora nadaje się tylko do oglądania. Weź na przykład...

– Nie chce mi się o tym wszystkim gadać. Nic mnie to nie obchodzi. Ostatni raz przeżywamy noc w Cannes! Pewnie nie będziemy tu po raz drugi.

– Ja, żebym się miał wściec – twarz Wojtaszka nabiera zaciętego wyrazu – jeszcze tu przyjadę! I jeszcze im pokażę!

– Nie rozmawiajcie po polsku! – woła przylepiona do Wojtaszka Pattsy.

– Nie rozmawiajcie po polsku! – powtarza za nią Meksykanin.

– Cicho, do jasnej cholery! – krzyczy Anna. Zazdrości Wojtaszkowi jego zaciętości i uporu. Z niej opadły ambicje. Patrząc na smugi blasku, padające na morze z latarń na bulwarze i świateł milionerskich jachtów, zakotwiczonych w porcie, nie może stłumić w sobie żalu, że pozwoliła trawiącym ją ambicjom pożreć całą radość z pobytu w tym pięknym miejscu. A jutro mieli już stąd wyjeżdżać: po kilku godzinach w Paryżu czekała ich zadeszczona – jak głosiły komunikaty meteorologiczne – Warszawa. Anna unosi twarz i chłonie powietrze, napływające z morskiej nocy, jeszcze nie spaliny, nie zaduch tramwajów i autobusów, ale czyste powietrze morskiej nocy, jego zaprawiony słoną goryczką aromat.

– Najpiękniejsza! – Meksykanin z potrzebującego tkliwości niedorostka zmienia się jednak w pałającego namiętnością mężczyznę. Całuje Annę w szyję, ale Presson go zaraz odtrąca.

– Co pan sobie wyobraża? – woła z oburzeniem.

– A kim pan właściwie jest? – pieni się Meksykanin. – Kim pan jest dla Anny?

Anna nie słucha żywiołowo rozwijającej się sprzeczki. Dotyka ramienia Wojtaszka.

– Chodźmy stąd!

– Pytam po raz drugi, kim pan jest dla Anny? – pieje Meksykanin, doskakując do Pressona jak kogut podczas walki.

– Chodźmy stąd! Co oni wszyscy nas obchodzą?

– Spotkałem kobietę mego życia – zacietrzewia się coraz bardziej meksykański operator. – Kobietę mego życia! Czy pan może to samo powiedzieć o sobie?

– Pan przede wszystkim za dużo wypił – stwierdza Presson.

– Ja? Nawet na swoim chrzcie nie byłem równie trzeźwy! Spotkałem kobietę, którą bym wielbił do końca życia! Którą...

– Zaraz jutro będę musiała zrobić pranie – mówi Anna, wciąż po polsku. – Wyobrażam sobie, ile Sebastian nabrudził rzeczy.

– Ja jutro – odpowiada jej Wojtaszek – wreszcie się porządnie upiję! Polską wódką, bez strachu, że zabraknie mi na nią pieniędzy.

Stojący obok Marek otrząsa z siebie oblegające go młodziutkie Angielki.

– A ja... – zaczyna, ale zaraz milknie. Nie wie, co zastanie w domu, nie ustala sam swoich programów. Pogodzony z tym faktem doznaje jednak szczęśliwego uspokojenia – załatwił prawie wszystkie sprawunki, poza tym cholernym smoczkiem, którego nie znalazł, ale będą przecież jeszcze w Paryżu...

– Dlaczego pan mi przeszkadza? – Meksykanin szamocze się z Pressonem. – Zjawił się pan nie wiadomo skąd...

– Ja? – Presson usiłuje zachować spokój, ale operator go rozsierdza. – Ja się skądś zjawiłem? To pan przyczepił się nagle, kiedy już wychodziliśmy...

– Czy mam ich stąd obu przepędzić? – pyta Marek, ale Anna nie odpowiada.

Zatoka lśni jak wielki brylant, wpięty w żabot ziemi. Niskie fale przemywają piasek, żeby jeszcze bardziej jaśniał w mroku nocy. Anna zdejmuje obuwie i oddala się – nie żegnając się z nikim – ku oświetlonemu rzęsiście „Carltonowi". Od bulwaru dochodzi szelest palm poruszanych nocnym powiewem. Suchy poszum niesie się górą ponad gwarem, którym wciąż rozbrzmiewa Croisette; odwieczne trwanie przyrody nie ma nic wspólnego z ludzkimi sprawami, z ich tak mało znaczącą w dziejach świata ulotnością.

– Madame tak wcześnie idzie spać? – dziwi się recepcjonista w „Carltonie", aż poprawiając okulary, żeby się jej lepiej przyjrzeć. Jest pierwsza po północy, ale dla Cannes, gdy kończy się festiwal, jest to naprawdę bardzo wczesna godzina.

– Mam jutro męczący dzień – odpowiada Anna, odbierając klucz. – Muszę się porządnie wyspać.

– Dobranoc, madame!

– Dobranoc.

Rozbierając się w swoim pokoju, Anna długo patrzy na Croisette. Ściągnęła już suknię i w bieliźnie tylko stoi przy oknie, olśniona widokiem, jaki się stąd rozpościera. Na bulwarze jest jeszcze bardziej tłoczno niż za dnia. Tłum nieprzerwanymi strugami płynie w obydwie strony, wśród gwaru pobrzmiewa śmiech, bezustanny akompaniament podnieconych nocnych rozmów... Anna wie, że nie zaśnie, ale nie żałuje, że uciekła z plaży. Przerażają ją nie tylko te podniecone śmieszki, ale i błyszcząca od świateł czerń nocy, która zbyt pięknym była niebezpieczeństwem, żeby się jej nie bać.

Następny dzień jest naprawdę męczący. Szczególnie godziny w Paryżu, ten krótki czas, dany bezdewizowym turystom, którego mijanie było aż bolesne.

– Tylko nie wyobrażaj sobie – od razu przed lotniskiem zapowiada Markowi Wojtaszek – że będę się włóczył po mieście szukając twego smoczka.

– Ależ musimy go kupić! – staje w obronie kolegi Anna; to na pewno złudzenie, ale wydaje jej się jakby w oczach Marka błysnęły łzy. – Jak on się pokaże w domu bez smoczka?

– A niech was! – Wojtaszek macha ręką. – Ja moim nic nie przywożę i też dobrze. Co to za mania z tym przywożeniem prezentów? Powinni być szczęśliwi, że w ogóle wróciliśmy, że nie poprosiliśmy o azyl.

Anna uśmiecha się nieznacznie.

– Szczerze mówiąc, to nikt nas tu nie zatrzymywał.

– Właśnie! – mruczy Tarło. – Czuję się tym prawie skompromitowany.

Na szczęście smoczek udaje się kupić w pierwszym napotkanym kiosku. Jest to sukces, który Markowi od razu poprawia humor.

– Mój biedaku! – szepcze Anna.

– Co powiedziałaś?

– Nic ważnego. Ale wyobraź sobie, znam cię tak długo, a dopiero tutaj nabrałam do ciebie prawdziwej sympatii.

– Ależ dlaczego? – prawie oburza się Marek, po męsku oceniając przyczynę wzmożonej sympatii Anny.

– Tylko się nie roztkliwiajcie – przerywa tę rozmowę Tarło. Wie, co ma na myśli Anna i woli nie roztrząsać tego tematu. – Proponuję dostać się do śródmieścia metrem, a tam złożymy się, weźmiemy taksówkę i objedziemy wszystkie miejsca, w których trzeba być.

Tych miejsc jest dużo, odwrotnie proporcjonalnie do franków w trzech portmonetkach. W dodatku trudno było przewidzieć, ile wyniesie przejazd przez Pola Elizejskie, wokół wieży Eiffla, na Montmartre czy Plac Vendôme... Bo jeśli taksówkarze paryscy zachowują się wobec cudzoziemców podobnie jak ich warszawscy koledzy, perspektywy nie były wesołe.

– Wy się w ogóle nie odzywajcie! – mówi Anna. – Ja będę z nimi rozmawiać.

– To nic nie pomoże – pesymistycznie stwierdza Tarło.

– Taksówkarze na całym świecie bezbłędnie rozpoznają cudzoziemców – dodaje Marek. – I są zdania, że można nabijać ich w butelkę.

Jadą więc jakimiś okrężnymi, jak przypuszczają, ulicami, w napięciu wpatrując się w licznik, który oczywiście nie przestaje działać, gdy taksówka stoi długo i często w ulicznych korkach.

– Jak przyjadę do Warszawy – mówi Marek, zapominając, że miał się nie odzywać – przez trzy dni będę wyłącznie jeździł taksówkami.

– A ja nie będę wyłaził ze swego malucha – dodaje Tarło. Obydwaj przypominają kilkulatków z przedszkola, licytujących się czekającymi ich przyjemnościami.

– Polacy? – bezbłędnie zgaduje taksówkarz. Niemłody już, ale w sile wieku, uśmiecha się pod czarnym wąsikiem.

– Tak – potwierdza Anna.

– Z Cannes? – indaguje dalej taksówkarz.

– Z Cannes! – potwierdza Marek, który po zakupie smoczka żywi przyjazne uczucia do całego świata.

Znów stoją w jakimś korku i taksówkarz odwraca głowę ku tylnemu siedzeniu.

– Dostaliście, zdaje się, jakąś nagrodę? – dotyka pliku gazet, wsuniętych w kieszeń na drzwiach. – Zaraz... zaraz... który z panów jest ten Christopher...

– Kęsowicz – uzupełnia wciąż promieniejący Marek... – Christopher Kęsowicz. Ale to żaden z nas. To kolega...

– Ale gratulacje z powodu nagrody możecie panowie przyjąć?

– Oczywiście. Pan interesuje się kinem?

– Tak, trochę. Kiedy ja mam czas na kino? Jeśli nawet zdarza mi się wcześniej wrócić do domu, siadam przed telewizorem i jak leci jakiś film, to jasne, że oglądam go chętniej niż co innego. Ale najwięcej mam kinowych wiadomości z czytania, bo wciąż człowiek coś czyta na postojach. A ostatnio wszystkie gazety rozpisywały się o festiwalu w Cannes.

Anna odwraca głowę, nie chce, żeby taksówkarz przypomniał sobie, że widział ją na zdjęciu z Soldivierem.

Ale, na szczęście, korek rusza i Francuz musi skupić się na prowadzeniu wozu zapchanymi ulicami Paryża.

Kiedy się z nim rozstają, okazuje się, że nie ma reszty z wręczonego mu banknotu.

Chucha na niego i uśmiecha się szeroko.

– To na szczęście! Może także dostanę jakąś nagrodę.

– Zadusiłbym sukinsyna – warczy Wojtaszek, ale trudno zgadnąć, kogo ma na myśli.

Uspokaja się dopiero na lotnisku.

Gdy Polak zagłębia się w fotel polskiego samolotu, opadają zeń wszelkie emocje, wszystko, co przeżył poza krajem, wydaje mu się nierealne, jak jakaś opowiedziana historia, zasłyszany żart na czyjś temat, może nawet sen. Odwrócony całym sobą ku krajowym sprawom zaczyna już zapominać o olśnieniach, których doznał, bledną w nim rozpacze, którym może niekiedy się poddawał, rozprasza się nawet podszyta zawiścią pociecha, że i tam, po tej drugiej stronie świata ludzie drą sobie duszę pazurami i stawiają pytania, różną formułowane stylistyką, ale dotyczące tych samych treści. W Cannes, przesycony oglądaniem filmów, reżyser Tarło myślał nieraz z prawdziwym przerażeniem, czy nie trzeba by znowu strasznego podmuchu wojny, żeby wraz z cząstką świata rozpadły się te wszystkie „no future", pesymizmy i bezsilności, izolacje i alienacje, rezygnacje i samounicestwienia – i żeby człowiek zatęsknił znów do człowieka. Teraz myślał, z jakimś ciepełkiem wokół serca, do którego nigdy by się nikomu nie przyznał, że ta tęsknota jeszcze istniała, że życie nie miało owej głębokiej czerni, jaką rozlewali na kolorowej taśmie mistrzowie kina, że jaśniały dość jasnym blaskiem człowieczeństwa miliardy domów na całej kuli ziemskiej... Bardzo już chciał ich zobaczyć, tę całą swoją czwórkę – kobietę, nie przypominającą gwiazd ekranu, i trzech chłopaków, którzy na pewno będą czekać na niego na lotnisku. I nieprawda, że nie miał dla nich żadnych prezentów. Ukradkiem (żeby nie być podobnym do Sarpowicza) kupił w Cannes piękny sweterek dla niej, a dla nich supertrampki i koszulki, których na pewno będą im zazdrościć w szkole. Incydent z Pattsy nie miał żadnego znaczenia, należał do tego innego świata, z którego – rozgrzeszony oczyszczającym uczuciem tęsknoty – wracał oto do domu.

Anna i Marek również milczą. Opróżnili podaną przez stewardesę tackę z zimnym – cudownie polskim – jedzeniem, wypili kawę i teraz także milczą, przymknąwszy oczy. Czy Szymon będzie na lotnisku? – myśli Anna. – Szymon i Sebastian? A może także pan Feliks? Może matka i ojciec, a nawet stryjcio? Ostatecznie nieczęsto się zdarza, żeby ktoś z rodziny brał udział w festiwalu w Cannes. – Jeden Marek ma pewność, że nikt go na lotnisku nie będzie oczekiwał. Elżbieta nie miała z kim zostawić Magdusi, a wyprawa z dzieckiem na lotnisko była zbyt trudna. Nie oczekując więc powitalnych emocji, przesypia prawie cały lot i dopiero potężny szturchaniec Wojtaszka przywraca go rzeczywistości, gdy samolot kołuje już na pasach lotniska na Okęciu.

W Warszawie wbrew zapowiedziom nie pada. Płyta lotniska jest wprawdzie mokra jeszcze od niedawnego deszczu, ale chmury rozpełzły się po niebie i majowe przedwieczorne słońce daje prawdziwy popis wiosennej warszawskiej pogody. Gdy stają wreszcie na podstawionych do samolotu schodkach, wydaje im się, że powietrze na tym obrzeżonym zielonymi przestrzeniami lotnisku ma jakiś szczególny zapach, czego nie odczuwali przed wyjazdem, na co nie zwrócili uwagi przed wyjazdem, a co teraz wydaje im się tym bardziej radośnie zdumiewające.

– Są! – woła Wojtaszek, podnosząc rękę ku pomostowi, z którego zwykle warszawiacy i wycieczki z głębi kraju obserwują odloty i przyloty samolotów. – Są!

Trzech małych Tarłów przepchało się do bariery pomostu i rozwijają teraz nad swoimi głowami biały transparent z niebieskim napisem: „Witaj, tato!"

– Co za smarkacze! – Wojtaszek z trudem ukrywa wzruszenie.

Szymona, niestety, nie ma. Oczywiście nie ma także i Sebastiana ani pana Feliksa. Nie ma matki i ojca, i stryja, nie ma dziennikarzy ani delegacji z ministerstwa, której się trochę spodziewali, bądź co bądź przywozili do kraju nagrodę dla filmu.

– Mógłby chociaż przyjść ten twój Kęsowicz – mówi cierpko do Sarpowicza Wojtaszek, gdy już wychodzą z sali odpraw celnych do hali lotniczego dworca i nie można już mieć żadnych złudzeń co do tego, że oprócz trzech nieletnich synów reżysera nie przybył nikt więcej, żeby ich powitać. Wieszają się teraz ojcu na szyi, mężnie powstrzymując się od pytania, co im przywiózł.

– Bierzemy jedną taksówkę – mówi Anna do Sarpowicza, żeby ukryć rozczarowanie, jakie ją spotkało.

– Jutro się stelefonujemy – Wojtaszek całuje ich oboje. – Trzeba pewnie będzie pójść do ministerstwa.

Ostatecznie nietrudno było przewidzieć, kiedy wracamy – myśli Anna w taksówce. – Na pewno wszystkie gazety podawały datę zakończenia festiwalu. Można było także zadzwonić do ministerstwa albo Filmu Polskiego, ale czy tam udzielono by im właściwej informacji? – Anna stara się już usprawiedliwić swoich bliskich z nieobecności na lotnisku. Szymon ma przedłużającą się rozprawę, pan Feliks bał się wybierać z Sebastianem aż na lotnisko, i słusznie, matka pracowała pewnie w aptece na drugiej zmianie, ojciec miał jakąś nasiadówkę, a stryj... Zaraz robię pranie! – myśli Anna z mściwą satysfakcją, wymierzoną nie wiadomo przeciwko komu. Nie nagrodzona w Cannes, nie powitana przez nikogo na lotnisku, nadawała się najwidoczniej tylko do tej zwykłej kobiecej przeciętności, z której chciała, z której miała nadzieję się wydostać. Ukarana za te pragnienia, zepchnięta z pierwszego szczebla drabiny, na który udało się jej dostać, zabierze się teraz do prania i sprzątania, żeby jak najprędzej powrócić w opuszczone tylko na kilka dni łożysko swoich obowiązków.

Nie tak wyobrażała sobie swój powrót z Cannes. Wcale nie myślała o tym, że dostanie nagrodę, bezczelnością byłoby oczekiwać tego od losu, ale przecież na festiwalu mogły ją spotkać inne jakieś satysfakcje, którymi można by się było pochwalić w Warszawie. Ewka Zabiełło! Znowu przyszła jej na myśl Ewka Zabiełło! Ona umiałaby wykorzystać pobyt w Cannes, a także p o w r ó t stamtąd!

– Pomogę ci – mówi Marek, gdy taksówka staje przed jej domem. Ale Anna odbiera walizkę z jego ręki, wręcza mu przypadający na nią udział w należności za przejazd i sama wlecze swój bagaż do windy, która na szczęście nie jest zepsuta.

Gdy wsuwa klucz w zamek, serce jej bije. Otwieranie drzwi jest wejściem w tajemnicę domu; co za nimi ją czeka – dobre lub złe nowiny, szczęście lub nieszczęście, a może tylko pozostawiona uspokajająca, dobra zwyczajność powszedniości?

Już od progu dostrzega róże. Czerwone róże, cały ich bukiet na stole w pokoju i karteczkę opartą o flakon tak, żeby wchodząc od razu ją zauważyła. Rzuca walizkę na podłogę i w jednej chwili jest przy stole. „Haneczko! – pisał Szymon. – Spodziewam się, że przylecisz z Paryża dziś wieczorem, ale prawdopodobnie nie będę mógł być na lotnisku. Mam rozprawę z wieloma świadkami do przesłuchania. Odbierz Sebastiana od pana Feliksa i czekajcie na mnie, postaram się jak najprędzej być w domu. Gorąco całuję, Szymon". I dopisek w dole kartki: „Bardzo tęskniłem za Tobą". I dopisek przy dopisku: „Bardzo obydwaj z Sebastianem tęskniliśmy za Tobą".

Anna siada przy stole i kilka razy przebiega oczyma skąpą treść karteczki. Potem patrzy na róże, ich świeżość każe się zastanowić, kiedy Szymon je kupił. Chyba nie wczoraj. A dziś? Kwiaciarnie otwierano dopiero o jedenastej, musiał więc przed udaniem się do sądu pojechać na targowisko i kupić je wprost od ogrodnika. Och, żeby jak najprędzej był w domu! Zjedzą kolację, położą spać Sebastiana... Małżeńskie rozstania sprawiały, że po raz drugi przeżywało się noc poślubną. W ich wypadku – przedślubną, ale to nie miało żadnego znaczenia. Co powiedziała Pressonowi, gdy czekali w kawiarni na ogłoszenie werdyktu jury festiwalu? Że wcale nie musi grać w filmie, ma swój teatr, ma męża, dziecko, dom... Zaśnie w ramionach Szymona i wszystkie złe myśli odlecą jak mara. A jutro spróbuje w teatrze zagrać Ewkę Zabiełło, powracającą z festiwalu w Cannes.

Rozglądając się z uspokajającą dumą po swoim malutkim mieszkanku, Anna dopiero teraz zauważa przedziwny ład w nim panujący – poukładane zabawki Sebastiana, lustrzaną podłogę, pomyte naczynia w kuchni. I nigdzie ani śladu porozrzucanej garderoby, żadnych brudnych koszul i skarpetek na krzesłach i fotelach. Anna powoli otwiera drzwi łazienki. Wisi tam na kilku przeciągniętych ponad wanną sznurach to p r a n i e, za które miała się wziąć zaraz po powrocie do domu. Chce jej się śmiać i płakać, jest ubawiona i wzruszona – jej jedyny canneński sukces wyrażał się tym, że sędzia Turoń po raz pierwszy w życiu zrobił pranie.

X

Obudził się nad ranem. Różowa poświata zaczynała już wydobywać rysunek wzorów na storach zasłaniających okno, ulicą przejechał ciężarowy samochód z mlekiem lub pieczywem do sklepu za rogiem, zaczynała się cudowna, błogosławiona zwykłość dnia – Anna wróciła, była w domu, spała tuż obok, przytulona do jego boku, i tak zaczynał się ten piękny dzień, który miał przywrócić wszystkim następnym spokojną jednostajność. Bez szarpiącego nerwy czekania. Bez oblegających go pytań. Bez rozdwojenia pragnień, z których jedne życzyły Annie spełnienia jej marzeń, a drugie przywoływały ją pokorną i nie przyjętą przez świat w jego ramiona. Wróciła pokorna. Może nawet aż pokonana, wyraźnie widział, że powrót do domu nie był tylko zwykłą radością, ale prawie pocieszeniem, bardzo musiał się starać, żeby nie okazać jej współczucia. Może powinien był ją spytać o Soldiviera; skoro sama o nim nie mówiła, ale zaskakując tym samego siebie uznał za słuszne jej tego zaoszczędzić. Nawet w jej oddaniu, tak samo żywiołowym jak pierwsze ich zbliżenie, w zapamiętaniu, które uczyniło ich znów spragnionymi siebie kochankami, wyczuł jakby szukanie ratunku, paniczną przed czymś ucieczkę.

Oszalałem – pomyślał. Dlaczego kilka zdjęć w prasie i głupi tytuł, jaki nad nimi umieścił francuski dziennikarz, potrafiły rozbudzić w nim zawstydzający niepokój? Czy nie powinien się cieszyć, że była tu, że znów tu była, że okazała tyle czułości Sebastianowi i jemu? O co mu chodziło? Czego jeszcze chciał? Powstrzymując oddech słuchał przez chwilę spokojnego oddychania Anny; uniósł się, żeby móc patrzeć na jej uśpioną twarz, jakby teraz dopiero mógł się jej dobrze przypatrzeć. Jak wyglądały te przesłonięte teraz powiekami oczy, gdy spoglądały w olśnieniu na innego mężczyznę?... Oszalałem! – powtórzył w myśli. Przecież obudził się z uczuciem, że wróciły zwykłe dni, gdy Anna była w domu, a teraz oto psuł pierwszy z nich wywołaną jej wyjazdem udręką.

Piętro wyżej, tuż nad głową, gdzie chyba także i u sąsiadów z góry stoi tapczan, rozlega się charakterystyczny odgłos. To Wieczorek, wytapiacz z Huty „Warszawa", z którym tylko niekiedy spotykają się w windzie, wsuwa nogi w ranne pantofle i szurając nimi po podłodze udaje się do łazienki. Szymon jest mu prawie wdzięczny za to, że wstaje tak wcześnie, że pracuje na pierwszej zmianie i że za chwilę spuści wodę, obficie oddawszy mocz po nocy. Czeka na ten szum w rurach kanalizacyjnych, rozchodzący się dzięki dbającym o akustykę budowniczym bloku po wszystkich piętrach w dół i w górę – a kiedy rozlega się ta miejska pobudka dla ludzi, którzy zapomnieli już jak brzmi pianie koguta, kładzie się znowu na wznak szczęśliwy, że nie musi wstawać tak wcześnie i że te sąsiedzkie odgłosy przywoływały go w wymiar codzienności, obdarzającej aktem łaski udręczone myśli sprzed chwili.

Jakaż Anna była wczoraj urocza. Śliczna i miła! Biegł do niej po schodach przeskakując po trzy stopnie, biegł do niej, gdyż niecierpliwość nie pozwalała mu czekać na windę, a kiedy zdyszany stanął w drzwiach, ona od razu zarzuciła mu ręce na szyję i całowali się gwałtownie w długim wniebowziętym milczeniu, aż Sebastian wbiegł do przedpokoju i wrzasnął z pretensją:

– Mnie nikt tak długo nie całuje!

Był zazdrosny, nie wiadomo o które z nich, prawdopodobnie o oboje naraz, wydało im się to i niezrozumiałe, i śmieszne, więc wciąż objęci zaczęli się śmiać, a on nie przestawał powtarzać już ze łzami w oczach:

– Mnie nikt tak długo nie całuje!

– Bo nigdzie nie wyjeżdżałeś – zaczął mu tłumaczyć. – A mamy nie było przez wiele dni w domu, teraz wróciła, stęskniliśmy się za nią...

– To ja sobie też gdzieś pojadę! – Sebastian wybrał najmniej odpowiedni moment na dąsy. Ale Anna nie pozwoliła mu w nich trwać. Skoczyła do walizki, wyjęła dwie pięknie opakowane paczki.

– Nigdzie nie pojedziesz, bo mama cię nie puści. I tatuś też, prawda?

– Prawda – przyświadczył, choć w najbardziej niedorzeczny sposób zaczynał być zły, że Anna zaczęła się teraz zajmować wyłącznie synem.

– A poza tym – ciągnęła – po co miałbyś wyjeżdżać, skoro najpiękniejsze i najsmaczniejsze rzeczy same do ciebie przyjeżdżają. Którą paczkę mam najpierw otworzyć?

– Tę lepszą – zdecydował Sebastian.

– Ale nie wiem, co jest dla ciebie lepsze – aksamitne ubranko czy ciastka z Paryża.

– Ciastka z Paryża – powtórzył Sebastian. Nie wiedział, co to Paryż, ale już sama nazwa, taka obca, zapowiadała jakąś nadzwyczajność. Sam, z niesłychaną ostrożnością i uwagą, zaczął rozpakowywać pudełko z ciastkami, przewiązane prześlicznym kolorowym sznurkiem, zawinięte w szeleszczący papier, zadrukowany firmowym znakiem cukierni. Patrzyli porozumiewając się oczyma na olśnioną radość dziecka, kiedy po długich zabiegach ukazały się wreszcie te nadzwyczajne ciastka – oblane prawdziwą czekoladą, obsypane migdałami, przybrane zielonymi listkami pistacji.

– Które mogę zjeść? – szepnął Sebastian.

– Które chcesz.

– Ja chcę wszystkie.

– Ale może jednak po kolei. Wybierz sobie najpierw dwa.

– Kiedy nie wiem, co znaczą. Jak przynosisz ciastka z Texu, to zawsze wiem, co znaczą.

– Jaki mają smak – poprawił go od razu, ale nie domagał się od Sebastiana, żeby wyrażał się poprawnie, żałośnie śmieszna i nie pasująca do tej chwili wydała mu się naraz jego prawnicza dokładność.

Anna nie zwróciła zresztą na to uwagi. Nakładała już na wyjęty z kredensu talerzyk najbardziej okazałe ciastko.

– To z grzybkiem jest czekoladowe. A to z tym białym – migdałowe.

– Co to – migdałowe? – zapytał Sebastian.

– Mój Boże, Szymon – Anna zwróciła ku niemu głowę. – Czy zdajesz sobie sprawę, że nasze dziecko jeszcze nigdy nie widziało migdałów?

–Rzeczywiście – powiedział bez należnego przejęcia. Powstrzymał się od dalszych uwag, ale na szczęście tę najważniejszą zrobiła Anna sama, uśmiechając się smutno:

– Nie jest to oczywiście tragedią w latach, gdy miliony dzieci na świecie nie co dnia oglądają kromkę chleba. Nie można jednak wziąć mi za złe pragnienia, aby moje dziecko miało wszystko co najlepsze.

– Niczego nie można ci wziąć za złe, kochanie – powiedział miękko.

Anna uśmiechała się wciąż w smutnym zamyśleniu.

– Teraz tego nie rozstrzygniemy. Teraz i chyba nigdy. A bogaci ludzie są biedni – rzek po chwili – nie mają pragnień.

– Nie mają pragnień – powtórzył za nią.

– A naszych na długo nam starczy.

– O, na długo!

– Chcesz jeszcze jedno ciastko? – zapytała.

– Chcę – Sebastian pochylił się nad paryskim pudełkiem o brzegach wyklejonych papierową koronką. – To z zielonym! I tamto drugie...

– Jak myślisz, Szymon – Anna podniosła na niego oczy – nie zaszkodzi mu tyle ciastek?

– Daj mu, nawet jeśli miałoby mu to zaszkodzić – uśmiechnął się. Patrzył na nich oboje z ogrzewającą serce czułością. Sebastian pochłaniał ciastka z podnieconym ciekawością apetytem, a Anna przysiadłszy naprzeciwko nie zdejmowała z niego oczu. Wydała mu się pełną spokojnego szczęścia wilczycą, która wróciwszy w rodzinne leże, obserwuje swoje małe, pożerające przyniesiony przez nią łup.

A potem odbyło się przymierzanie przywiezionych przez Annę rzeczy. On dostał koszulę z modnym kołnierzykiem i jawnie paryski krawat. Jak się pokażę w tym w sądzie – pomyślał, głośno wyrażając same zachwyty. Niestety, Sebastiana nie stać było jeszcze na dyplomację, od razu żywiołowo zaprotestował przeciwko aksamitnemu ubranku i białej bluzeczce o obszytych falbanką mankietach, od wieków stanowiących wizytowy strój małych gentlemanów na Zachodzie.

– To dla mnie? – spytał krytycznie.

– Dla ciebie, skarbie! – promieniała wciąż radością Anna.

– W przedszkolu będą się ze mnie śmiać – wydusił z siebie Sebastian opuszczając głowę.

– Śmiać się? Dlaczego?

– Bo tak nikt nie chodzi ubrany. Klemens powie, że się wygłupiam.

Widziałem wreszcie tego Klemensa, chciał powiedzieć Annie, ale wydało mu się niewłaściwe obmawianie trzyletniego dziecka, do którego poczuł niechęć tylko z tego powodu, że od małego wykazywało zniewalającą jego syna siłę charakteru. Anna zresztą sama się rozprawiła z tym mitem.

– Co mnie obchodzi twój Klemens! Nie chcę w ogóle słyszeć o żadnym Klemensie!

– Wyobraź sobie – zdołał jednak wtrącić – że to nazwisko, a nie imię.

– Wszystko jedno. – Anna utraciła całą swoją słodycz i promienność. – Klemens i Klemens! Mama przywozi z zagranicy takie śliczne ubranko i najważniejsze okazuje się, co jakiś Klemens na to powie.

– Bo on na pewno coś powie – szepnął Sebastian przez łzy.

– W ogóle cię w nim nie zobaczy.

– Dlaczego? – zaniepokoił się Sebastian.

– Bo w takim ubranku nie chodzi się do przedszkola, tylko na wizyty.

– Na... co?

– Na wizyty. Jak pójdziemy do babci albo do stryja Alfreda...

– No, dobra! – skapitulował z westchnieniem Sebastian. – Mogę przymierzyć.

Anna była już bliska tego, żeby dać synowi klapsa, ale uznała najwidoczniej, że wieczór jest na to zbyt uroczysty, więc wrzuciła tylko ubranko z powrotem do walizki, nawet ją zamknęła.

– Dobra! – powtórzyła z krzywym uśmiechem. – Przymierzysz jutro.

– Może byśmy położyli go już spać? – zauważył półgłosem.

Ale Sebastian słuch miał znakomity.

– Mnie? – zaprotestował od razu. – Nie chcę spać! Jeszcze nie!

Anna spojrzała na zegarek i otworzyła telewizor.

– Obejrzysz „Dobranockę" i do łóżka!

– Do łazienki nie?

– Nie – zdecydował za nią dość ostro. – Nie musisz się dziś kąpać.

– Dlaczego?

– Bo mama zmęczona podróżą.

– A ty?

– Ja także chciałbym się dziś wcześniej położyć.

Po tym haniebnie niepedagogicznym wybuchu wobec Sebastiana schronił się natychmiast w kuchni, dokąd już wybiegła krztusząca się od śmiechu Anna.

– Popisałem się! – mruknął. I znowu zaczął ją całować, zachłannie stęskniony, z radością wyczuwając, że ona nie ma mu za złe jego gwałtowności.

– Zamknę drzwi – szepnął.

– Och, nie – zaprotestowała słabo. – To byłoby okropne.

– Co... okropne?

– Gdybyśmy przed nim zamykali drzwi.

– Wiele małżeństw tak robi.

– Ale my nie możemy. My nie.

– Przepraszam. Ale to dlatego... to dlatego, że tak bardzo...

– Znowu się całujecie! – Nie zauważyli, że Sebastian stanął w drzwiach kuchni, rezygnując z oglądania narysowanych przygód „Bolka i Lolka", które zwykle tak go pochłaniały.

Uwolnił Annę ze swoich objęć, odwrócił powoli głowę ku Sebastianowi.

– Już ci mówiłem, że mamy nie było tak długo...

– Mnie także może czasem długo nie być – zakonkludował Sebastian swoją przedziwną, ale precyzyjną w wyrażaniu intencji stylistyką.

– Na razie nam to nie grozi – burknął, a Anna zgromiła go spojrzeniem.

Reszta wieczoru upłynęła na namiętnym namawianiu Sebastiana, żeby pozwolił położyć się spać. Ale trzymał się dzielnie. Złościli się i śmiali na przemian, a on śmiał się razem z nimi. Wreszcie Anna wpadła na pomysł, żeby zrezygnować z tych usiłowań i pozwolić mu na oglądanie filmu – w nadziei, że znudzi się nim i zaśnie, wtulony między rodziców na kanapce przed telewizorem.

Film był zresztą naprawdę nieciekawy, a głos lektora czytającego tekst tłumaczonych dialogów tak monotonny, że przeraził się, aby to Anna nie zasnęła, zmęczona podróżą.

Ponad głową Sebastiana położył jej dłoń na ramieniu.

– Nic mi nie mówisz o Cannes.

– Później ci wszystko opowiem. Było cudownie.

– Wyobrażam sobie – bąknął.

– Co sobie wyobrażasz?

– Że musiało być cudownie.

– Już wystarczyłby sam pobyt w tej miejscowości, nawet gdyby nie było w niej festiwalu. Bulwar, palmy i morze...

– U nas też jest morze – zauważył Sebastian, nie przestając wpatrywać się w ekran telewizora. Podzielna uwaga pozwalała mu śledzić równocześnie akcję filmu i rozmowę rodziców. Był w ubiegłym roku z matką na wybrzeżu i dobrze to zapamiętał.

– Ale u nas morze jest zimne, a tam jest ciepłe – odpowiedziała Anna z westchnieniem, bo głos Sebastiana nie był wcale senny.

– Wiesz co? – ożywił się jeszcze bardziej. – Jak w przyszłym roku pojedziemy do Sopotu, to weźmiemy ze sobą grzałkę i podgrzejemy morze.

– Dobra rada – roześmiała się Anna. – Ty byś łatwo z Sopotu zrobił Cannes. Ale to chyba nie jest takie proste.

– Dlaczego? – spytał Sebastian, odwracając głowę ku matce.

– Albo oglądasz film, albo rozmawiasz – zdenerwował się na niego. Rozchyliwszy szlafrok, który miała na sobie Anna, gładził jej kark i szyję, zanurzał palce we włosach. Przytrzymała brodą jego rękę, ugryzła ją leciutko.

– Co robiłaś wieczorami?

– Och, oglądałam filmy! Wciąż oglądałam filmy. Po kilka dziennie.

– A potem?

– Co – potem?

– Co robiłaś po ostatnim filmie?

– Różnie. Przeważnie były jakieś koktajle po pokazach...

– Musiałaś na nie chodzić?

– Nie musiałam. Chciałam! – Anna mocniej ugryzła go w rękę. – Bardzo chciałam! Co ty sobie wyobrażasz? Być w Cannes i nie zaliczyć koktajlu w Pałacu Festiwalowym?

– Długo trwały te... koktajle?

– Długo. Czasem do rana.

– Do rana?

– W maju bardzo wcześnie robi się jasno.

– Tak, w maju bardzo wcześnie robi się jasno. Czy... Tarło i Sarpowicz również bywali na tych koktajlach?

– Oczywiście.

– Odprowadzali cię potem do hotelu?

– Przeważnie.

– Co to znaczy – przeważnie?

– Bo czasem jechaliśmy gdzieś całą paczką, przecież poznałam tam mnóstwo ludzi...

– Ciekawych?

Zamyśliła się.

– Chyba tak. Wielkie nazwiska w świecie filmu. Ale to ci nic nie powie, nie twoja branża.

Czekał, że wymieni wreszcie nazwisko Soldiviera, ale nie zrobiła tego. Nie wiedziała jeszcze, że polski dziennikarz wysłany do Cannes uznał pokazywanie się jej z Soldivierem za sukces i nie pominął tego faktu w swoich korespondencjach.

– Poznałaś tam więc mnóstwo ludzi? – To pytanie zabrzmiało prawie tak, jakby mówił: – A więc oskarżona poznała tam mnóstwo ludzi. – Anna nawet chyba tak to odebrała, bo wzruszyła nieznacznie ramionami.

– Chyba cię to nie dziwi? Po to przecież pojechałam do Cannes.

– Oczywiście – potwierdził, zły na siebie. – Między innymi i po to także pojechałaś do Cannes.

Postanowił o nic już nie pytać i tylko czekał, żeby ona wreszcie powiedziała, czy wynikło coś z tego, że poznała tam mnóstwo ludzi, noszących w dodatku wielkie filmowe nazwiska. Ponieważ jednak milczała, można się było domyślać, że albo chce coś ukryć, albo nie ma się czym pochwalić. Gwałtowniej zanurzył palce w jej splątane na karku włosy, ale później pogładził je miękko. Pierwsza możliwość wzniecała w nim gniew i poniżającą go we własnych oczach zazdrość, druga budziła tkliwe współczucie dla Anny, która może naprawdę nie miała się czym pochwalić.

– Kocham cię – powiedział.

Odwróciła ku niemu twarz, uśmiechnęła się i przyłożyła palec do ust, wskazując mu oczyma uśpionego Sebastiana.

Zaniósł go do jego łóżka, rozebrał, a kiedy wrócił, ona czekała na niego. W ciemności rozjaśnionej tylko smugą światła, bijącą od ulicznej latarni przez zasłonięte story, siedziała na brzegu posłania z dłońmi złożonymi na kolanach i czekała na niego niecierpliwie i przyzywająco, tak jak czeka się na człowieka, który dopełnia życie, który w ogóle czyni je możliwym. Pomyślał, że musi być dobry, nie tylko teraz, po męsku, w tej wymagającej tego chwili, ale zawsze, we wszystkich ich zbliżeniach, i także kiedy siedzieli naprzeciwko siebie przy stole, i kiedy myślał o niej w ciągu dnia, dobry – ponieważ ona chyba naprawdę, chyba naprawdę nie odniosła żadnego sukcesu w Cannes...

Wytapiacz Wieczorek trzaśnięciem drzwi zawiadamiał cały blok, że opuszcza łazienkę i wciąż szurając domowymi pantoflami udał się do kuchni na śniadanie. Z radia, które zaraz w kuchni otworzył, buchnął sygnał porannej audycji.

Wszystko to oznaczało, że on może jeszcze trochę poleżeć, wstawał dopiero wtedy, gdy Wieczorek trzaskał drzwiami od mieszkania, a w chwilę potem od windy. Sądzenie złoczyńców różnego autoramentu zaczynało się o dwie godziny później niż wytapianie stali.

Pomyślał ze znużeniem, choć dzień dopiero się zaczynał, o sprawie, którą od dwóch dni miał na wokandzie. Był to proces poszlakowy, pełen niewiadomych, których rozwiązywanie nie zajmowało go jednak tak, jak to sobie wyobrażał, pragnąc ich nieomal podczas ponurych i łatwych dla składu orzekającego spraw, gdy zbrodniarze od razu cynicznie przyznawali się do czynu. Teraz czyn trzeba było dopiero udowodnić jednemu z szajki lub kilku z niej, może nawet wszystkim, jak siedzieli w piątkę na ławie oskarżonych – a to po dwóch dniach procesu okazywało się coraz trudniejsze. Prokurator, mając za przeciwników pięciu obrońców, zaczynał się denerwować. Podczas przerwy w rozprawie wyznał, że ma w zanadrzu nie przesłuchiwanego w śledztwie świadka i że od jego zeznań wiele zależy. Nie dopytywał się, nie lubił zbyt wiele wiedzieć przed rozprawą. Obowiązywało go tylko to, co na niej słyszał; reszta nie była materiałem dowodowym. Przewidywał, że proces może się przeciągnąć do dwóch tygodni. Przesłuchiwano mnóstwo osób; zakład pracy, w którym dokonano zabójstwa nowego pracownika, należał w mieście do znaczniejszych. Przy okazji śledztwa w sprawie morderstwa wykryto permanentne nadużycia, co było pierwszym sygnałem, kierującym dociekania na – być może – właściwy tor.

Przypomniało mu się to, co mówiła pani Wisia, sekretarka wydziału, o pracy w sądownictwie, o posępnym gmachu, w którym spędzali tyle godzin dziennie. Nadwrażliwość kobieca, pomyślał, prawie zły na nią, że odważyła się przed nim na te zwierzenia. Ale jednak kojąca wydała mu się świadomość, że Anna ma zawód tak piękny, cieszący ludzi. Postanowił ograniczyć przynoszenie akt do domu, żeby jego rodzina miała jak najmniej wspólnego z rozpatrywanymi pod jego przewodnictwem sprawami – zwłaszcza że Sebastian zaczynał się już interesować tym, co jest w tych książeczkach, i nieraz prosił, żeby mu coś z nich poczytać. Czym zajmowała się matka, umiał już sobie jakoś wyobrazić. Pracowała w teatrze, chodziła po scenie i ludzie na nią patrzyli, mówiła, i ludzie jej słuchali! I płacili za to pieniążki. Co robił ojciec trudno mu było wytłumaczyć, więc raczej oboje z Anną unikali tego tematu. Raz usiłował mu przybliżyć pojęcie sądu, ale zakończyło się to zgoła nieoczekiwanie.

– Jak ktoś coś zrobi źle, to tatuś mu wymierza karę – powiedział.

– Wymierza? Czym?

– Tak się mówi. Kiedy ty jesteś niegrzeczny, to mama tobie też wymierza karę. Nie pozwala, na przykład, żebyś oglądał „Dobranockę".

– Mamy i tak nie ma w domu, kiedy jest „Dobranocka".

– Dałem zły przykład. Ale chyba nieraz za karę nie dostawałeś deseru.

Sebastian zamyślił się, jakby w ogóle nie mógł sobie przypomnieć takiego zdarzenia.

– To było dawno – powiedział, rozciągając z lekceważeniem samogłoski. – Teraz mama już tego nigdy nie robi. Pokrzyczy i już.

– Bo masz dobrą mamę. A ja nie mogę nakrzyczeć na tych złych ludzi.

– Dlaczego?

– To by było za mało. Za mała kara, rozumiesz?

– Nie – wyznał z satysfakcją Sebastian.

– Oni by się wcale tym nie przejęli. I znowu by źle robili. Kara musi być dokuczliwa.

– Doku... co?

– Dokuczliwa. Taka, żeby się nią martwili, żeby ją poczuli.

– Spuść im lanie.

– A tego robić nie wolno. A poza tym to by chyba także było za mało.

– To co się im robi? Tym złym ludziom?

Zastanawiał się długo, jak to ująć.

– Nie pozwala im się chodzić na spacery – powiedział wreszcie.

– Całkiem nie?

– Całkiem nie.

– Nawet jak jest słonko?

– Nawet jak jest słonko.

– I długo tak?

– To zależy od tego, co zrobili. Jeśli coś bardzo złego, to długo.

Sebastian opuścił głowę, dumał chwilę.

– Czasem bardzo chce się zrobić coś złego.

Przestraszył się.

– Co? O czym ty mówisz?

– Bardzo chce się!

– Tobie? Sebastian!

– Mnie i Klemensowi.

– Co chcecie zrobić?

– Chcemy Heńkowi odkręcić ucho.

Teraz on zamilkł na długo i patrzył z niedowierzaniem na swoje dziecko.

– Odkręcić ucho?

– Tak.

– Na litość boską! Sebastian! Dlaczego?

– Bo się przezywa.

– Co to znaczy – się? Siebie przezywa czy was?

– Nas. Najwięcej mnie... – wyznał Sebastian cichutko.

– Jak cię przezywa?

– Tak dziwnie. Nikt nie wie, co to znaczy, ale wszyscy się śmieją.

– Jak cię przezywa?

– Artysta. Artysta, mówi na mnie, ten artysta. Ale jak mu odkręcimy ucho...

– Sebastian! Ależ on nie mówi nic złego. I z tego powodu chcecie mu odkręcić ucho? Przede wszystkim nie wolno samemu wymierzać kary. Od tego właśnie jest sąd, a w waszym wypadku – poprawił się zaraz – pani przedszkolanka. Musicie z tym pójść do pani.

– Ee tam – Sebastian wzruszył ramionami – zaraz do pani. My to sami z Klemensem załatwimy.

– Ani się ważcie. Najlepiej będzie, jeśli ja sam z panią porozmawiam.

Na czółku Sebastiana ukazała się pionowa zmarszczka.

– Nie – szepnął.

– Dlaczego? Dawno nie rozmawialiśmy z panią na twój temat.

– Nie! – zaprotestował gwałtowniej Sebastian. – Klemens już by nie chciał się ze mną bawić.

– Bo co?

– Powiedziałby, że wszystko wyklepałem.

– Powiedziałeś tatusiowi, to wcale nie znaczy, że wyklepałeś.

– Wyklepałem! Wyklepałem! – rozbeczał się Sebastian. – O tym Heńkowym uchu miał wiedzieć tylko Klemens i ja.

Zaczynały się więc już tajemnice przed rodzicami, ukrywanie przed nimi myśli i zamiarów, dzielenie ich z kimś, kto był ważniejszy i bardziej godny zaufania niż ojciec i matka. Patrzył ze zgrozą na coraz gwałtowniej łkającego Sebastiana i ani myślał go pocieszać. Po raz drugi w ciągu ostatnich dni pomyślał o dzieciństwie ludzi, których oglądał na ławie oskarżonych. Od jakiego momentu zaczynali ku niej dążyć? Czy było możliwe im w tym zbliżeniu przeszkodzić? I kto ponosił winę za zaniechanie pomocy czy interwencji?

Ostrożnie, żeby nie zbudzić Anny, odrzucił kołdrę i zsunął się z tapczanu. Żal mu się zrobiło Sebastiana, przypomniana teraz rozmowa sprzed kilku dni wydała się krzywdzącym pomieszaniem jego dziecinnych spraw ze sprawami dorosłych ludzi. Podszedł do łóżeczka syna, dotknął delikatnie jego czoła, żeby sprawdzić, czy nie jest gorące, na szczęście jednak to nie choroba, lecz wspaniałe zdrowie barwiło policzki Sebastiana czerwienią jabłuszka. Spał w kwiecistej piżamce, skopawszy w dół kołdrę – rozgrzany i śliczny – ufny wobec wszystkiego, co go otaczało w tym domu. Zatrzymać czas! – pomyślał. O, Boże! Jak wspaniale by było, żeby człowiek mógł zatrzymać czas w najlepszych momentach swego życia.

Aby tym dwóm istotom, które kochał, udowodnić i niejako unaocznić swoją miłość – ugotował płatki Sebastianowi – ponieważ musiał je zjeść przed wyjściem do przedszkola. Annie – gdyż bardzo nie lubiła ich gotować. Cieszył się, że śpi, nie wprzęgnięta jeszcze w kołowrót całodziennych zajęć; już od jutra będzie się zrywać razem z nim, z zegarkiem w ręku odliczając kolejne obowiązki: poranne zakupy, przygotowywanie śniadania, odwożenie Sebastiana do przedszkola, próba w teatrze, południowe zakupy, przywożenie Sebastiana z przedszkola, gotowanie obiadu na następny dzień, przygotowanie kolacji, przedstawienie w teatrze, powrót do domu około 22.00, czasem później, gdy nie było już pieniędzy na taksówkę, a tramwaj czy autobus uciekł sprzed nosa. Wśród oklasków schodząca ze sceny, już za progiem teatru zapadała w szarość swojej egzystencji, w którą zapewne nie chciałby uwierzyć żaden widz. Może nawet czułby się zawiedziony, że jego zachwyt nie wywyższa aktorów, nie zabezpiecza im życia lepszego niż powszednie.

To lepsze życie zabezpieczał dziś Annie on, jej mąż – ugotowanymi płatkami, zagotowanym mlekiem, przyniesionym ze sklepu pieczywem, posprzątaną kuchnią. Stojąc w jej drzwiach podziwiał przez chwilę z dumą ład w niej panujący i nie dopuścił do siebie myśli, że Annie, być może, nie wyda się to godnym jej darem. Włożył kurtkę, otworzył cicho drzwi i jeszcze ciszej je zamknął, z windy nie skorzystał, gdyż jej zatrzaśnięcie słychać było w całym bloku. Pogwizdując zbiegł po schodach i zanurzył się w blask majowego ranka.

Anna leży jeszcze przez chwilę, sama przed sobą udając senność. Tak naprawdę, to nie śpi od momentu, kiedy Szymon wstał z tapczanu, ale nie chciała przyznać się przed nim do tego, bojąc się, że znów zacznie ją o coś pytać. Wolała wkroczyć w pierwszy po powrocie dzień ze wspomnieniem nocy, a nie z niepokojem obudzonym jego zachowaniem. Ma za trzy godziny zagrać w teatrze Ewkę Zabiełło, powracającą z Cannes! Musi się zmobilizować, musi przybrać twarz w spojrzenia i uśmiechy z daleka głoszące zwycięstwo i w tę nabytą za granicą, wśród obcych, pewność siebie, której tutaj, wśród swoich, tak jej zawsze brakowało.

Zrywa się z tapczanu, otwiera na oścież szafę i zastanawia się długo, co na siebie włożyć. Wybór pada na białą letnią suknię (choć na dworze chyba jeszcze nie upał), która najbardziej korzystnie ujawni jej canneńską opaleniznę. Potem, osłoniwszy włosy nylonowym kapturkiem, bierze prysznic, wklepuje w twarz, dekolt i ramiona dobry krem, nie bez przyjemności przyglądając się sobie w lustrze. Rozchyla wargi, wyszczerza zęby, prezentują się olśniewająco. Co mówili wszyscy panowie w Cannes? Pani ma zniewalający uśmiech, mówili wszyscy panowie w Cannes, więc Anna uśmiecha się zniewalająco do lustra, w końcu parska śmiechem i narzuciwszy płaszcz kąpielowy wkracza wreszcie do kuchni, już z przyspieszeniem na myśl, że musi zaraz zabrać się...

Nie musi. Tak jak wczoraj na widok wysprzątanego mieszkania, śmieje się teraz znowu, ubawiona i wzruszona, patrząc na gar płatków nagotowanych dla Sebastiana, na dymiące jeszcze mleko, na czajniczek z herbatą, naciągającą na parującym wrzątku. Co to się stało? – zastanawia się. Chyba od dwóch tygodni myśląc o Szymonie ani razu nie nazwała go Paragrafem.

A w teatrze, gdy wszyscy od razu pytają ją o Soldiviera, Anna uśmiecha się z leciutkim pobłażaniem.

– Zabawny facet – mówi. („Zabawny facet" o Soldivierze, wielki Boże!) – Nie można się nudzić w jego towarzystwie. I jaki miły dla pań!

– Tego jestem pewny – mruczy Sewercio Bobrowski. Wrzód żołądka najbardziej daje mu się we znaki na wiosnę, więc jest zgryźliwy nawet wobec Anny. Odciąga ją na chwilę na bok, palcami dotyka jej opalonego ramienia, jakby badał gatunek skóry. – Przyznaj się, Hanka. Przespałaś się z tym Soldivierem?

Anna nie obraża się, nieraz sobie tak z Sewerciem gawędzi, więc i teraz mówi, nachylając się do jego ucha:

– Wyobraź sobie, że wcale tego nie chciał.

Sewercio zdejmuje palce z jej ramienia.

– Jest gorzej niż myślałem – mruczy. – Kobieta nigdy nie wybacza tego mężczyźnie.

XI

– Ona jest piękna. Ale nic poza tym – mówi za plecami Anny jakiś męski głos.

A drugi pyta:

– To mało? Mnie by wystarczyło.

– A ja bym się bał. Taka żona to jak bomba w domu. Nie można być pewnym dnia ani godziny.

– Znam faceta, który ożenił się z brzydulą, a dom aż się trzęsie od wybuchów.

– Może to lubi?

– Przyzwyczaił się.

Anna odwraca głowę i zerka nieznacznie poza siebie. Rozmowę tę wiedzie dwóch młodych ludzi, prawdopodobnie kolegów pana młodego. Na ślub Ewki Zabiełło z Olkiem Tereszkiewiczem zbiegli się nie tylko aktorzy, ale i cała malująca Warszawa, przyjaciele plastycy, profesorowie Akademii, nawet studenci, podopieczni Olka, który mimo wzrastającej sławy nie zrezygnował z asystentury u swego profesora. Studentki na znak żałoby (chyba niezbyt taktownie) po zmianie stanu cywilnego pedagoga, liczącego się w planach niezupełnie artystycznych każdej z nich – przewiązały czoło czarnymi aksamitkami. Taki byczek, myśli Anna, patrząc na kark pana młodego w przyciasnym nieco kołnierzyku białej koszuli, mógł rzeczywiście czynić spustoszenie wśród tych smarkul. Furioso – nie wiadomo dlaczego przychodzi jej na myśl to muzyczne określenie – w łóżku musi zachowywać się furioso: w jego malarstwie także jest coś porywczego i gwałtownego, można było nie zachwycać się tym szaleństwem kształtów i barw, ale każdy musiał poczuć się nim zaatakowany, to już wiele w sztuce, która zawsze ma do pokonania przede wszystkim obojętność. Ewka miała odtąd królować na wernisażach męża i jego przyjaciół, bardziej godna oglądania niż ich dzieła. Anna myśli o tym bez zazdrości; naprawdę lubi Ewkę, która przez dwa lata podczas studiów w Wyższej Szkole Aktorskiej mieszkała nawet w domu jej rodziców i traktowana była przez nich jak druga córka; małe ukłucie w sercu czuje tylko na widok tak pochopnie odsprzedanej kreacji Mody Polskiej, wspaniale zdobiącej teraz Ewkę w uroczystym dla niej dniu. Powraca żal, że nie miała jej w Cannes, że nie *pokazała się* w niej w Cannes, czasem dobre nogi, gdy je widać w całości, znaczą więcej niż talent; nie byłoby Marleny Dietrich, gdyby nie wyeksponowano jej nóg w słynnej pozie na beczce w „Błękitnym Aniele"; przed projekcją „Zdobywania świata" powinna była stanąć na tle ekranu w tych zaprojektowanych dla niej kusych spodenkach, tego roku nie było w Cannes ani jednej aktorki w tak szokującym stroju... Anna wstydzi się tych myśli, ale nie ma siły, żeby nie ulegać ich prymitywnym racjom.

– Mama! – szepcze Sebastian donośnym dziecięcym szeptem. – Kiedy pójdziemy do domu? – przytulony do biodra matki, bardzo uroczyście wygląda w swoim zagranicznym aksamitnym ubranku i oko kamery Kroniki Filmowej zatrzymuje się na nim dłużej niż na którymkolwiek z gości. Dopiero później kamerzysta zauważa Annę i umieszcza ją również w kadrze, żeby wszyscy widzieli, kto jest matką tak uroczego malca.

Ten incydent podnosi Annę nieco na duchu. Miliony widzów w całym kraju zobaczą ją z Sebastianem, jaka szkoda, że Paragraf... O Boże, znów i j u ż Paragraf! Jaka szkoda, że Szymon ma akurat wizję lokalną i nie może być tu razem z nimi.

– Mama! – powtarza coraz głośniej Sebastian. – Kiedy pójdziemy do domu?

– Niedługo! I bądź cicho! Tu nie wolno mówić!

– A ta pani!? – Sebastian zwraca wymowne i potępiające spojrzenie na panią, kończącą właśnie swoje przemówienie do nowożeńców.

– Tej pani wolno. I tylko jej.

– A co ona ma na szyi? Taki łańcuch?

– W domu ci wytłumaczę.

Ślub Ewki i Tereszkiewicza odbywa się w poniedziałek, który jest dniem wolnym od zajęć w teatrze; na poniedziałek Sebastian czeka przez cały tydzień, ponieważ ten dzień spędza zawsze z matką – nie można więc było pozostawić go pod opieką pana Feliksa, musiał być na ślubie, i weźmie także udział w weselnym przyjęciu, na które wszyscy udają się wprost z Urzędu Stanu Cywilnego do pracowni pana młodego. Przyjęcie wprawdzie ma być krótkie, bo nazajutrz państwo młodzi jadą do Rzymu, ale Anna wyobraża sobie, jak zmęczy się Sebastianem, nudzącym się w towarzystwie dorosłych. I znowu nieprzychylna dla Szymona myśl, że gdyby nie ciągnął w nieskończoność tej swojej wizji lokalnej, mógłby się wreszcie tu zjawić i przejąć część rodzicielskich obowiązków.

Następuje moment składania przyrzeczenia przez nowożeńców, głos pana młodego brzmi triumfująco, sopranik Ewki także pobrzmiewa zwycięską nutą, tylko obydwie mamy płaczą – w przekonaniu jednej, tej z Łowicza, wychowanej w cieniu kolegiaty i nie opuszczającej żadnej z kościelnych procesji, aktorka nie była w ogóle materiałem na żonę, druga, ta z Siedlec, dumna z rzetelnych rzemieślniczych tradycji swojej rodziny, nie wyobrażała sobie artysty malarza w roli męża. Niechby był doktor – myślała – albo inżynier, w ostateczności adwokat albo sędzia, dodawała w myślach, spoglądając na Annę. W krawieckiej firmie pradziadka, dziadka i papy Zabiełłów przedstawiciele tych zawodów byli najlepszymi i liczącymi się klientami. Wprawdzie Olek Tereszkiewicz dostawał za jeden obraz wysłany do USA – gdzie miał stryja dbającego o jego i własne interesy – okrągłe pięćset dolarów, to jednak nie satysfakcjonowało teściowej. Ceniła dochody stałe i pewne; raz mu kupią obraz, raz nie, myślała, co będzie, jak w ogóle przestaną kupować? Ale po zakończeniu ceremonii o mało nie zadusiła zięcia w swoim potężnym uścisku, a mama z Łowicza długo obcałowywała drżącą o swój makijaż Ewkę.

– Podaj kwiatki cioci Ewie – Anna popycha Sebastiana ku nowożeńcom – i powiedz, że jej życzysz wszystkiego najlepszego.

– Czego...?

– Wszystkiego najlepszego – tak się mówi: wszystkiego najlepszego na nowej drodze życia.

– A ciocia gdzieś idzie?

– Nigdzie nie idzie, powtarzam ci, że tak się mówi.

– To śmieszne! – Sebastian parska na całą salkę Urzędu Stanu Cywilnego.

– Cicho bądź! I już najlepiej nic nie mów. Podaj tylko kwiatki.

– Niech cioci dobrze idzie na tej drodze – mruczy pod nosem Sebastian, nadstawiając niechętnie policzek, który Ewka całuje w roztargnieniu. Tereszkiewicz poświęca mu więcej uwagi. Chwyta potężnymi dłońmi i unosi wysoko w górę.

– Cóż za wspaniały kawaler! – woła do Anny. – Jeśli będę miał ochotę namalować portret hiszpańskiego infanta, poproszę cię, żeby mi pozował.

Furioso! – myśli po raz drugi Anna, patrząc na czarne, szerokie brwi malarza, zrośnięte nad wydatnym nosem. I nie wiadomo, czy współczuje, czy zazdrości Ewce; cudze śluby przywołują zawsze na pamięć ślub własny, noc poślubną, która przeważnie we współczesnej obyczajowości nie jest jednak pierwszą. Może to i szkoda, myśli Anna, chwytając znów za rękę Sebastiana, postawionego wreszcie na ziemi przez Tereszkiewicza. Wokół młodej pary robi się coraz większy tłok. Na pewno szkoda... Gdyby ona i Szymon nie byli tak niecierpliwi, na pewno pamiętałaby lepiej tę pierwszą noc, którą spędzili razem jako małżeństwo.

– Mama! – zaczyna znów Sebastian. – Pójdziemy potem do Texu?

– Nie. Najpierw pojedziemy do pracowni tego pana, co cię podnosił do góry, a tam będzie mnóstwo dobrych rzeczy do jedzenia.

– Skąd wiesz?

– Wiem. I cicho bądź!

– Dlaczego mam być wciąż cicho? – Sebastian niebezpiecznie wygina w podkówkę dolną wargę. – I tylko ja. Teraz wszyscy mówią.

– Ale nie tak głośno.

– A szyneczka tam też będzie?

– Pewnie tak.

– Ja będę jadł tylko szyneczkę. Tak? Mama?

Anna wie od Ewy, że o przyjęcie weselne zadbały obydwie teściowe. Wprawdzie było to zwyczajowym obowiązkiem matki panny młodej, i stanęła ona na wysokości zadania, zwożąc z Siedlec przy pomocy rodziny kilka waliz wspaniałego jedzenia – ale mama spod kolegiaty łowickiej nie zamierzała pozostać w tyle. Anna bez obawy niespełnienia może więc obiecać synowi:

– Będziesz jadł tylko szyneczkę. Ale może wybierzesz sobie coś lepszego.

– Nie ma nic lepszego – stwierdza Sebastian po zastanowieniu.

Kiedy ostatni gość wycałował już Ewkę i wyściskał pana młodego – wszyscy ruszają do samochodów.

Annę prowadzi do swego wozu profesor Olka, starszy, niedbale ubrany pan, znany z tego, że b a r d z o lubi młode, ładne panie.

– Słoneczko! – mówi. – Niechże pani siada przy mnie. Ogrzeję się trochę przy pani.

– Zimno panu profesorowi? – żartuje Anna.

– Och, kto mówi o temperaturze?

– Właśnie. To by było dziwne, dzień taki piękny...

– I dlatego dla dopełnienia zapraszam panią do samochodu. Żeby był jeszcze piękniejszy!

Anna uwielbia takie rozmowy. Bardzo pragnie, żeby mężczyźni ją zauważali, adorowali, żeby iskrzyły im się do niej oczy, żeby jeszcze l i c z y ł a s i ę, choć wokoło było tyle wspaniałych dziewcząt. Przechyla głowę ku starszemu zaniedbanemu panu, który jednak na pewno zna się na kobiecej urodzie, i uśmiecha się do niego, jak do młodego chłopca.

– Zapamiętam to, panie profesorze.

– Ja! – wrzeszczy Sebastian. – Ja siadam z przodu!

Profesor jakby go dopiero teraz zauważył. Wsuwa dłoń w jego czuprynę, tarmosi ją leciutko.

– Na szczęście przepisy tego zabraniają. Dzieci nie mogą jeździć na przednim siedzeniu.

– Ja chcę!

– Jak ty się odzywasz? – zawstydza go Anna. – Nie wolno, i koniec. Chcesz, żeby milicja drogowa spisała protokół panu profesorowi?

– To by było fajnie! – rozpromienia się Sebastian.

– Pojedziesz na tylnym siedzeniu.

– Z mamą!

– No, dobrze – uśmiecha się z rezygnacją profesor. – Mama pojedzie z tobą. – I jeszcze raz targa czuprynkę Sebastiana. – Masz rację, pilnuj mamy! Pilnuj swojej ślicznej mamy, tata będzie ci za to wdzięczny. A gdzież szanowny małżonek? – zwraca się do Anny.

– Ma akurat dziś wizję lokalną, pewnie się przeciągnęła.

– Wielkie nieba! Prokurator? Sędzia?

– Sędzia.

– No i proszę, proszę... – mruczy profesor, gdy już ruszają sprzed Urzędu Stanu Cywilnego. – Niby pogrążony w tych swoich kodeksach i wyrokach, a jednak potrafił wypatrzeć i porwać nam sprzed nosa takie dzieło sztuki. Nigdy nie dowierzałem prawnikom.

Anna śmieje się, co profesor musi widzieć w swoim lusterku.

– Dobrze mi tu jest – mówi.

– Gdzie? – pyta starszy pan.

– Tu, u pana profesora w samochodzie.

Profesor nie odstępuje również Anny i na weselnym przyjęciu, choć młode malarki i studentki usiłują wcisnąć się między nich. Pomaga jej karmić Sebastiana, co na przyjęciu à la fourchette jest nieco utrudnione. Nakłada na talerzyk soczyste plastry szynki, kroi na mniejsze kawałki i wkłada mu je w otwarte usta.

– Sam pan profesor nic nie zje – upomina Anna.

– Zdążę. Najpierw napchamy tego małego smoka.

– Nie chcę być smokiem! – protestuje Sebastian z pełnymi ustami.

– Jedz! Jak długo pan profesor będzie tu sterczał nad tobą? Inni goście wszystko zjedzą i dla niego nic nie zostanie.

Sebastian unosi się na palcach i wcisnąwszy głowę między dwie postacie zasłaniające mu widok na rozległe płaszczyzny obficie zastawionych stołów, stwierdza uspokajająco:

– Jeszcze wszystkiego nie zjedli!

– I to ma być kryzys! – mówi profesor.

Goście wśród śmiechu podejmują ten temat, zmuszając obie mamy do wyznań, w jaki sposób oszukały system kartkowy. Ta z Siedlec zamówiła na wsi całego wieprza, ta z Łowicza cielę. Nie mówiąc o ptactwie i rybach wszelkiego rodzaju...

– Jedną mam córkę – pani Zabiełło unosi niespodziewanie chusteczkę do oczu – i raz jej wyprawiam wesele.

– No nie wiadomo – stwierdza ktoś donośnym szeptem. Jest to jeden z tych malarzy, którzy szeptali za plecami Anny w Urzędzie Stanu Cywilnego. – Nie wiadomo...

Pana młodego w wyraźny sposób opuszcza poczucie humoru, łypie ku dowcipnisiowi oburzonym okiem i pomija go napełniając kieliszki.

– I tak już za dużo wypiłeś.

– Od dawna obiecywałem sobie, że upiję się na twoim weselu.

– No i już tego dokonałeś!

– Boże! Co też potrafi się zrobić z człowieka, kiedy się ożeni? – wzdycha młody malarz.

Profesor chwyta go za ramię i odciąga pod okno, gdzie śmieją się obydwaj, ale już przyciszonymi głosami.

W pracowni robi się coraz gwarniej i coraz cieplej. Słońce, wpadające przez ogromne okna przebudowanego przez Olka poddasza, przypieka jak w lipcu. Panna młoda, zrzuciwszy swój przezroczysty płaszczyk, olśniewa wszystkich nagimi plecami, tylko obydwie mamy ledwie kryją się z dezaprobatą.

– Ja to bym chciała – mówi pani Zabiełło do Anny – żeby Ewka miała suknię jak Pan Bóg przykazał. Białą, długą, pozapinaną pod brodę...

– Zwłaszcza – teściowa Ewki, czując się upoważniona tym wystąpieniem matki panny młodej do własnej krytyki, dodaje ze zgrozą – zwłaszcza że mają być w Rzymie u papieża.

– U papieża? – zdumiewa się, ale jednak w olśnieniu, mama Zabiełło.

– Oleczek nic nie mówił? – Pani Tereszkiewiczowa, szczęśliwa i dumna, że jest tak dobrze poinformowana co do zamiarów syna, ścisza głos: – Wiezie Ojcu Świętemu obraz, więc spodziewa się, że go razem z żoną przyjmie. Piękny obraz – dodaje jeszcze intymniej – przedstawiający ołtarz na Placu Zwycięstwa, przy którym papież podczas bytności w Warszawie odprawił mszę świętą. Jest noc, plac opustoszał, domy cofnięte jakby w cień i tylko ten ołtarz jaśnieje...

– Ależ mamusiu – z lekkim rozbawieniem wtrąca Ewka – Olek bardzo nie lubi, kiedy o p o w i a d a się jego obrazy.

– A czy ja co opowiadam? Mówię tylko o tym, co widać.

– Wracając do sukni – pani Zabiełło pragnie zażegnać niebezpieczną wymianę zdań między matką a żoną malarza; wie, że od dzisiejszego dnia obydwie zaczynają walczyć o swoje racje. – Wracając do sukni... Ja bym wolała...

– Nieważne, co by mama wolała – przynajmniej wobec własnej matki Ewka może być bez skrępowania niegrzeczna. – Przecież postanowione, że w Rzymie będę w białym kostiumie. A w ogóle nie będziemy wspominać, że jesteśmy parą nowożeńców, skoro nie mamy ślubu kościelnego.

Obie panie, ta z Siedlec, a zwłaszcza ta z Łowicza, spod kolegiaty, milkną jak rażone gromem. W ferworze przedweselnych przygotowań zapomniały o zadrze głęboko tkwiącej w ich sercach: ślub cywilny bez kościelnego. Bez kościelnego! I kiedy sobie to uprzytomniają, cała pracownia, pełna tak znakomitych gości, wydaje im się jakimś krańcowym nieporozumieniem, niegodnym żartem, jaki zrobili im młodzi.

– Mama! Ja chcę spać – w najbardziej odpowiednim momencie odzywa się Sebastian.

– Co ty mówisz, moje dziecko? – nie dosłyszawszy, ze zgrozą pyta pani Zabiełło.

– Spać! – powtarza, tym razem z nieskazitelną dykcją Sebastian. – W przedszkolu wszyscy śpimy po obiedzie.

– Musimy wracać do domu – z rezygnacją stwierdza Anna, znów i coraz bardziej wściekła na Szymona, że nie zjawił się jeszcze, choć słońce sunęło już po dachach kamieniczek Nowego Miasta ku zachodniemu skrajowi nieba.

– Mowy nie ma – protestuje Ewka. – Zaraz powiem Olkowi, żeby go gdzieś ułożył. Ma tu na strychu takie różne kąty.

Tereszkiewicz zjawia się posłusznie i tak jak w Urzędzie Stanu Cywilnego unosi Sebastiana wysoko w górę.

– Chciałbym mieć takiego syna – mówi patrząc czule na żonę.

Nie przeszkadza mu to od razu chwycić Anny w objęcia, gdy tylko Sebastian zasypia na zakurzonej kanapce pod stromym dachem stryszku.

– Oszalałeś! – odpycha go, zaskoczona. Malarz zieje gorącym, przesyconym alkoholem oddechem.

– Pozwól się pocałować. Jeden raz! Masz usta...

– Stale mi to mówiono w Cannes.

– Że co...? – Tereszkiewicz nie uwalnia Anny ze swoich ramion. Jego oczy, widziane z bliska, mają ogromne, błyszczące źrenice.

– Że mam zniewalający uśmiech. Znienawidziłam to.

– Ale ja ci tego nie mówię. Ja chcę całować... Nie wiem jak ci faceci w Cannes, ja chcę...

Twarde wargi malarza spadają na uciekające od pocałunku usta Anny, miażdżą je i gniotą. Furioso! – myśli znowu, teraz już prawie z przerażeniem, które jednak jest równoczesnym odkryciem, jest równoczesnym odkrywaniem słabnącego oporu własnego ciała. Ponieważ to dopiero budzi w niej prawdziwy strach, odpycha w końcu napastnika i uskakuje w pobliże kanapki, na której śpi Sebastian.

– Powiem o wszystkim Ewce i da ci po pysku w sam dzień ślubu.

Tereszkiewicz przesuwa dłonią po twarzy, zatrzymuje ją na oczach.

– Przepraszam. To dlatego, że jestem taki podniecony.

– Zachowaj podniecenie na podróż poślubną.

– Och, będziemy wciąż łazić po Rzymie i pewnie już na nic innego nie starczy nam siły.

– Nie sądzę – mruczy Anna.

Malarz przysiada na kanapce, złożywszy nogi uśpionego Sebastiana na swoich kolanach.

– Pozwolisz, że tu odpocznę?

– Ależ jesteś u siebie.

– Teraz u ciebie. Oddałem ci ten kąt i jestem twoim gościem. Śpi tu twój syn i szczerze mówiąc, miałbym ochotę wyciągnąć się koło niego.

– Obudzisz go.

– Nie zrobię tego. Wiesz – wcale nie chce mi się jechać do Rzymu.

– Oszalałeś! Mówię ci to drugi raz.

– Nie. Naprawdę.

– To nie jedź!

– Ale obiecałem Ewce. I wszystko załatwione, bilety, hotel... Wiesz – Tereszkiewicz zamyśla się przez chwilę – ile razy jestem w Rzymie, zatrzymuję się w tym samym hotelu. Skromne maleństwo, ale gdzie położone! Przy cienistej, wąskiej uliczce w połowie drogi między Colosseum a Forum Romanum. I kilkaset metrów od posągu „Mojżesza" Michała Anioła w kościele S. Pietro; zwykle wstawałem rano i szedłem najpierw powiedzieć mu dzień dobry.

– No i tym razem też to zrobisz.

– Właśnie tego nie jestem pewny. Zwykle w Rzymie bywałem sam. Dostawałem jednoosobowy pokój z widokiem na małe patio, ozdobione czyimś marmurowym popiersiem bez nosa i szczątkiem kolumny obrośniętej bluszczem, teraz pewnie pokój będę miał inny, bo dwuosobowy...

– I co z tego?

– No, nie wiem. Ale jakoś nie cieszę się tym wyjazdem, jak wszystkimi poprzednimi.

– Oszalałeś! – mówię ci to po raz trzeci. Nie powinieneś pić alkoholu, głupiejesz po wódce.

– Przeciwnie. Nabieram ostrości spojrzenia. Czy myślisz, że tak łatwo rezygnuje się z samotności?

– Jeśli tak trudno, to zawołajmy tu Ewkę, powiedz jej wszystko, najpewniej naprawdę, choć za co innego, dostaniesz po pysku i ona zgodzi się na unieważnienie małżeństwa, zwłaszcza że jeszcze jest non consummatum!

– Consummatum, moja droga. Od dawna consummatum!

Wybuchają obydwoje śmiechem, aż Sebastian, na szczęście nie rozbudzony do końca, porusza się na kanapce.

– Ależ ja ją kocham, co ty sobie wyobrażasz? Kocham Ewkę, cudowna dziewczyna. Ale tak samo kocham moją wolność i dlatego tak trudno mi pogodzić się z tym, że podczas tej podróży stracę dla niej, stracę p r z e z n i ą Rzym.

– A nie potrafiłbyś wyobrazić sobie, że mógłbyś go jej ofiarować?

– Och, nie wiem, nie wiem...

– Nie bredź. Zyskując, zawsze się coś traci. Wracaj do gości. Ja tu jeszcze posiedzę. Sebastian często budzi się zaraz po zaśnięciu. Narobiłby wrzasku.

Tereszkiewicz podnosi się niechętnie i niespodziewanie znów całuje Annę w usta, ale zaraz się wynosi ze stryszku nie domykając drzwi, tak że słychać tu wszystko, co dzieje się w pracowni, tylko wizję trzeba sobie wypracować wyobraźnią. Oto pan młody, prawdopodobnie, żeby usprawiedliwić swoje zniknięcie, wynosi skądś z zaplecza magnetofon i zapowiada prezentację najlepszych swoich nagrań.

– „Andaluza" Enrique Granadosa – obwieszcza – w wykonaniu hollywoodzkiej orkiestry...

Brawa, które się zrywają po tej zapowiedzi, nie pozwalają Annie dosłyszeć, jaka to orkiestra gra „Andaluzę", a gra cudownie i słuchając jej z przymkniętymi oczyma można oddalić od siebie wszystko, co niegodne jest tej chwili. Anna, przytuliwszy się do Sebastiana, zapada w zachwycony półsen, który z całego świata wyodrębnia tylko muzykę, wszystko inne cofając w cień nieistnienia. Kiedyś, jeszcze w szkole, ucząc się strof „Pana Tadeusza", zaczęła modlić się i dziękować Panu Bogu, że stworzył Mickiewicza. Później wydało jej się to śmieszne i egzaltowane, ale teraz nagle zapragnęła podziękować Panu Bogu, że stworzył Granadosa i że pozwolił mu skomponować „Andaluzę".

Chyba się upiłam – myśli, gdy Olek Tereszkiewicz puszcza taśmę z Sinatrą, bo i za Sinatrę chce jej się dziękować Panu Bogu. Ale jasność umysłu temu zaprzecza, więc nie upiła się, tylko jeszcze i teraz, jak za młodych lat myśli, że trzeba dziękować Panu Bogu za artystów, za to, co stworzyli i dali innym ludziom, żeby ich zachwycić i ucieszyć, ponieważ przynajmniej cząstka duszy została stworzona na przyjmowanie piękna...

– Mam nadzieję, że nie przeszkadzam – mówi ktoś niepokojąco z bliska.

Anna otwiera oczy, unosi się gwałtownie, potrącając Sebastiana, który jednak, objedzony szynką, śpi dalej, posapując cichutko.

– Nie przeszkadzam? – pyta jeszcze raz łysiuteńki młody człowiek, przysiadłszy na drugim krańcu kanapki.

Znam skądś faceta – myśli Anna, ale nie może sobie przypomnieć, gdzie i kiedy już z nim rozmawiała. Tymczasem intruz sadowi się coraz wygodniej na kanapce, wzniecając obłoki kurzu ze zwojów płótna, które podkłada sobie pod plecy.

– Te przyjęcia à la fourchette są jednak męczące.

– Tak – bąka Anna.

– Zwłaszcza gdy stół jest tak obficie zastawiony.

– Właśnie. Mój syn, jak pan widzi, poległ w tej nierównej walce.

– Pani syn...? Kiedy pani zdążyła... Przepraszam, widzę panią wciąż jako tragiczną, ale jednak wiośnianą Antygonę...

– Czyżbym się tak bardzo zmieniła do tej pory? – pyta Anna z manifestacyjną ochotą obrażenia się za tę niezręczność – i w tej chwili uświadamia sobie, że ten młody człowiek, z którym rozmawia, jest znanym krytykiem, a w dodatku bardzo dla niej łaskawym w swoich recenzjach.

– Och, nie. Nie to miałem na myśli. Tylko prywatna rola matki...

– Antygonę grałam zaraz po szkole. Cieszę się, że pamięta pan to przedstawienie.

– Wyjątkowo dobrze. To była „Antygona" taka, jaką Sofokles napisał. Budzi we mnie sprzeciw posługiwanie się tekstem autora dla podkreślenia jakichkolwiek aktualności. Jeśli reżyser jest za czy przeciw – niechże to sam stara się napisać, nie mieszając Bogu ducha winnych klasyków w rozgrywki dzisiejszego dnia.

Anna bardzo nie chce się narazić swemu sąsiadowi na zakurzonej kanapce, ale jednak nie może się z nim zgodzić:

– Istnieją sytuacje, kiedy właśnie „za", czy głównie „przeciw" można wyrazić tylko interpretacją klasycznego tekstu.

Młody człowiek, podepchawszy sobie pod plecy dodatkowy rulon płótna, które kiedyś stanie się jednym z obrazów Aleksandra Tereszkiewicza, uśmiecha się z wyrozumiałością.

– Ale istnieje także coś takiego, co nazywamy intencjami autora.

– Czy można określić je dokładnie? Nieraz po wiekach?

– Są zapisane w tekście. Wstyd się przyznać, ale – wie pani – po iluś tam polskich „Hamletach" zrozumiałem ten utwór naprawdę dopiero po obejrzeniu przedstawienia telewizji angielskiej. Reżyser nie o d c z y t y w a ł sztuki, tylko ją po prostu dobrze przeczytał. I wszystko stało się jasne. Krótko mówiąc, istnieją jednak granice interpretacji, a tekst nie jest plasteliną, którą można ugniatać w dowolne formy.

Annie zaczyna ciążyć ta rozmowa, próbuje obrócić ją w żart.

– Kiedyś pisarze dramatyczni wystawią panu pomnik.

– A reżyserzy go zburzą.

– Może widzowie na to nie pozwolą? Bo oni jednak kochają klasykę w jej przyrodzonym kształcie.

– Któż to mówił przed chwilą, że istnieją sytuacje, w których tylko interpretacja klasycznego tekstu może wyrazić stosunek do rzeczywistości...?

– Ja. Ale w gruncie rzeczy lubię grać w teatrze, który podoba się ludziom.

– Aluzyjny teatr także się podoba. Nawet bardzo.

– Już teraz może trochę mniej niż dawniej.

– Bo wiele rzeczy zostało powiedziane wprost.

– Choć może nie w teatrze i nie do końca. – Anna wstaje, pragnąc przerwać tę rozmowę, nie pasującą ani do weselnego gwaru, który tu dociera, ani do jej myśli sprzed chwili.

– O czym my rozmawiamy, proszę pana, kiedy trwa wesele mojej przyjaciółki...

– O, właśnie! Wesele! Czy to wszystko, nawet ta nasza rozmowa, nie przypomina pani...?

– Żadnych podobieństw. Ewka nie jest córką gospodarza z Bronowic, ale krawca z Siedlec, niech pan weźmie pod uwagę – najlepszego w mieście, a on artystą malarzem bez inspiracji intelektualnych, zdolnym malarzem, który macza pędzel w intuicji, nie wiem, czy w ogóle czytał „Wesele".

– Musiał – w szkole. A poza tym na pewno zaliczył kilka przedstawień odmiennie o d c z y t y w a n y c h przez różnych reżyserów. I znów jesteśmy przy tym samym temacie odczytywania sztuki...

Anna zmierza ku drzwiom. Krytykowi najwyraźniej nie posłużył alkohol, chce mu się teraz – i akurat z nią – rozmawiać o teatrze, o jego najważniejszej i rzadko dyskutowanej wprost sprawie. W dodatku już sama nie wie, kto z nich jest za, a kto przeciw teatrowi aluzyjnemu, wszystko się poplątało; z pracowni dochodzi muzyka zmieszana z wzrastającym gwarem rozmów, nikt już nie słucha jej w skupieniu, dźwięczy szkło i wysoki, podniecony śmiech, jakieś dwa ciała uderzają w nie domknięte drzwi stryszku, wtaczają się do środka.

– Przepraszam – piszczy jedna ze studentek z czarną aksamitką na czole.

– Przepraszam – powtarza skonsternowany młody malarz, ten sam, który usiłował pocieszać mamę Zabiełło, podsuwając jej myśl, że może jeszcze nieraz będzie wyprawiać wesele swojej pięknej córce.

– Ależ proszę – mówi Anna, wściekła, iż tych dwoje wyobraża sobie nie wiadomo co, zastawszy ją tu z mężczyzną, w dodatku, jeśli wiedzą, kim on jest. Dodaje więc zaraz, podnosząc głos. – Tylko, że tu śpi mój syn.

– Och, przepraszam – piszczy jeszcze raz spłoszona studentka. Z niewiadomego powodu chwyta za rękę krytyka i wyciąga go ze stryszku.

– No, tak... – mruczy, jakby wcale tego nie zauważywszy malarz. – Można tu świetnie odpocząć.

– Pan zmęczony? – bez współczucia pyta Anna. – Niestety, kanapka zajęta przez mego syna.

– Ale moglibyśmy przysiąść na jej brzeżku.

– Jeśli ma pan ochotę – proszę. Przypilnuje mi pan dziecka, a ja się pójdę czegoś napić.

W tłumie, który wciąż tkwił po obydwu stronach zsuniętych z sobą stołów, z trudem odnajduje Ewkę. To ona teraz dotrzymywała towarzystwa profesorowi, który b a r d z o lubił młode, ładne panie. Trzymając Ewkę wpół, obejmuje także natychmiast i Annę.

– Nie miałbym nic przeciwko temu, żeby wszystkie wernisaże odbywały się w ten sposób. Bo to jest wernisaż, moje drogie, weselny wernisaż Olka! Te obrazy na ścianach i żona jak obrazek...

– Jest tu gdzieś telefon? – zwracając się do Ewki, przerywa profesorowi Anna.

– Jest, oczywiście. Ale chcesz teraz gdzieś dzwonić?

– Muszę.

– Do Szymona?

– Do Szymona. Dawno powinien tu być. Miał tylko wpaść do domu, żeby się przebrać. Podejrzewam, że grzebie się, a ja muszę pilnować Sebastiana...

– Przecież śpi.

– Ale wciąż ktoś włazi na ten stryszek.

– Czy ty myślisz, że jak Szymon wreszcie tu przyjdzie, pozwolę mu tkwić przy Sebastianie?

– Trochę będzie musiał posiedzieć. Ja jestem z dzieckiem od rana.

– Boże, Boże! – szepcze profesor. – Tyle szczęścia i tyle udręki!

– Co pan profesor ma na myśli? – pyta już trochę nastroszona Anna.

– Że tak bardzo lubicie być zakochane, pasjami lubicie wychodzić za mąż, chwalić się rodziną, która zwłaszcza w udzielanych wywiadach ma tyle uroku, niekiedy jednak...

– Co niekiedy...? – głos Anny nie łagodnieje.

Profesor całuje ją w policzek.

– Cóż ja ci będę mówił, moja mała.

– To wszystko przez ten poniedziałek – wybucha Anna. – Przepraszam – uśmiecha się do Ewki. – Oczywiście, tylko w poniedziałek mogłaś wziąć ślub, ale Sebastian wie, że poniedziałki mam wolne i tego dnia za nic nie zostanie pod niczyją opieką. Mama chciała przełożyć sobie dyżur w aptece...

– Tyle szczęścia i tyle udręki! – powtarza profesor.

Stojący obok przy stole Sewercio Bobrowski w pośpiechu zmiata z talerzyka ostatni kawałek galantyny z kaczki.

– Hanka! Ja posiedzę przy Sebastianie.

– Dziękuję ci, Sewerciu. Jesteś kochany! Czasem tylko nieznośny, ale w ogóle kochany.

– Jeśli tylko ta kaczka mi nie zaszkodzi, z przyjemnością posiedzę sobie przy Sebastianie.

– Nic ci nie zaszkodzi – zapewnia Ewka. – Z kuchni mojej mamy nikomu nic nie może zaszkodzić. Przyniosę ci na stryszek gorącej herbaty.

– Ja jednak zadzwonię do domu – mówi Anna. – Może Szymon już wrócił i korzystając z tego, że nikogo nie ma, uciął sobie drzemkę.

– Tyle razy ci mówiłam, żebyś nie była złośliwa w stosunku do Szymona.

– Poczekaj, poczekaj. Zobaczysz, jak potrafi się zachować twój małżonek po pięciu latach.

– O mnie mowa? – podsłuchuje przez stół Tereszkiewicz.

– Właśnie. Pokaż Annie, gdzie jest telefon.

– Chętnie! – podrywa się z miejsca pan młody.

Poddasze ma wiele zakamarków. W jednym z nich stoi całkiem wygodny fotel i biureczko z telefonem.

– Usiądź – zaprasza gospodarz.

– A ty zamknij drzwi. Z drugiej strony! – dodaje Anna widząc, że pan młody nie ma zamiaru opuścić pomieszczenia. Pozbywszy się go w końcu, nakręca numer.

Szymon prawie natychmiast podnosi słuchawkę.

– Dlaczego jesteś tam, a nie tu?

– Bo dopiero co wróciłem. Wizja się przeciągnęła.

– Oczywiście. Tego mogłam się spodziewać.

– Czy jest ci tam źle beze mnie? – pyta trochę złośliwie Szymon.

– Jest mi wspaniale, zwłaszcza że wciąż muszę pilnować Sebastiana. Właśnie zasnął.

– No to dobrze.

– Ale śpi w jakimś kącie na stryszku, a kręci się tam mnóstwo podpitych osób. Przyjeżdżaj!

– Już się ubieram.

– Białą koszulę położyłam ci na fotelu.

– Dziękuję. Tylko nie wiem, gdzie są te srebrne spinki...

– Boże drogi! Może są w koszu na bieliznę, tyle razy proszę, żebyś wyjmował spinki.

– A poza tym... – głos Szymona cichnie.

– Co – poza tym?

– Jest do ciebie telegram.

– Telegram?

– Tak. Przysłali z ministerstwa, bo został skierowany na tamten adres.

– Co to za telegram? – krzyczy Anna, aż słychać ją chyba w pracowni, mimo panującego w niej gwaru. – Otworzyłeś?

– Otworzyłem.

– No to czytaj!

– Przeczytałem. Masz... masz propozycję wystąpienia w zagranicznym filmie.

Anna milknie i dopiero po chwili zdolna jest zapytać:

– Skąd? Skąd ten telegram?

Teraz Szymon milczy przez długą, bardzo długą chwilę.

– Skąd?!

– Z Meksyku.

XII

– To tym dziwniejsze – mówi prokurator Klimontowicz, usiłując zgarnąć widelcem majonez, zakrzepły na przemarzniętej w ladzie chłodniczej połówce jajka – tym dziwniejsze, że sam się zgłosił, żeby złożyć zeznania.

Szymon także walczy z połówką upartego jajka, ślizgającą się po całej powierzchni talerzyka. Siedzą w sądowym bufecie podczas przerwy spowodowanej niestawieniem się świadka. Jest to wciąż proces o zabójstwo pracownika jednego ze stołecznych zakładów pracy, ciągnący się od kilkunastu dni, pogmatwany mnogością spraw w związku z nim ujawnionych.

– To ten, na którego najbardziej liczyłeś.

– Znasz akta sprawy i wiesz dlaczego.

– Trzeba było wcześniej go powołać.

– Miał to być mój najcelniejszy strzał. Człowiek, który pracował przed zamordowanym na tym samym stanowisku i zwolnił się na własne życzenie, znękany pogróżkami ze strony oskarżonych. Po prostu nie zdecydował się przystąpić do przestępczej sitwy... Myślisz, że to jajko jest świeże?

– Nie jestem tego pewny.

– To może nam zaszkodzi?

Szymon nauczył się już nie przywiązywać zbytniej wagi do jedzenia.

– Różne rzeczy jadało się w tym bufecie i jakoś żyjemy.

Klimontowicz pozostawia na brzegu talerzyka rozbabrany majonez i nie dojedzony kawałek jajka; odsunąwszy się nieco od stolika, patrzy prawie ze współczuciem na kolejkę ustawioną przed bufetem, w którym najwykwintniejszym daniem są owe jajka w majonezie, prezentujące się istotnie lepiej niż kawałki smażonej ryby i resztki jarzynowej sałatki.

– Nie wiem dlaczego – mówi, zapomniawszy na chwilę o przerwanym procesie – inne instytucje potrafią zadbać o to, żeby mieć bufet na lepszym poziomie. My, dysponując sankcjami...

– Dysponujemy nimi, ale właśnie z tego powodu nie wypada nam ich używać – uśmiecha się Szymon. Zjada odważnie jajko, zagryza bułką, popija herbatą. – W dodatku w tak błahej sprawie.

– Masz rację. Wyrażając niezadowolenie z naszego bufetu powinniśmy postawić w stan oskarżenia całą polską gastronomię – restauracje, stołówki, bary i garmaże – za to, że pogłębiają kryzys marnowaniem darów bożych. Bo jeśli czegoś jest mało i jeśli płaci się za to słone pieniądze, to niech to przynajmniej będzie dobrze przyrządzone, jadalne, a nie zdatne tylko do wyrzucenia. – Prokurator, samotny kawaler, który od śmierci matki jadał byle gdzie i byle co, przy każdej okazji rozwodził się ze znawstwem popartym smutnym doświadczeniem nad upadkiem zbiorowego systemu żywienia. Z sadystyczną satysfakcją zwykł wspominać, gdzie i czym się zatruł, i na ile usiłowano go nabić w butelkę przy płaceniu

rachunku. Z żalem, jak za rajem utraconym, podawał przykłady jakichś wspaniałych i niedrogich dań, które podawano w restauracjach za dawnych dobrych czasów sprzed kilku lat.
– I niech mi nikt nie mówi – ciągnął dalej, zapatrzony w stojący przed nim talerzyk – że w narodzie wzrosła świadomość społeczna. Gastronomia jest przykładem działania klasy robotniczej przeciwko samej sobie. Bo któż zjada te nie dogotowane, przesolone lub przypalone, czasem wręcz zepsute potrawy – kapitaliści, prywatna inicjatywa, bogacący się spekulanci? Klasa robotnicza musi to wepchnąć w siebie, psując sobie wątroby i żołądki – i do reszty dobry smak. Ci ludzie już w ogóle nie wiedzą, jak powinno smakować dobre jedzenie. A nie zawsze tak bywało. Pamiętam...

– Długo jakoś trwa to doprowadzenie świadka – odważa się wtrącić sędzia Turoń.

– Doprowadzą go, doprowadzą – bądź spokojny. Nie zawsze tak bywało. Pamiętam taką małą restauracyjkę PTTK w Żelazowej Woli. Zaniosło mnie tam podczas urlopu któregoś roku. W karcie był kotlet cielęcy z sałatą i młodymi ziemniaczkami. Czy aby świeży? – zapytałem kelnerki. Sam się pan przekona, odpowiedziała. Zaryzykowałem, i co powiesz? Do dziś ten kotlet wspominam z rozrzewnieniem. Świeżuteńki, mięciutki, na prawdziwym masełku, sałatka chrupiąca, polana gęstą śmietaną, ziemniaczki posypane koperkiem. I zapłaciłem za to wszystko trzynaście złotych pięćdziesiąt groszy!

– Były czasy! – mruczy Szymon z pobłażaniem. Lubił jadać drugie śniadania ze Staszkiem Klimontowiczem, bo w przeciwieństwie do innych prawników nie drążył podczas przerw tematu procesu; odpoczywał przy jego dywagacjach na nieważne tematy, bawiły go dygresje odległe od spraw, które mieli na wokandzie. – Były czasy! – powtarza i usiłuje sobie przypomnieć, gdzie i kim był w latach, kiedy za kotlet cielęcy płaciło się trzynaście złotych pięćdziesiąt groszy, oczywiście nie w „Bristolu" i nie w „Europejskim", ale w poczciwych restauracjach na bogobojnej prowincji. Gdzie i kim był? Studentem? Aplikantem? Może już sędzią Sądu Rejonowego?

– Musisz wziąć pod uwagę – dodaje – że wszystko było dawniej lepsze, choćby dlatego, że byliśmy o ileś lat młodsi.

– Cóż za brednie! Jeśli w naszym wieku chcesz już wspominać młodość...

– Nie młodość, ale to, co minęło. Z sentymentem na przykład wspominam pracę w Sądzie Rejonowym.

– Tu przyznaję ci rację. W porównaniu z tym, w czym się dziś babrzemy, ileż uroku miały te niewinne fałszerstwa, złodziejstwa i pyskówki.

– Ale w nas samych, ile było zapału, nieomal poczucia posłannictwa w ferowaniu wyroków sprawiedliwości. Pamiętasz Zochę Łopuszankę?

– Nie znałem jej bliżej.

– Później wyszła za mąż i przeniosła się do Krakowa. Ale początki jej sędziowania przypadły na nasz sąd. Znana była z tego, że każdy wyrok opatrywała umoralniającą mową do oskarżonego, naprawdę wierząc, że nie dokuczliwość kary, ale jej słowa sprowadzą go na drogę poczciwości. Sama zresztą była wzorem wszelkich cnót i oskarżeni wili się na ławie, gdy wpierała w nich swoje niewinne spojrzenie. Ale któregoś dnia wygłosiła ostatnie przemówienie tego rodzaju i opuszczała odtąd salę sądową natychmiast po odczytaniu wyroku.

– Dlaczego? – Klimontowicz bezwiednie podnosi do pulchnych ust wzgardzony kawałek jajka i przełyka go ze smakiem.

– To długa historia.

– Czekamy przecież na doprowadzenie świadka.

– Przypadła jej sprawa, w której oskarżoną była młoda prostytutka, obwiniona o okradzenie klienta. Przyznała się zresztą od razu do swego czynu, wykazała nawet należną skruchę, siedząc na ławie oskarżonych ze schyloną głową, pogodzona z wymierzoną jej karą, uznająca nieomal ją za słuszną i należną. Ale tylko do momentu odczytania wyroku. Bo gdy Zocha swoim zwyczajem zaczęła umoralniającą mowę, wskazując zdeprawowanej istocie drogę powrotu do społeczeństwa – dziewczyna zmieniła pozę na ławie oskarżonych. Podniosła głowę i jej ożywione nagłą uwagą oczy zetknęły się z niewinnym spojrzeniem naszej Zosieńki. „Jest tyle pięknych zawodów dla kobiety – ciągnęła Zocha – tyle nie uwłaczających jej godności zawodów! Na przykład...". I zaczęła wyliczać po kolei te piękne, nie uwłaczające czci kobiecej zawody, a dziewczyna prostowała się powoli i podnosiła coraz wyżej głowę i wreszcie, kiedy pani sędzia zaczęła się rozwodzić nad urokiem krawiectwa i szy-deł-ko-wa-nia, zerwała się z ławy i zawołała na całą salę: „A cóż to pani sędzinie tak nagle o moją dupę chodzi?"

– Znakomite! A co na to Zosieńka?

– Zawinęła się i wyniosła z sali, aż łańcuch zadźwięczał na jej piersi. Tak oto traciliśmy złudzenia.

– Chcesz przez to powiedzieć, że już ich nie mamy?

– A jakie można mieć złudzenia – poważnieje Szymon – pakując człowieka na dwadzieścia pięć lat do więzienia albo...

– No, dokończ, dokończ.

– Albo... zasądzając najwyższy wymiar kary.

– W takim wypadku zamiast złudzeń, że kara pomoże przestępcy wrócić na łono społeczeństwa, ma się uczucie naprawdę dobrze spełnionego wobec tego społeczeństwa obowiązku.

– Wiesz, co mi powiedziała niedawno jedna z naszych urzędniczek? Że kiedy opuszcza ten gmach, trudno jej nieraz uwierzyć, że istnieje jakieś inne życie, bez morderstw, bez gwałtów i rozboju...

– Babskie histerie!

– Ale powiem ci, że i ja doświadczam czasem tego samego uczucia.

– Ty?

– Wyobraź sobie.

– Coś niedobrego dzieje się z tobą, Szymon. Ja – wprost przeciwnie, wychodzę z naszego gmachu z poczuciem, że to normalne, p r a w e życie, w które się zanurzam, jest moją zasługą, jest t a k ż e i moją zasługą, że po to pełnię swoją funkcję, po to tkwię tu przez osiem, a czasem więcej godzin dziennie, żeby porządni ludzie nie bali się chodzić po ulicach...

Przy bufecie powstaje nagłe ożywienie, wszyscy stojący w kolejce – sędziowie, prokuratorzy, adwokaci, aplikanci, urzędnicy i oskarżeni odpowiadający z wolnej stopy – zwracają się ku postaciom w bieli, w skażonej nieco bieli, wnoszącym pojemniki z nowym zaopatrzeniem.

Twarz Klimontowicza, okrągła i rumiana, stanowiąca jakby zaprzeczenie wszelkiej surowości, łagodnieje jeszcze bardziej. Zadarty nosek wietrzy zawiewające od pojemników zapachy.

– Zdaje się, że przywieźli wątróbkę. Może zjemy?

Szymon zerka na zegarek. Nie lubi atmosfery bufetu, wydaje mu się, że przepada tu jakby cała powaga sądu – w oparach smażonej wątróbki, w tych nagłych olśnieniach, którym ulegają najwybitniejsi stołeczni prawnicy na widok pojawiających się – co prawda z rzadka – atrakcyjnych dań.

– Musimy już wracać do sali narad. Nasi ławnicy właśnie już tam poszli. Nie chciałbym, żeby mówili, że przedłużam przerwy w rozprawie z powodu... wątróbki.

– Lepszy ten powód niż jakikolwiek inny. Tracisz poczucie humoru. Masz jakieś... trudności rodzinne?

– Skądże! – zbyt gwałtownie zaprzecza Szymon.

W drzwiach staje młody oficer milicji i rozgląda się po sali.

– To Wiśniewski! – Klimontowicz podnosi rękę. – Pewnie już doprowadził świadka.

Porucznik przeciska się między stolikami.

– Ma go pan?

– Nie, panie prokuratorze.

– Dlaczego?

– Od trzech dni nie zgłasza się do pracy. I także nie ma go w domu. Sąsiedzi mówią, że nie widzieli go od kilku dni.

– Uciekł?

– Wygląda na to, że uciekł.

– To samotny człowiek? Nie ma rodziny? – pyta Szymon.

– Samotny – odpowiada porucznik. – Rozwiódł się z żoną, dzieci nie mieli. Rozpytałem o niego sąsiadów.

– Jeśli uciekł...? – zastanawia się prokurator. – Co by to właściwie miało znaczyć?

– Że się czegoś boi bardziej niż niestawiennictwa w pracy i w sądzie – podsuwa Szymon swoją argumentację.

– Możliwe. Ale ja go znajdę! Znajdę sukinsyna! Tak mnie napuścić!

– Ja bym na twoim miejscu – Szymon zamyśla się na chwilę – zajrzał do tego mieszkania. Wydaj nakaz.

Klimontowicz powoli zwraca ku niemu głowę.

– Co masz na myśli?

– Wydaj nakaz. A ja rozprawę odroczę do jutra.

– Niech pan pozwoli ze mną, poruczniku – prokurator wstaje od stolika. – Dam panu nakaz i jeszcze dziś niech pan tam pójdzie. Jutro muszę go mieć, żywego albo umarłego.

Przed Szymonem otwiera się niespodziewanie całe długie, wolne popołudnie. Opuściwszy sąd punktualnie o trzeciej, co mu się nie zdarzyło co najmniej od tygodnia, powoli zmierza do tramwaju, bynajmniej nie zainteresowany tym, żeby nadjechał jak najprędzej. Pogoda jest cudowna; po wyjątkowo pięknych ostatnich dniach maja, czerwiec nastał od razu upalny, przywodzący na myśl sianokosy, pierwsze kąpiele w rzekach i jeziorach, leśne wędrówki pod baldachimem świeżej zieleni. Nawet tu, w środku miasta, lekki powiew zdaje się mieć zapach lata, jakby piwonie i narcyzy w wiadrach kwiaciarek zdolne były pokonać swoją wonią odór samochodowych spalin.

Szymon kupuje mały bukiecik bratków i stokrotek, zastanawiając się, czy Anna nie poweźmie podejrzenia, że chce wpłynąć na jej decyzję. Kiedy to ostatni raz przyniósł jej kwiaty? Och, przecież całkiem niedawno, kiedy wróciła z Cannes... Mógłby ponadto pojechać do przedszkola po Sebastiana, ale zerknięcie na zegarek upewnia go, że Anna chyba go już odebrała, kończyła próbę w teatrze o drugiej i zwykle, gdy nie nagrywała czegoś w radiu lub telewizji, o wpół do trzeciej była już w przedszkolu, a o trzeciej obydwoje z Sebastianem gospodarzyli w domu... Czy ten rytm – nieraz zakłócany, ale jednak rytm – ich codzienności miał zostać przerwany i zniszczony dla jakichś nie sprecyzowanych nadziei... Tak, tak, tak! Nadziei na pieniądze! Na pieniądze w tej cholernej wymienialnej walucie, może na większe mieszkanie i nowy samochód i może na jakiś strzęp sławy, która nie dawała się niczym wymierzyć...?

Ale Anny w domu jeszcze nie ma. Natomiast na wycieraczce przed progiem stoi Wojtaszek Tarło w przyjacielskiej pogawędce z gospodarzem domu, dla którego i goście Anny godni są wyjątkowych względów.

– To właśnie pan sędzia Turoń, mąż pani Anny – dokonuje prezentacji, gdy Szymon wysiada z windy.

– Ależ my się znamy, panie Fjałkowski – uśmiecha się Szymon i zaraz zwraca zaniepokojony wzrok na reżysera. – Czy coś się stało?

– Och, nic szczególnego – Wojtaszek nie zwykł był odsłaniać kart, zwłaszcza pod nieobecność partnera, z którym miał nadzieję rozegrać partię. – Tak przyszedłem, pogadać z Hanką, nie złapałem jej już w teatrze.

– Pewnie zaraz wróci – Szymon otwiera drzwi, wpuszcza przed sobą Tarłę, Fjałkowskiemu ściska dłoń. – Dziękuję, że pan zaopiekował się naszym gościem.

– Bo ja wiem, że do państwa byle kto nie przychodzi – dozorca kłania się i nie otwiera windy, dopóki drzwi mieszkania Turoniów się nie zamkną, a potem zjeżdża na dół i czeka przed blokiem. – Ma pani gościa – melduje Annie, gdy ta nadchodzi, ciągnąc za rękę zziajanego Sebastiana. – I pan sędzia już wrócił!

– Och, dziękuję panu, panie Fjałkowski – same dobre nowiny!

– No, nie wiem, czy takie dobre. Moja żona, to dla przykładu – nie lubi gości. Dlatego wolałem panią uprzedzić.

– Byliśmy na lodach! – uznaje za słuszne pochwalić się Sebastian. Usta ma jeszcze lepkie od słodyczy, dotyka ich wciąż końcem języka.

– Tobie się powodzi! – szczypie go w policzek Fjałkowski. – Mama cię dziś odebrała z przedszkola i jeszcze zafundowała lody.

– Ja zafundowałem – prostuje – z mojej skarbonki.

– Postanowiliśmy być dzisiaj cudownie lekkomyślni, panie Fjałkowski – dodaje Anna. – Zna pan to uczucie?

Fjałkowski nie wie, co odpowiedzieć. Uwielbia rozmawiać z panią Turoń, ma potem co opowiadać wszystkim lokatorom, ale czasem nęka go obawa, czy staje na wysokości zadania.

– Bo ja wiem, proszę pani, czy lekkomyślność może być cudowna...?

– Ależ tak! Zapewniam pana! Niech pan czasem spróbuje.

– Ale co ja bym mógł takiego zrobić...?

– Niech pan także pójdzie na lody – wtrąca Sebastian. – Pójdę z panem! – ofiarowuje się z ochotą.

– O, nie! – Anna popycha go w stronę windy. – Tego by już było za dużo. I zapominasz, że mamy gościa.

Kto to może być? – myśli w windzie. Widok Wojtaszka zdumiewa ją.

– Czy coś się stało? – pyta tak, jak Szymon.

– Boże drogi! – woła reżyser. – Czy musi się aż coś stać, żebym was odwiedził?

– Byliśmy na lodach – obwieszcza Sebastian i bardzo czuje się rozczarowany, że ojciec prawie wcale nie zwraca na niego uwagi.

– Cieszę się – mówi w roztargnieniu, całując go w policzek, i stara się na trzeciego wślizgnąć do ich malutkiej kuchni, bo Tarło już tam wszedł z Anną, wypakowującą z siatki swoje codzienne zakupy, i zaraz powie, co go tu sprowadza, dlaczego szukał Anny w teatrze, a nie zastawszy jej tam, przyszedł aż do domu.

– Słuchaj, Hanka – zaczyna.

– Najpierw dostaniecie po porcji truskawek ze śmietaną – przerywa Wojtaszkowi Anna. Wysypała z torebki do cedzaka truskawki i przemywa je mocnym strumieniem wody. Potem obrywa je z szypułek i sprawiedliwie rozkłada do czterech miseczek, posypując cukrem i polewając śmietaną. Sebastian nie spuszcza oczu z rąk matki, pilnie obserwując, która z porcji jest największa.

– Ta! – wskazuje matce upatrzoną miseczkę. – Ta jest moja!

– Brzuch cię będzie bolał – wzdycha Anna.

– Słuchaj, Hanka – zaczyna po raz drugi Wojtaszek. Przenieśli się do pokoju, usadowili w fotelach, każdy ze swoją porcją truskawek w ręce. – Mam trudności ze scenariuszem, więc pomyślałem sobie, że powinienem ci to powiedzieć, żebyś bez skrupułów, że mi umykasz, mogła jechać do Meksyku.

– O, wiesz już o tym?

– W naszym środowisku nic się nie ukryje.

– To prawda.

– Bądź co bądź to wydarzenie. Jeszcze nikt z polskich aktorów nie występował w meksykańskim filmie. A kino latynoskie zaczyna się coraz bardziej liczyć.

– Wiem.

– Więc jakaś szansa to na pewno jest i nie chciałbym być tym, który przeszkodziłby ci w przyjęciu tej propozycji.

– Jesteś kochany – mówi Anna bez serdeczności. Boi się, że Tarło wspomni przy Szymonie o meksykańskim operatorze, który zalecał się do niej w Cannes, pomijając oczywiście ten fakt, ale już samo przypomnienie jego osoby wyjaśniłoby w dostatecznym stopniu sytuację.

– Jestem pewien, że świetnie będzie ci się tam pracować. Meksykanie są tacy mili.

– Tak.

Sebastian dzwoni już łyżeczką o dno miseczki i nie zdejmuje rozbłysłego spojrzenia z ojca, który nie napoczął jeszcze swojej porcji.

– Nie chcesz truskawek? – pyta cichutko. – Nie lubisz?

– Uspokój się – karci go Anna – dostałeś tyle co wszyscy. A nie jesteś taki duży jak my.

– Ale apetyt mam duży.

– Poza tym – reżyser Tarło wraca do przerwanego tematu – kinematografia meksykańska jest chyba nieźle zorganizowana. Jakiś wpływ Hollywoodu się tam odczuwa. Ile dni zdjęciowych ci proponują?

– Nie wiem. Chciałbyś, żeby już to ustalili w pierwszym telegramie?

– Tak się na świecie pracuje. Terminy! Liczą się przede wszystkim terminy. Wielkie gwiazdy mają impresariów, którzy je ustalają, a ty – na razie – sama musisz się o wszystko zatroszczyć.

Anna uśmiecha się leciutko. Nie patrzy na Szymona, ale uśmiecha się jakby w jego stronę, tylko że on tego nie dostrzega.

– Myślę – ciągnie dalej Wojtaszek – że czterdzieści dni zdjęciowych na pewno im wystarczy. Do tego czasu ja przebrnę przez moje trudności, zapnę wszystko na ostatni guzik i od jesieni moglibyśmy zacząć kręcić.

– Wspaniale!

– No to cieszę się, że tak myślisz i że cię złapałem, żeby to wyjaśnić. Bałem się, że będziesz miała wyrzuty sumienia...

– Ależ, Wojtaszku – ja nigdzie nie jadę.

– Jak to nie jedziesz? Nie jedziesz do Meksyku?

– Nie.

Tarło, który wstał już, żeby się pożegnać, siada znów na brzegu fotela.

– Mówisz poważnie?

– Jak najpoważniej.

– Ależ dlaczego?

– A muszę? Muszę jechać?

– Oczywiście, że nie musisz. Ale taka propozycja!

– Najgorszym z terrorów współczesności jest przymus robienia tak zwanej kariery. A poza tym... Skąd wiesz, czy nie chodzi o trzy dni zdjęciowe. W dodatku pod prysznicem.

– Dla ujęcia pod prysznicem nie sprowadza się aktorki z drugiej półkuli.

– A zresztą... nie mam ochoty jechać.

Szymona jakby nie było w pokoju. Nie powiedział dotąd ani słowa i Anna wie (o, zna trochę tego swojego Paragrafka), że pewnie i nie powie. Sebastian dobrał się jednak do jego truskawek i zmiata je, posapując cicho z łakomej rozkoszy.

– Nie mam ochoty jechać! – powtarza Anna. – Gdzieś tam... Tak daleko...

– Kilka godzin lotu z Paryża! – nie wiadomo dlaczego tak uparcie perswaduje Wojtaszek.

– I po co? Nie ruszając się stąd, mam zapewnioną dobrą rolę w następnej sztuce, otrzymałam ciekawą propozycję z Teatru Telewizji, mam nagrać coś w radiu, a dyrektor sceny „O dwudziestej drugiej" chciałby, żebym zagrała...

– Bój się Boga – szepcze Wojtaszek truchlejąc wobec tylu pomyślności, które zduszonym jakimś głosem wylicza Anna.

– Tak... chciałby, żebym u niego zagrała. Och, i zapomniałam o najważniejszym! Dostałam zaproszenie z Przasnysza...

– Skąd?

– Z Przasnysza. Z Domu Kultury. Proponują mi, żebym się zaopiekowała ich kółkiem recytatorskim. Słyszeli, jak mówiłam w radiu Leśmiana i bardzo chcą, żebym do nich przyjechała. Poza tym mają jakąś uroczystość i proszą, żebym ją uświetniła.

– Bój się Boga – powtarza wciąż coraz bardziej struchlały Wojtaszek.

– U ś w i e t n i ł a! – podnosi głos Anna. – Tak napisali. Gdzieś w świecie nikt by tak do mnie nie napisał. A oni jeszcze samochód przyślą w któryś poniedziałek, zawiozą i przywiozą...

– Z Przasnysza?

– Z Przasnysza.

Szymona w dalszym ciągu nie ma w pokoju, jest, ale go nie ma, i Anna – nie patrząc nawet na niego – przestała uśmiechać się w jego kierunku.

– I kiedyż ty na to wszystko znajdziesz czas? – ze wzrastającym zdumieniem pyta Tarło.

– Znajdę – twardo stwierdza Anna.

Wojtaszek przestaje na nią patrzeć, boi się na nią patrzeć, jest wściekły na siebie, że tu przyszedł, właściwie naprawdę, idiota jeden, niepotrzebnie tu przylazł, co go obchodził ten cały jej Meksyk, jego scenariusz nie został jeszcze zatwierdzony, mogła sobie jechać albo nie, jakie to miało znaczenie, skoro on będzie mógł kręcić najwcześniej na jesieni...

– Rób, jak uważasz – mówi, podnosząc się z fotela. – Wiesz, że jestem ci życzliwy.

– Wiem, dziękuję.

– Do widzenia, panie sędzio.

Szymon odprowadza gościa do drzwi, a kiedy wraca, obejmuje Annę i milczą tak, stojąc przy sobie – nie, nie zostanie powiedziane ani jedno słowo o prawdziwym powodzie zaniechania tej wspaniałej podróży do Meksyku, ani jedno słowo o urodzie tego kraju, który Szymon widzi teraz przed sobą jako raj, raj utracony dla Anny, ziemię różowych oleandrów i puszystych palm...

– Telefon! – woła Sebastian, podnosi słuchawkę i podaje ją matce.

– Tu prokurator Klimontowicz – odzywa się podniecony głos. – To pani Anna? Dzień dobry! Muszę rozmawiać z mężem. Jest?

– Jest – mówi Anna niechętnie, nie lubi takich telefonów. – Oddaję słuchawkę.

– On nie żyje! – woła od razu prokurator, nie czekając, żeby sędzia się odezwał. – Ten człowiek nie żyje!

– Kto? – Szymon powoli wraca z obszaru swoich myśli, właśnie widział Annę na targu w jakimś meksykańskim miasteczku, olśnioną i n n o ś c i ą każdej rzeczy, na którą patrzyła, Annę przymierzającą kolorowe poncho, Annę wybierającą jakąś ceramikę o azteckich wzorach, Annę... – Kto, na litość boską?

– Jak to kto? Świadek! Mój świadek! Miałeś rację, że trzeba było dać nakaz milicji. Mogłem zrobić to wcześniej, kiedy pierwszy raz nie pojawił się na rozprawie.

– Tak – przytomniejąc stwierdza Szymon.

– Zastali go w mieszkaniu uduszonego. Ta sama metoda. Obrońcy tych czterech, którzy siedzą już na ławie oskarżonych, mają nowy dowód na niewinność swoich klientów. Oni siedzą, a została dokonana nowa zbrodnia. Już jutro pewnie...

– Jutro odraczam sprawę. Porozmawiamy o tym w sądzie.

– Przepraszam... Nie możesz teraz rozmawiać?

– Właściwie... nie mogę.

– Żałuję, że dzwoniłem, ale chciałem podzielić się z tobą...

– Rozumiem.

– No to pozdrów swoją śliczną panią i przeproś ją w moim imieniu.

– Dziękuję. Do widzenia.

– Stało się coś? – pyta Anna, odbierając z rąk Szymona słuchawkę i kładąc ją na widełki.

– Nie... Nic szczególnego. Będę miał chyba przez cały tydzień wolne popołudnia, odraczam sprawę.

– To pięknie!

– I mama nigdzie nie jedzie? – Sebastian, wyjadłszy do końca drugą porcję truskawek, obejmuje rodziców za kolana i podnosi ku nim głowę.

– Nie – odpowiada Anna. – Nigdzie nie jadę. Tylko w któryś poniedziałek na pół dnia do Przasnysza, ale do Przasnysza zabiorę cię z sobą.

Ciąg dalszy w części drugiej.

WARUNKI PŁATNOŚCI

■ Zamawiając wszystkie tomy, opłaty dokonasz po otrzymaniu pierwszej przesyłki z tomami od 1 do 2, wpłacając należną kwotę na podany numer konta, który będzie dostarczony wraz z pierwszą przesyłką, oraz po otrzymaniu tomów 19 i 20 (tylko przy płatności w dwóch ratach).

■ Jeżeli zamówisz prenumeratę po ukazaniu się drugiego tomu na rynku, opłaty dokonasz przy odbiorze pierwszej przesyłki (płatność jednorazowa).

■ Jeżeli zamówisz prenumeratę po ukazaniu się drugiego tomu na rynku z płatnością ratalną, opłaty dokonasz przy odbiorze pierwszej przesyłki oraz po otrzymaniu tomów 19 i 20, wpłacając należną kwotę na podany numer konta.

Kolejne przesyłki będą dostarczane nieodpłatnie wprost do domu!

Całą kolekcję oraz poszczególne tomy można zamówić również w sklepie internetowym:

www.hitsalonik.pl.

Znajdziesz tam możliwość zapłaty za pobraniem, przelewem lub kartą kredytową.

Administratorem danych osobowych jest Edipresse Polska SA, ul. Wiejska 19, 00-480 Warszawa. Dane prenumeratorów będą przetwarzane w celu wysyłania zamówionej prenumeraty wraz z ewentualnymi próbkami produktów i gadżetów firm reklamujących się na łamach czasopism/kolekcji oraz w celu marketingu własnych produktów i usług administratora. Dane uczestników konkursów będą przetwarzane w celu realizacji umowy przystąpienia do konkursu i jego prawidłowego przeprowadzenia lub marketingu własnych produktów lub usług organizatora konkursu. Każda osoba udostępniająca swoje dane osobowe ma prawo do ich wglądu oraz weryfikacji a także złożenia sprzeciwu wobec przetwarzania danych w celach marketingowych. Podanie danych jest dobrowolne. Dane nie będą udostępniane innym podmiotom, z wyjątkiem podmiotów uprawnionych na podstawie odrębnych przepisów.